Scratch（スクラッチ）でAIを学ぼう

ゲームプログラミングで強化学習を体験

Ito Makoto
伊藤 真

日経BP

本書で紹介しているScratchプログラムについて

本書で紹介しているプログラムは、以下のScratchサイトで公開しています。

https://scratch.mit.edu/users/NikkeibpRL/

「共有したプロジェクト」の一覧に本書で紹介したプログラムがありますので、ご自分のScratchアカウントでサインインした後、「リミックス」、「中を見る」を使ってご利用ください。詳しい操作方法は2章に説明があります。

はじめに

強化学習とは、簡単に言えば先生なしの試行錯誤の学習です。強化学習を問題解決に使うと、あっと驚く面白い答えが見つかることがあります。それは、生き物のようなロボットの歩き方だったり、思いがけないゲームの勝ち方だったりします。

「強化」という言葉は、動物心理学で昔から使われている用語でもあり、私たち人間や動物も強化学習をしています。赤ちゃんは自分で寝返りを覚え、ハイハイを覚え、いずれ立ち上がります。強化学習は、生き物の学習方式から着想を得て考案されたものなのでしょう。

近年は、ディープラーニングの快挙によって研究業界・産業界では空前のAI・機械学習ブームです。また、小学校でのプログラミング教育が2020年度から必修化となったことから、プログラミング教育ブームも来ています。本屋に行くと、たくさんのAIの本やプログラミングの本が並んでいます。

しかし､驚くべきことに強化学習の本はほとんどありません。AIの本のほとんどは、教師あり学習の内容が中心で強化学習は含んでいません。その理由は、教師あり学習と比べて問題設定が難しいこと（難しく見えてしまうこと）や、産業利用がまだあまりないこと、などではないでしょうか。その一方で、2016年には強化学習が囲碁で世界トップレベルのプロ棋士に勝つという歴史的快挙があり、今現在でも目覚ましい進化を続けています。これからどんどん強化学習が盛り上がっていくことになるでしょう。

強化学習の一般的な数式の解説は、難しい概念や見慣れない記号を使わざるを得ないので、ハードルが高く難しく見えます。しかし、強化学習のアルゴリズムのアイデア自体はシンプルであり、直感的には誰にでも分かる内容なのです。そこで、一般の人向けに、数学を中学までの内容に限定し、Scratch（スクラッチ）で作ったゲームを題材にした入門書を書きました。本書では､一般的な強化学習を3ステップでじっくり解説します。ステップごとに新しいScratchのゲームを紹介し、それをプレイする強化学習AIをていねいに解説していきます。

強化学習はまだ発展途上ですが、可能性は無限大です。将来を担う若い人をはじめ多くの人が強化学習に慣れ親しむことで、将来すごいことが起こるのではないかと、ひそかに期待を膨らませています。

2020年7月 伊藤 真

目次

4章　レベル1・砂漠でダイヤ集めゲーム　63

5章　レベル2・月面でダイヤ集めゲーム　95

6章　レベル3・お化けの飛行訓練ゲーム　125

7章　まとめ　151

付録　159

1章

強化学習を始めよう

1章 強化学習を始めよう

この章では、Scratch（スクラッチ）を使う本書の進め方を紹介します。そして、強化学習とはどんなものなのかをAI（人工知能）や機械学習との関係から説明します。強化学習は機械学習の一種で、最近、目覚ましい進化を遂げているAIアルゴリズムです。

1-1 強化学習とScratch

みなさんは**アルゴリズム**という言葉を聞いたことがあるでしょうか。アルゴリズムとは、コンピュータに問題を解かせるための手順のことです。世の中のさまざまな問題に対して、さまざまなアルゴリズムが提案されています。

本書のテーマである**強化学習**もアルゴリズムの1つです[*1]。強化学習が一体どんなものなのかは本書でじっくり説明しますが、簡単に言えば、よい結果が得られる出力（ゲームの一手や操作）を試行錯誤で見つけるアルゴリズムです。応用として、将棋や囲碁、テレビゲームなどをプレイするAIの制作や、操縦が難しいロボットを自動で動かす研究などがあります。2016年には、囲碁の世界最強をうたう韓国のイー・セドル氏にコンピュータが勝利したという出来事がありましたが、ここで使われたAIは強化学習を応用したアルゴリズムでした。

この本は、Scratchを使って強化学習の基本を説明します。Scratchは、ブラウザ上で簡単に始められる、直感的で分かりやすい教育用プログラム環境（プログラム言語）です（**図1-1**）。本書は、Scratchの始め方、基本的なプログラムの作り方から解説しますので、Scratchが初めてという人でも読み進めることができます。

強化学習に関しては、専用のライブラリ（プログラムのセット）は使わず、0から解説します。基本を理解すれば、他のプログラム言語でも自分で強化学習のプログラムを作れるようになるでしょう。

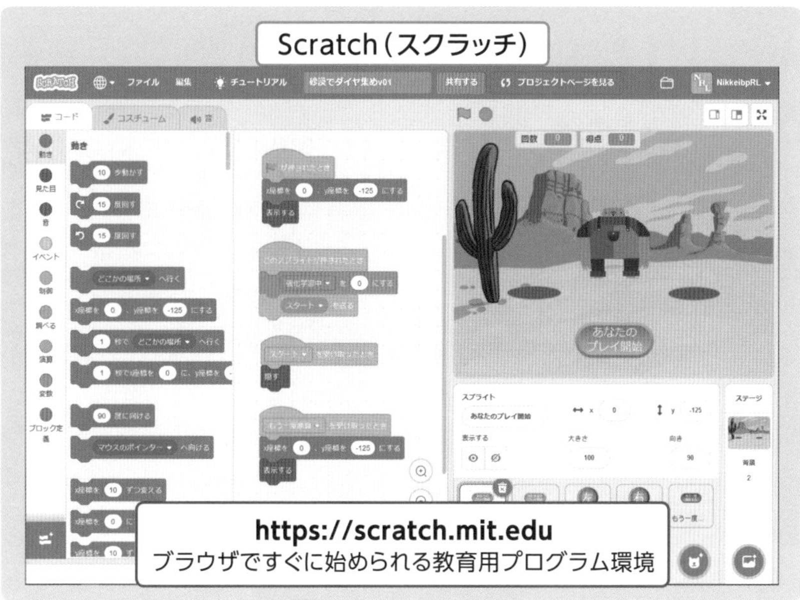

図1-1●教育用プログラム環境Scratch

Scratchは教育用と言われていますが、その性能はあなどれません。本書でScratchを選んだ理由は、強化学習の入門にはScratchが最適だと筆者が確信したからです。強化学習を動かすためには、強化学習が解くお題、つまりゲームなども作る必要があるのですが、単純なゲームならScratchで簡単に作れます。そして、Scratchのプログラムは普段使っている言語で作ることができるので、プログラムに慣れていない人でも理解しやすいという利点もあります。

この本を読むにあたって必要な数学は、足し算、引き算、掛け算に加え、中学で勉強する文字式、グラフ、そして、基本的な確率の考え方です。それ以上の高度な数学は一切使っていません。この本は、強化学習をきちんと理解したいと思っている、中高生から大人まですべての人を対象としています。

本書で紹介するプログラムは、「ゲームのプログラム」と「それをプレイする強化学習アルゴリズムのプログラム」を融合させたものになっています。本書では、強化学習アルゴリズムの部分を中心に解説しますが、ゲームの部分のプログラムもしっかりと理解したいという人は、巻末の付録に全コードを掲載していますので、そちらを参考にしてください。また、本書で紹介するプログラムは、ScratchのWebサイトにアクセスして、コードを見たり、コピーして変更したりすることができますのでぜひ参考にしてください。各プログラムのサイトのアドレスは本文中に記載しています。

[*1] 1-2節「強化学習とAI」で説明しますが、強化学習という言葉は問題を表す場合もあります。

1-2 強化学習とAI

最近、AIという言葉をよく見聞きするようになりました。近年のAIをきちんと理解するためには**機械学習**という言葉も重要です。この節では、AIや機械学習とはいったい何なのか、という説明と、その中で強化学習はどういう位置づけにあるかについて説明します。

AIはArtificial Intelligenceの略で、日本語での**人工知能**と同じ意味になります。AIとは「コンピュータを使って人間の知能の働きを人工的に実現したもの」であり、そこにはさまざまな方法が含まれます。その中でも特に、たくさんのデータを利用する方法として機械学習という手法があります（図1-2）。

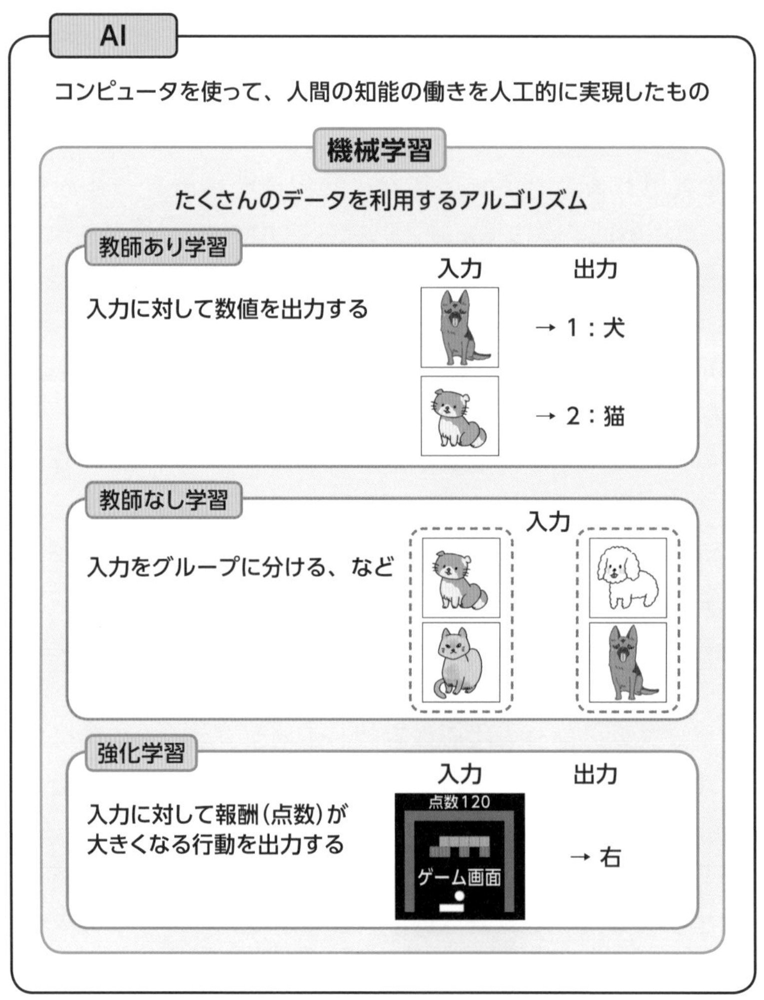

図1-2●AIと機械学習と強化学習の関係

機械学習は、さらに、**教師あり学習**、**教師なし学習**、そして、**強化学習**の3つの種類に分類されます。ここで明確にしておきますが、「教師あり学習」、「教師なし学習」、「強化学習」という言葉は、「アルゴリズム」を意味する場合と、そのアルゴリズムが解く「問題」を意味する場合があります。文脈からその区別が分かりにくい場合には、前者を「教師あり学習のアルゴリズム」、後者を「教師あり学習の問題」などと明記します。

この教師あり／なし、という言葉は何を意味するのでしょうか。

まず「教師あり学習」から説明します。教師あり学習を使うと、例えば犬か猫の画像をコンピュータに入力し、犬だったら1を、猫だったら2を出力する犬猫判別ソフトを作ることができます（**図1-3**）。

そのためには、まず何枚もの犬と猫の画像を準備し、それぞれの画像に対して、犬だったら1、猫だったら2という正解のデータを人間が作ります。これを**教師データ**と呼びます。そして、これらの画像データをアルゴリズムに入力し、その出力が教師データと同じになるように、アルゴリズムの中の計算式を自動調整します。このような流れで犬猫判別ソフトが完成します。

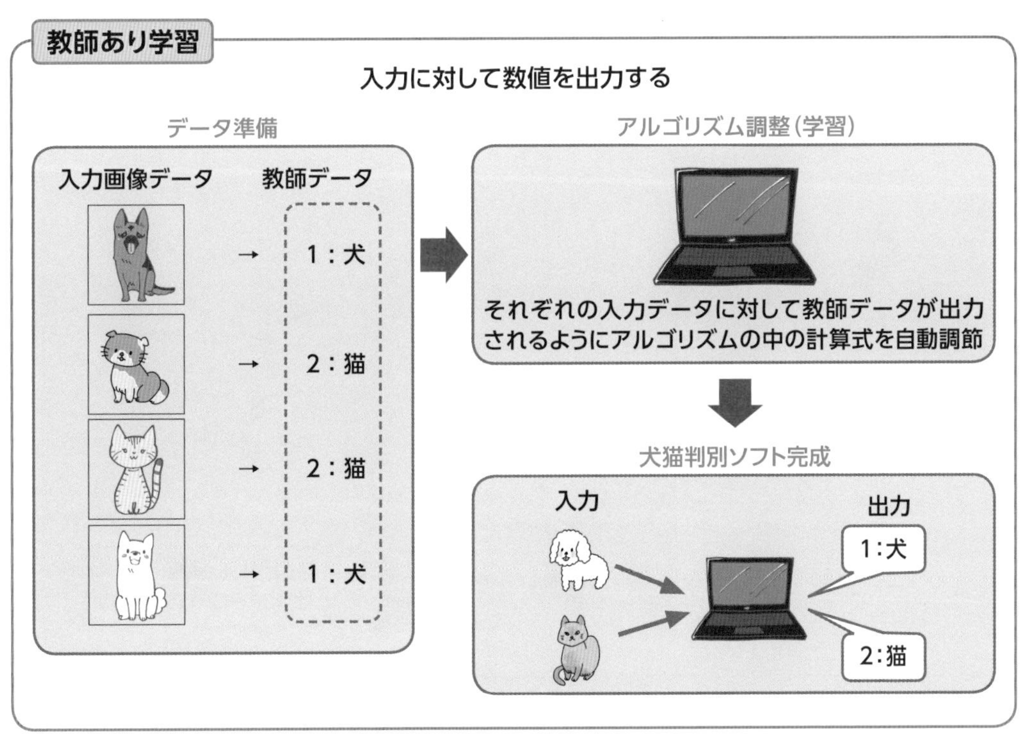

図1-3●教師あり学習

この手続きでは、「この画像の入力に対してはこの値を出力しなさい」という教師の役割をする教師データを使っています。これが教師あり学習と呼ぶ理由です。一般に教師あり学習は、画像だけでなくさまざまな数値（画像データも数値として処理）の入力に対して、数値を出力することができます。

教師なし学習は、その名前のとおり教師データを使わないアルゴリズムです。教師データを使わないで一体何ができるのだろうと思うかもしれませんが、例えば入力データをグループに分ける**クラスタリング**という問題があり、それを解くアルゴリズムがあります（**図1-4**）。教師データがなくても、犬と猫の画像に何らかの特徴の違いがあれば、アルゴリズムは自然に犬と猫を別のグループとして分けることができます。このグループ分けができれば、新しい画像がどちらのグループに属すべきかを出力することもできます。

また、犬と猫という教師データを使わないので、それにとらわれないグループ、例えば色、姿勢、毛の長さなどに基づいてグループを分けるという方法を発見するかもしれません。このような技術は、例えば膨大な顧客データからどんなタイプの顧客がいるかを分析することなどに応用できるでしょう。

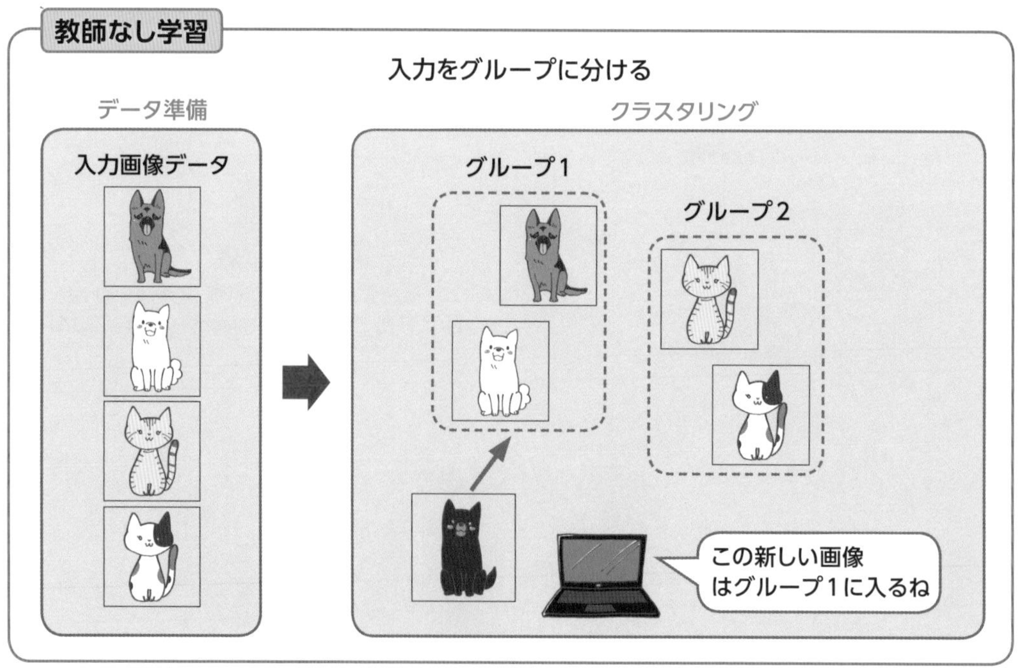

図1-4●教師なし学習

強化学習は、先の2つとは毛色が異なります。例えばブロック崩しのゲームを考えましょう（**図1-5**）。ブロック崩しは、パッドを左右に操作してボールを打ち返すゲームです。そして、ボールがブロックに当たるとブロックが破壊されて点数が入ります。強化学習を使うと、パッドをうまく操作してボールを打ち返すAIプレーヤーを作ることができます。

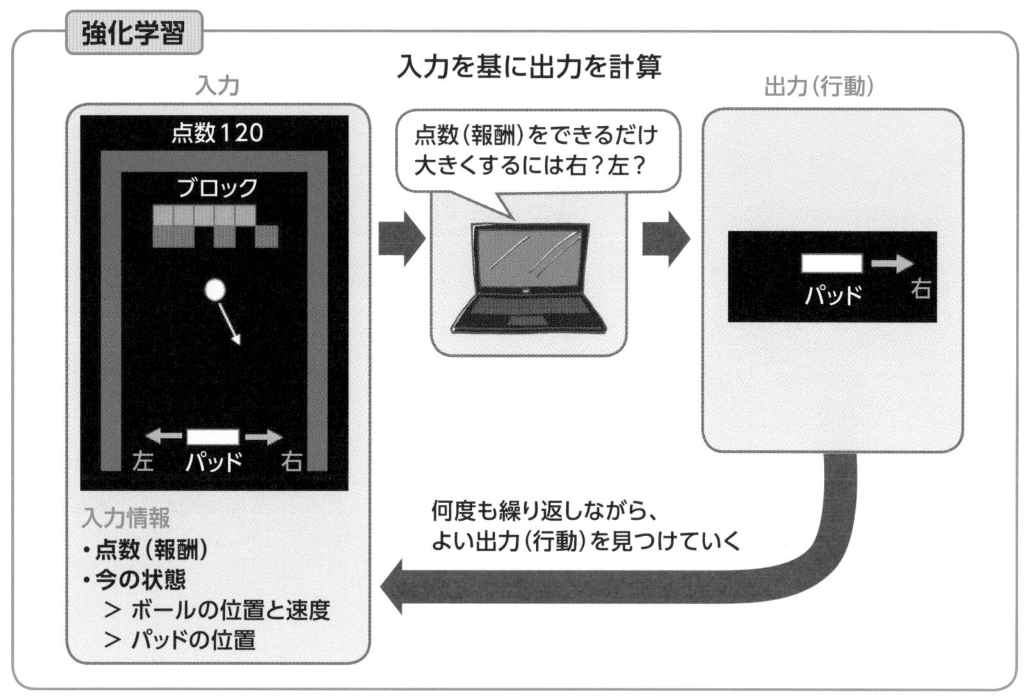

図1-5●強化学習

強化学習アルゴリズム（AIプレーヤー）は、入力情報として今の点数と画面の状態（ボールの位置と速度、パッドの位置など）を受け取り、それを基にパッドを右と左のどちらに動かすかを出力します。これを1秒間に何度も繰り返すペースで行い、ゲームを続けます。

強化学習のAIプレーヤーにはボールの方向へパッドを動かすというあからさまなアルゴリズムを組み込みません。その代わりに点数の情報を使います。単純化した説明になりますが、強化学習アルゴリズムは、初めはランダムにパッドを動かします。そして、偶然点数が高くなったときのパッドの直前の動きを覚え、次に似た状態になったときに（つまり、ボールの位置や動く方向、パッドの位置が前回と似ているとき）、そのパッドの動きを出力するのです。このような手続きを何度も繰り返していくと、どんな状況でもボールを追って打ち返すというパッド操作ができるようになります。

それでは、なぜ点数の情報だけしか使わないというアルゴリズムを考えるのでしょうか。人間が考えた攻略方法でAIプレーヤーを作ってしまうと、どのような攻略方法を使うかでAIの能力が大きく変わります。これでは、ゲームをよく知っている人でないと、強いAIプレーヤーは作れません。また、難しいゲームや問題ではその攻略方法が誰にも分からない場合もあります。強化学習は、そのような問題を超えるために点数だけを基準にするのです。オセロや囲碁のような対戦ゲームでは、基本的には勝ったときだけ点数が入ると考えます。

また、他の利点もあります。ゲームの特徴を取り入れてAIプレーヤーを作ると、ブロック崩しのゲームしかできない専用ソフトになってしまいます。しかし、点数だけを頼りにAIプレーヤーを作ることができれば、高得点を目指すことが目的のゲームならば、どんなものでも同じ作り方でAIプレーヤーを作ることができるでしょう。強化学習が目指すところは、このようにさまざまなものに応用可能なアルゴリズムなのです。

一般的な強化学習では、アルゴリズムの出力を**行動**（ブロック崩しの例ではパッドの操作）、そして行動の指標となる情報を**報酬**（ブロック崩しの例では点数）と呼びます。そして、将来受け取る報酬ができるだけ多くなるような行動を選ぶことが目標となります。

強化学習では、教師あり学習や教師なし学習のように前もって使用するデータは基本的にはありません。実際にプレイしながらアルゴリズムが自ら情報を集めていくことになります。

1-3 強化学習の昔と今

強化学習も他の機械学習と同様、今日のAIブームよりずっと前から考えられていました。有名なものに、1992年にテサウロ氏が発表した**TDギャモン**[*2]というシステムがあります（図1-6）。これは、バックギャモンというボードゲームをプレイする強化学習のシステムです。自分同士で戦って学習し、強さは名人プレーヤーと同等レベルまでになったということですから驚きです。このシステムは、**ニューラルネットワーク**というアルゴリズムを使っていました。ニューラルネットワークという言葉は「ニューロンのネットワーク」という意味で、ニューロンとは脳の神経細胞のことです。

ニューラルネットワークを直訳すると、「神経細胞のネットワーク」という意味になります。脳では神経細胞が相互につながりネットワークを形成し、さまざまな計算が行われています。その計算方法をまねたアルゴリズムがニューラルネットワークです。

最近は、**ディープラーニング**という言葉をインターネットやニュースで見るようになりました。ディープラーニングは、ニューラルネットワークに層構造をたくさん取り入れて大規模化したアルゴリズムのことです。この技術によって画像認識や音声認識の精度が格段に高まりました。ディープラーニングの成功が、今日のAIブームを巻き起こしたのです。

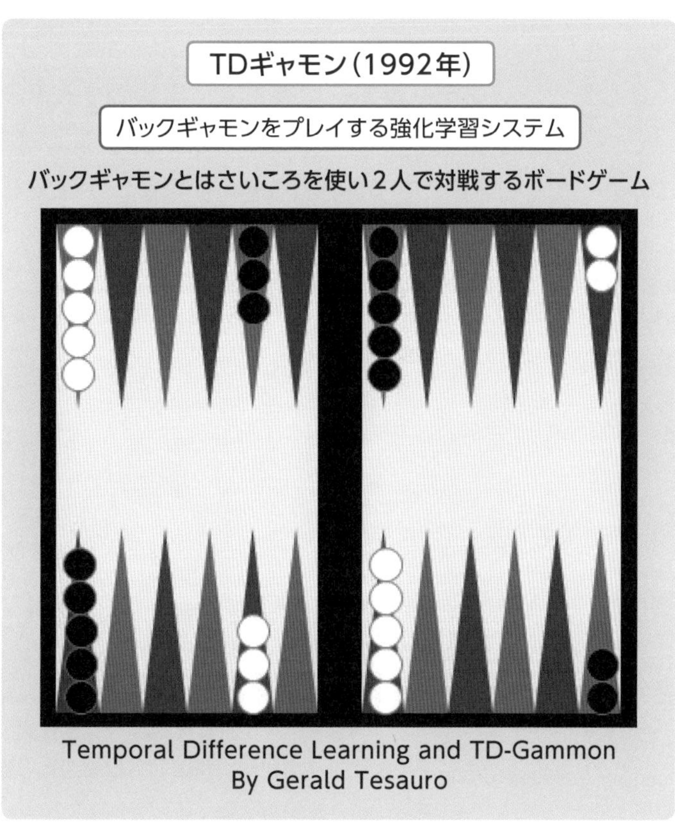

図1-6●TDギャモン

---

*2 Gerald Tesauro (1992) Practical issues in temporal difference learning, Machine Learning.

最近の強化学習は、ディープラーニングの技術と結び付き、目覚ましい進化を遂げています（図1-7）。2015年にDeepMind[*3]が発表したDQN（Deep-Q-Network）[*4]というアルゴリズムは、いろいろな種類のテレビゲームを学習し、上手にプレイできるということが示されました[*5]。DQNはテレビ画像を入力情報としており、このような問題設定は従来の方法では困難でした。

さらにDeepMindは、AlphaGo[*6]という囲碁用のアルゴリズムを開発しました。AlphaGoは、ディープラーニングを使った教師あり学習と強化学習のハイブリッドアルゴリズムでした。この章の最初でも書きましたが、このAlphaGoが2016年に世界最強とうたわれた韓国のイー・セドル氏に勝利したのです。

DeepMindの勢いはAlphaGoだけにとどまりません。AlphaGoは6万もの対局データを利用していましたが、対局データを一切使わずに学習してAlphaGoに圧勝するAlphaGo Zero[*7]という強化学習アルゴリズムを2017年に発表し、同年にチェスや将棋など囲碁以外のゲームでも学習できるAlphaZero[*8]も発表しています。

DQN(2015年)

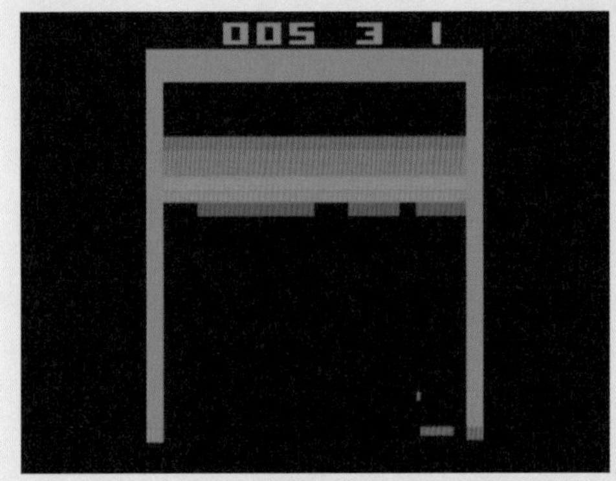

DQNによるブロック崩しゲーム

DeepMindのYouTube動画より引用

AlphaGo(2016年)

2016年3月、DeepMindのAIと韓国のプロ棋士との対局

DeepMindのWebサイトより引用

人間のプレーヤーを上回る！
近年の強化学習は囲碁やテレビゲームで大活躍

図1-7●DQNとAlphaGo

1-4 本書の内容

本書では、**Q学習**[9]と呼ばれる強化学習のアルゴリズムを解説します。Q学習は強化学習を代表する重要なアルゴリズムで、先に述べたDQNのベースにもなっています。

強化学習はアルゴリズムだけでなく、問題設定を理解することがとても重要です。しかし問題設定を一般的な形式で一度に理解することは少し大変です。そこで本書では、強化学習の問題をレベル1、レベル2、レベル3の3つの段階に分け（このレベル分けは本書のオリジナルです）、それぞれに対応するゲームを作りました（**図1-8**）。あなたが実際にこれらのゲームをプレイすることで、問題設定がよく理解できると思います。そして、同じゲームをプレイしてあなたの点数と競わせるQ学習を作りました。レベル1の問題にはL1-Q学習、レベル2の問題にはL2-Q学習、レベル3の問題にはL3-Q学習を用意しましたので、段階的にアルゴリズムを理解していくことができます。なお、このL1-Q学習という呼び方も、本書のオリジナルです。L1はレベルワンまたはエルワンと読むことにします。L2-Q学習、L3-Q学習についても同様です。

[3] Google傘下のイギリスの人工知能企業。
[4] Volodymyr Mnih, et al. (2015) Human-level control through deep reinforcement learning, Nature.
[5] 49種類のゲームのうち29種類でプロゲーマーと同等かそれ以上の成績を示した。
[6] David Silver, et al. (2016) Mastering the game of Go with deep neural networks and tree search, Nature.
[7] David Silver, et al. (2017) Mastering the game of Go without human knowledge, Nature.
[8] David Silver (2017) Mastering Chess and Shogi by Self-Play with a General Reinforcement Learning Algorithm, arXiv.org; David Silver, et al., (2018), A general reinforcement learning algorithm that masters chess, shogi, and Go through self-play, Science.
[9] Christopher J. C. H. Watkins and Peter Dayan, (1992) Technical note: Q-learning, Machine Learning.

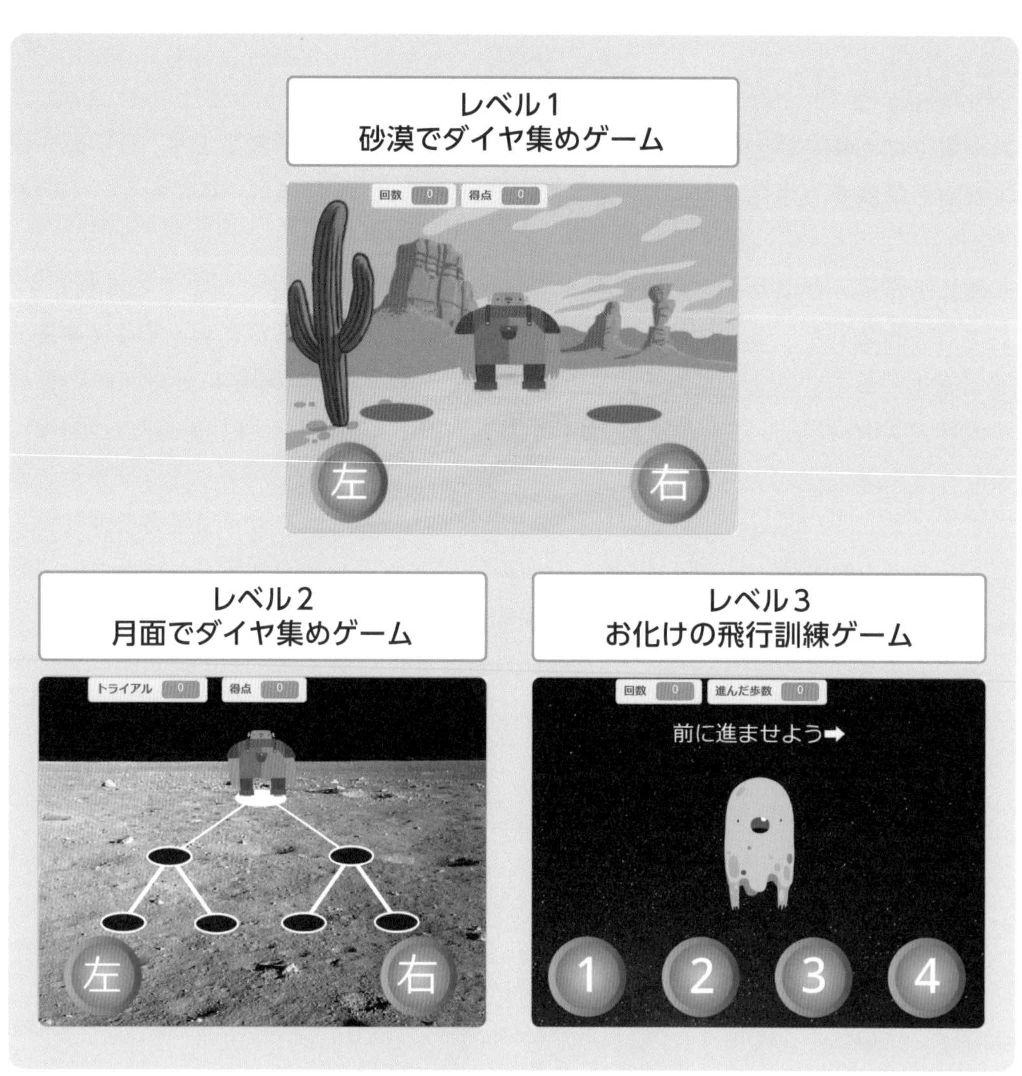

図1-8●本書で紹介する3つのゲーム

次章以降の内容は、以下のようになります。

まず、2章と3章ではScratchについて説明します。2章では、Scratchが初めてという人のためにScratchのアカウントの作り方、プログラムの保存や読み出しの方法などを解説します。アカウントをすでに持っていて基本的な使い方をすでに知っている人は、読み飛ばしても構いません。

3章では、Scratchのプログラムの作り方について解説します。強化学習のプログラムでは、「変数」、「イベント」、「リスト」、「ブロック定義」の機能を使いますので、その準備としてミニゲーム「ダンシングマイケル」を作りながら、これらの機能の使い方を学びます。こうしたScratchの機能にすでに慣れているという人は、3章をスキップしても構いませんが、「ダンシングマイケル」のプログラムの全体的な構造は、4章から解説する強化学習のプログラムを理解するヒントにもなりますので、プログラムだけでもざっと見ておくとよいでしょう。

4章以降が、いよいよ強化学習の説明です。4章では、レベル1の問題として「砂漠でダイヤ集めゲーム」を紹介します。左右を選んでダイヤをできるだけ多く集める単純なゲームです。そして、そのゲームをプレイするL1-Q学習を説明します。「みんなのラズパイコンテスト2018」[*10]（主催：ラズパイマガジン、日経Linux、日経ソフトウエア）でグランプリとなった「ピンポン玉を打ち返すハンドロボット、ハンドロン」[*11]は、このタイプのQ学習を応用したものです。

5章ではレベル2の問題としてレベル1のゲームを拡張した「月面でダイヤ集めゲーム」を紹介し、そして、そのゲームをプレイするL2-Q学習を説明します。L2-Q学習でオリジナルのQ学習の本質的な部分を学びます。

6章ではレベル3の問題として「お化けの飛行訓練ゲーム」を紹介します。4つのボタンをどのような順番で押すとお化けのキャラクターが一番進めるかを試行錯誤で探すゲームです。そして、そのゲームをプレイするL3-Q学習を説明します。このレベルになると、人が勝つことが難しくなってくるでしょう。「みんなのラズパイコンテスト2019」[*12]（同）で技術賞となった「這いまわる指型AIロボット、フィンガロン」[*13]は、このQ学習の応用です。

最後に7章で3つのレベルを統合し、強化学習の問題とQ学習を一般的な形でまとめます。

[*10] みんなのラズパイコンテスト 過去のコンテスト結果：
https://project.nikkeibp.co.jp/pc/rpic/past.html

[*11] ピンポン玉を打ち返すハンドロボット、ハンドロン（YouTube動画）：
https://youtu.be/cspr9XX45gA

[*12] みんなのラズパイコンテスト 2019：
https://project.nikkeibp.co.jp/pc/rpic/rpic19.html

[*13] 這いまわる指型ロボット、フィンガロン（YouTube動画）：
https://youtu.be/5YvKieTfd8s

2章

Scratchの使い方

2章 Scratchの使い方

Scratchは、Webサイトにアクセスするだけで簡単にコーディングが行える便利なプログラミング言語です。自分のプログラムをサイトに保存したり、他のユーザーが作ったプログラムをコピーして変更したりすることもできます。ここでは、Scratchの基本的な使い方を学びましょう。

この章では、Scratchを始めるための準備や、Scratchの基本的な使い方の説明をします。アカウントをすでに持っていて使っているという人は、この章の内容だけを確認して次の章に進んでもよいでしょう。

まず、パソコンのブラウザに「https://scratch.mit.edu/」と打ち込んでScratchのサイトのトップ画面を開きます。Scratchのアカウントを持っていない人は、アカウントを作りましょう。アカウントがあると、自分で作ったプログラムをScratchのサイトに保存することができ、とても便利です。

2-1 アカウントを作る

アカウントを作るには、Scratchのサイトの「**参加する**」をクリックします（**図2-1**）。

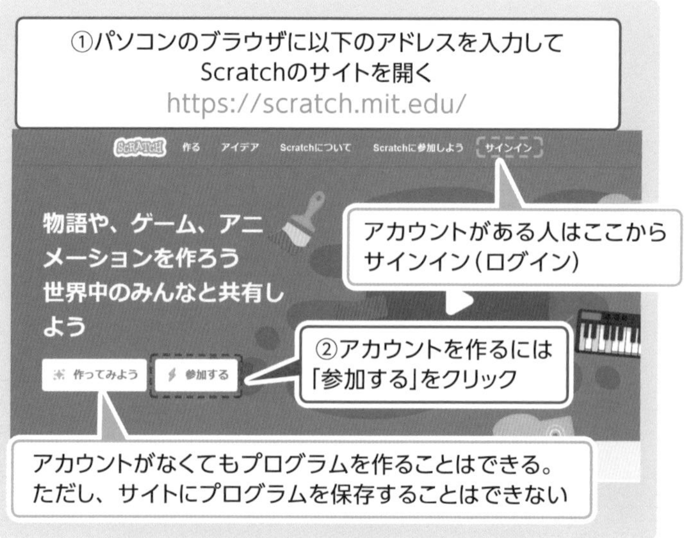

図2-1●アカウントの作り方（その1）

すると**図2-2**の画面になりますので、①自分で使うユーザー名を入力し、②ここで使っていくパスワードを決めて入力します。パスワードは確認のため２カ所に入力します。それが終わったら、③「次へ」をクリックします。

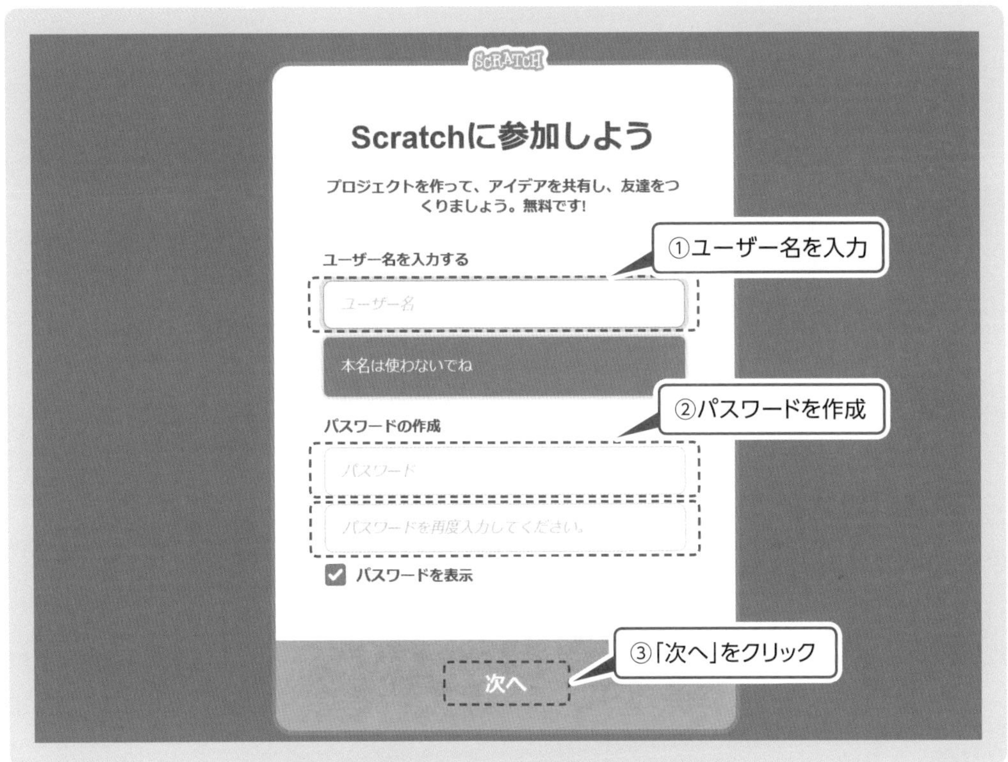

図2-2●アカウントの作り方（その2）

その後は、**図2-3**のように、住んでいる国・地域、誕生月、性別、メールアドレスを入力していきます。メールアドレスの入力が終わったら、「アカウントを作成する」を押すとアカウントの登録が完了します。

登録したメールアドレスに**図2-4**のようなメールが届きますので、「アカウントを認証する」をクリックします。これで、プログラムを他のユーザーに見せたり（「共有する」といいます）、コメントをやり取りしたりすることができるようになります。

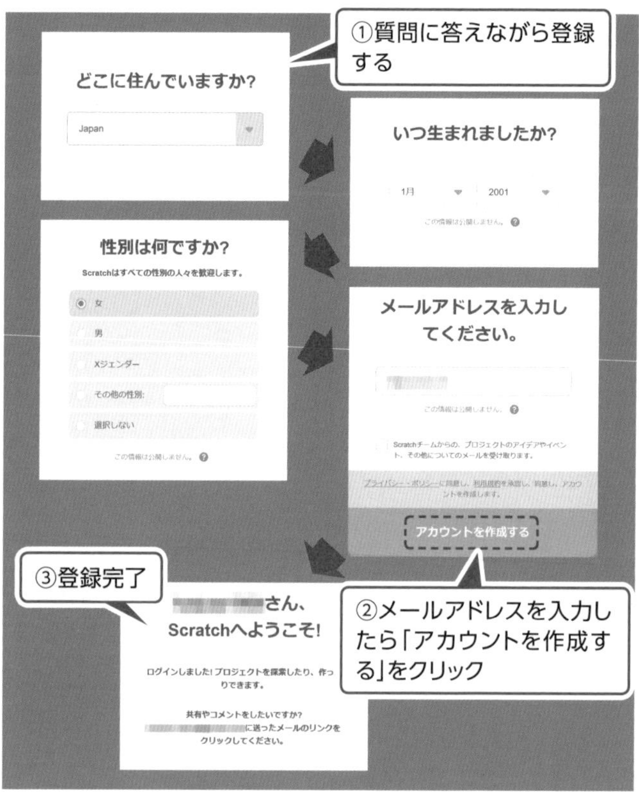

図2-3●アカウントの作り方（その3）

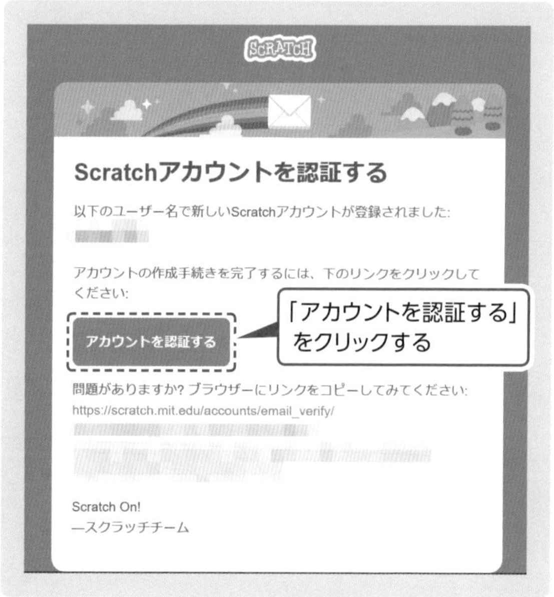

SCRATCH

Scratchアカウントを認証する

以下のユーザー名で新しいScratchアカウントが登録されました:

アカウントの作成手続きを完了するには、下のリンクをクリックしてください:

アカウントを認証する

「アカウントを認証する」をクリックする

問題がありますか? ブラウザーにリンクをコピーしてみてください:
https://scratch.mit.edu/accounts/email_verify/

Scratch On!
—スクラッチチーム

図2-4●アカウントの作り方（その4）

2-2 サインイン（ログイン）する

アカウントを作成した後に、Scratchのサイトにアクセスして、サイトの右上にある「**サインイン**」をクリックし、「ユーザー名」と「パスワード」を入力して「サインイン」をクリックします（**図2-5**）。サインインが完了すれば、画面の右上に自分のユーザー名が表示されます。2回目以降は、ブラウザの設定によってはScratchのサイトにアクセスした時点でサインインが完了している状態になります。

図2-5●サインインの方法

2-3 プログラムの始め方

アカウントを登録した後、または、サインインを済ませた後には、**図2-6**の画面が表示されます。プログラムを新規で作るには、「**作る**」をクリックします。

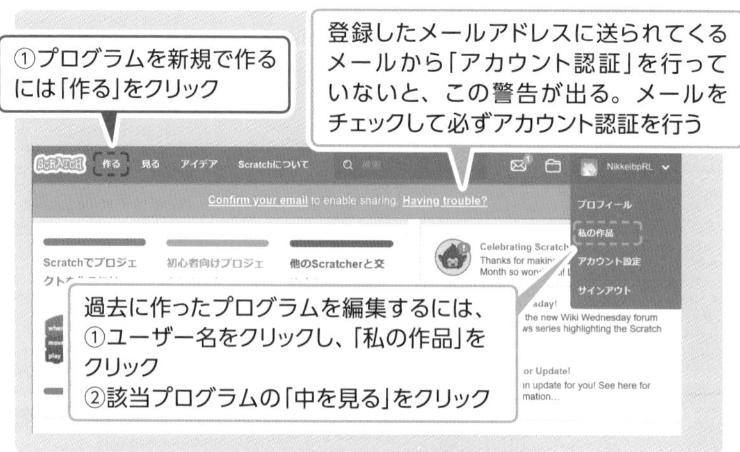

図2-6プログラムを新規で作る

図2-6で「作る」を押すと、**図2-7**の画面になります。これで、プログラムを作る準備が整いました。左側にはさまざまなブロックが並んでいます。これを「**コードブロック**」と呼びます。このコードブロックを中央にある「**スクリプトエリア**」にドラッグして並べることで、プログラムを作ります。プログラムの作り方は3章で説明します。

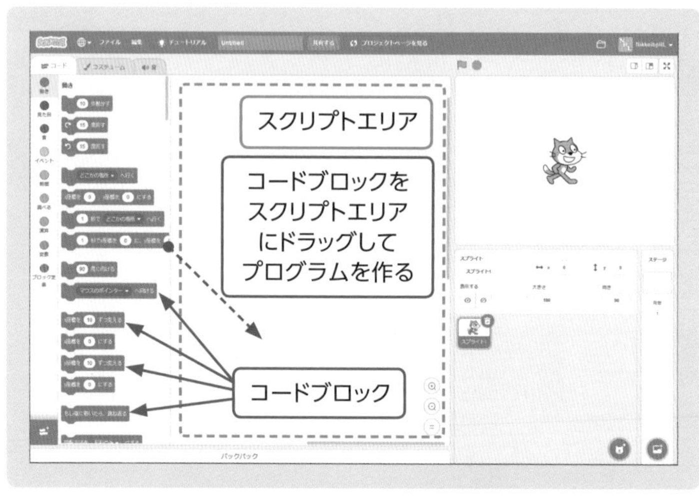

図2-7●プログラムを作る画面

2-4 プログラムの保存

Scratchの画面の右上に自分のユーザー名が表示されていることを確認してください。そうでない場合は、サインインをしてください。

プログラムは作っている最中も自動で保存されていますが、直前の変更まで保存されているかは分かりません。現在の状態を確実に保存するには、**図2-8**に示したように、プログラムに名前を付け、ファイルメニューから「**直ちに保存**」を選びます。これで保存が完了します。

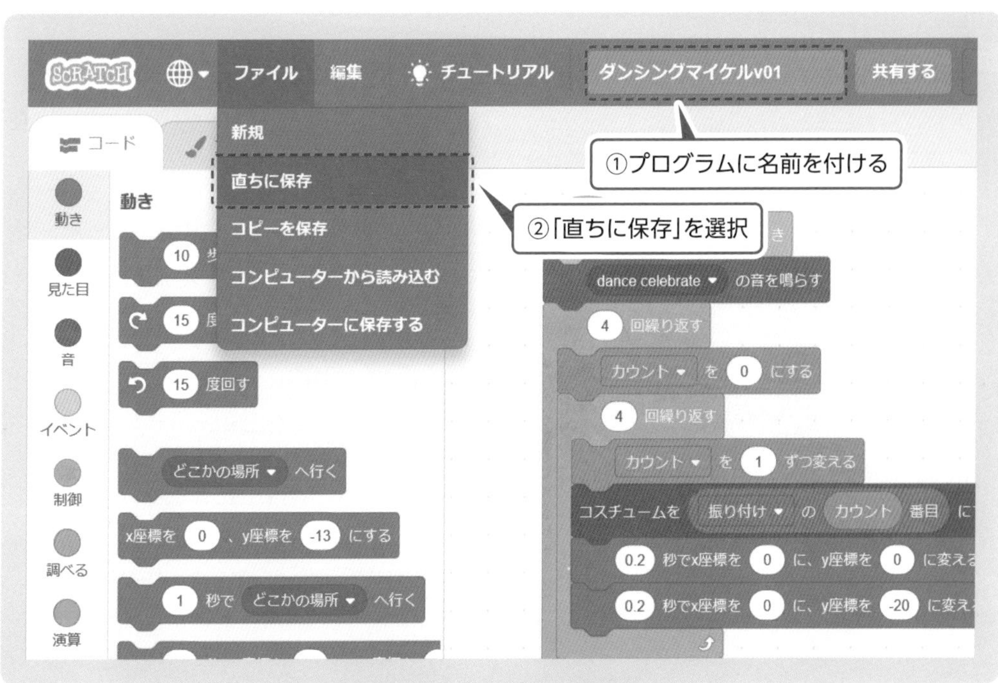

図2-8●プログラムの保存

2-5 プログラムの読み出し

保存したプログラムを読み出すためにもサインインが必要です。Scratchの画面の右上に自分のユーザー名が表示されていることを確認してください。そうでない場合は、サインインをしてください。

図2-9に示した手順で、ユーザー名から「**私の作品**」を選び、読み出したいプログラム名をクリックします。すると、作成したプログラムの画面が表示されます。

プログラムを実行するには、プログラム画面中の緑フラッグをクリックします。プログラムのコードを編集するには、右上の「**中を見る**」をクリックすると、コードの編集画面になります。

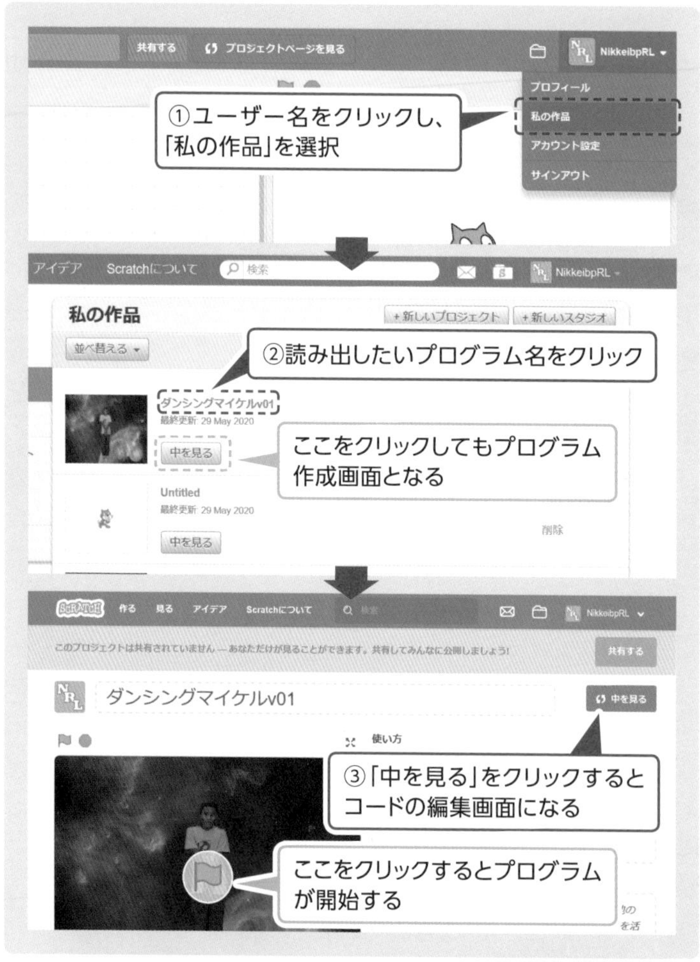

図2-9●自分のプログラムをサイトから読み出す

2-6 ファイルの保存と読み込み

Scratch のプログラムは、通常のファイルとしてパソコンに保存することもできます。プログラムをメールで人に送りたいときや、プログラムを作っている最中にインターネットの接続が切れてしまったときなどに利用します。ファイルからプログラムを読み込むこともできます。パソコンに保存しておいたファイルや、サイトからダウンロードしたファイルを開くときに利用します。

ファイルの保存と読み込みの方法は、**図2-10**に示したように、メニューバーの「ファイル」をクリックします。ファイルへ保存する場合には「**コンピューターに保存する**」を選び、ファイルから読み込む場合には「**コンピューターから読み込む**」を選びます。

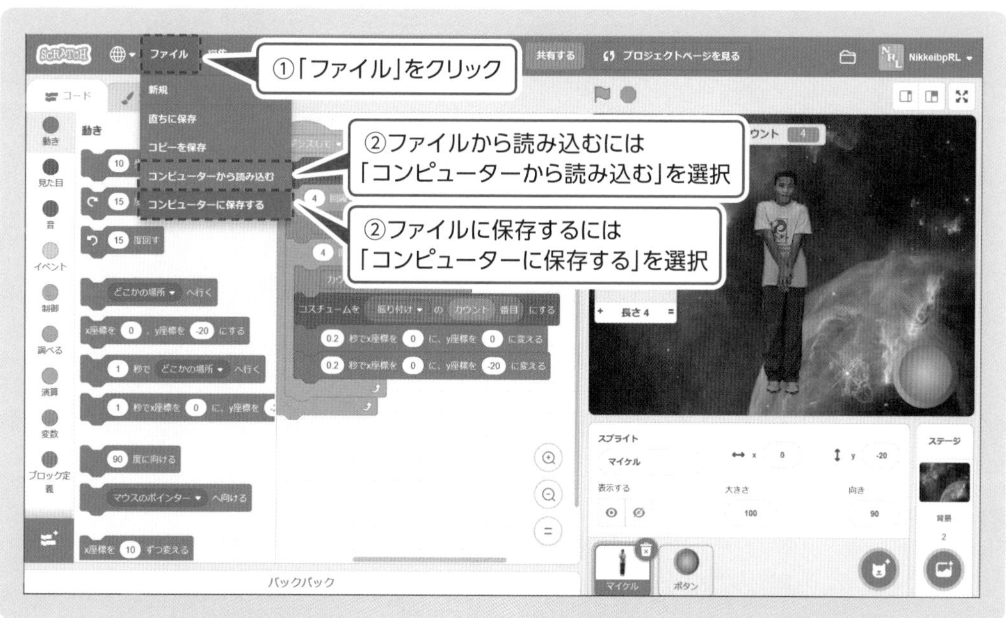

図2-10●プログラムのファイルへの保存とファイルからの読み込み

2-7 他のユーザーの作品をコピーする「リミックス」

他のユーザーが作ったプログラムを、自分のアカウント上にコピーし、自由に変更することができます。それを「**リミックス**」と言います。ブラウザに**図2-11**のアドレスを入力して、「ダンシングマイケル」のサイトを表示してください。これをリミックスしてみましょう。まだサインインしていない場合は、サインインしてください。

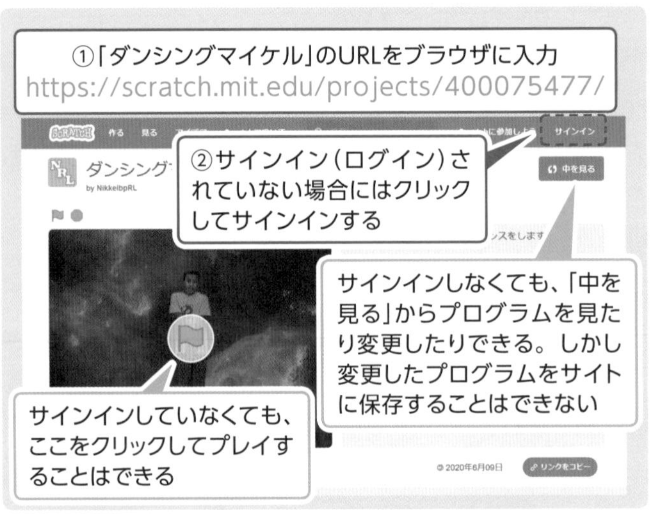

図2-11●リミックスの方法（その1）

サインインすると、**図2-12**のように右上に自分のユーザー名が表示され、その下に、緑色の「リミックス」のアイコンが表示されます。これをクリックするとリミックスが完了し、**図2-13**のコードの編集画面になります。図2-13の①がプログラムのコピーで、自由に変更することができます。

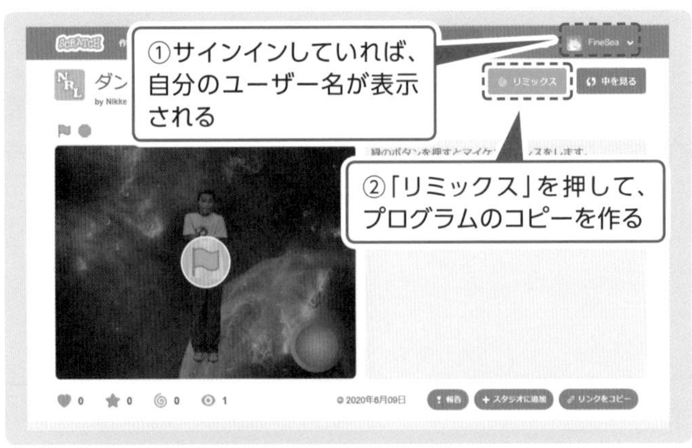

図2-12●リミックスの方法（その2）

リミックスされていることを確認しましょう。ユーザー名から「私の作品」を選択します（図2-13の②）。**図2-14**の画面が表示され、「私の作品」の一覧の一番上にリミックスした作品が表示されていればリミックス成功です。

図2-13●リミックスの確認（その1）

図2-14●リミックスの確認（その2）

3章

Scratchプログラムの作り方

3章 Scratchプログラムの作り方

Scratchは、一般的なテキスト型言語とは異なるビジュアルプログラミング言語です。しかし、慣れてくると非常に使いやすいことが分かります。ゲーム「ダンシングマイケル」を作りながら、Scratchの基本要素を学びましょう。強化学習のプログラムを理解する助けにもなります。

3章では、Scratchによるプログラミングが初めての人にも分かるように、Scratchのプログラムの作り方を解説します。本章の内容は、ちょっと楽しい鑑賞ゲーム「ダンシングマイケル」を作りながら、Scratchプログラムの基本要素である「動き」、「制御」、「音」、「変数」、「イベント」、「リスト」、「ブロック定義」を学んでいくというものです。

1章の最後でも述べましたが、4章からの強化学習のプログラムでは、「変数」、「イベント」、「リスト」、「ブロック定義」を使います。「ダンシングマイケル」を作りながら、これらの使い方をしっかり理解することが大切です。

Scratchのプログラムに十分に慣れているという人は、この章をスキップしても構いませんが、「ダンシングマイケル」のプログラムの全体的な構造は、4章から解説する強化学習のプログラムを理解するヒントにもなりますので、プログラムの内容だけでも見ておくとよいでしょう。

3-1 「ダンシングマイケル」の説明

「ダンシングマイケル」はマイケルのダンスを鑑賞するゲームです（**図3-1**）。以下のサイトで完成したものをプレイすることができます。

https://scratch.mit.edu/projects/400075477/

ダンスの振り付けはランダムに作られ、変えることもできます。高得点を目指すといった目的はありませんが、面白いダンスを見つけて楽しみましょう。

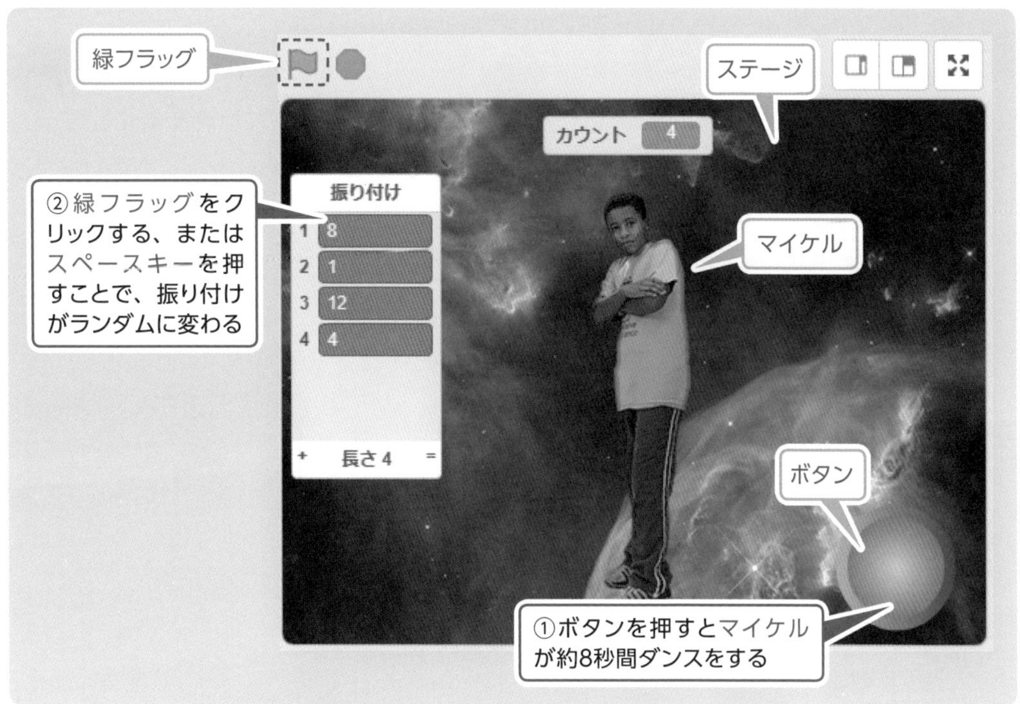

図3-1●「ダンシングマイケル」のゲーム画面

図3-1がゲーム画面です。画面右下のボタンを押すとノリのよい音楽がかかり、マイケルが約8秒間ダンスをします。振り付けは、4つのポーズの4回繰り返しでできています。ポーズは13種類あり、何番目にどのポーズを使うかが図3-1の左側の「振り付け」という表に登録されています。左上の**緑フラッグ**をクリックする、またはスペースキーを押すことで、振り付けの番号がランダムに変わります。この後で右下のボタンを押すと、新しい振り付けのダンスが始まります。

3-2 プログラムを始める

それではプログラムを始めます。2-3節「プログラムの始め方」を参考に、ブラウザに、**図3-2**に示した画面を表示します。

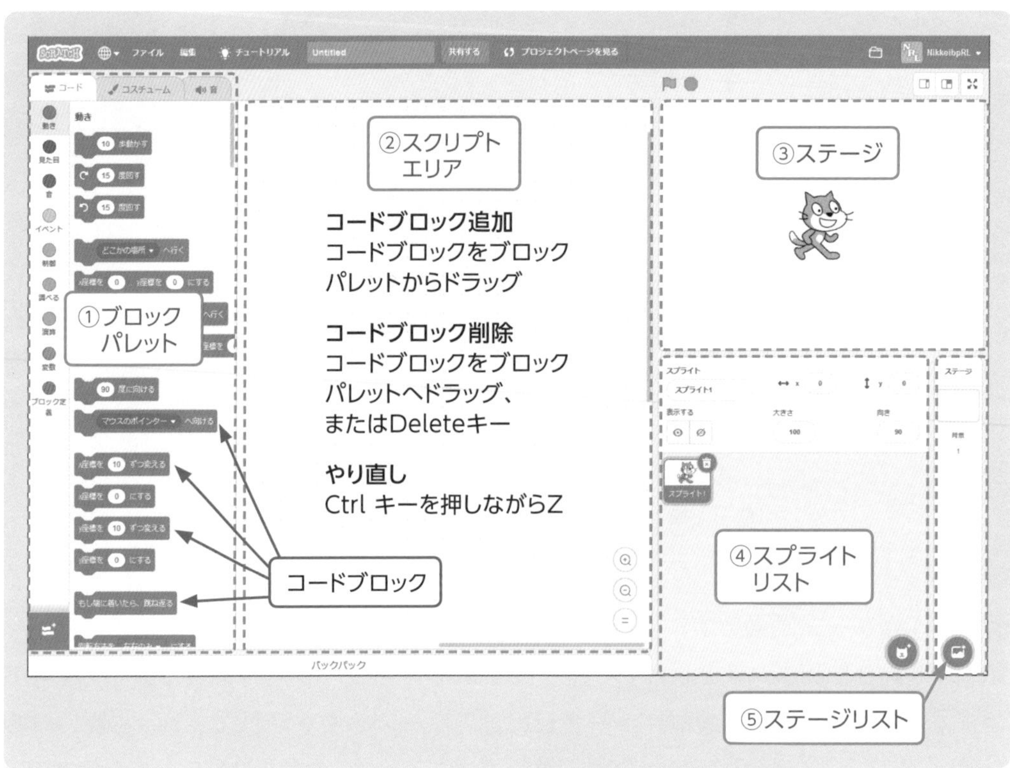

図3-2●Scratchコード作成画面の各エリアの名称

コード作成画面には、重要なエリアが5つあります。エリアの名前は説明の中で頻繁に出てきますので、このページに付箋紙を貼っておくことをおススメします。5つのエリアをそれぞれ説明します。

①ブロックパレット

「コードブロック」が並んだエリアです。コードブロックは機能別にグループ化されています。「動き」、「見た目」、「音」といったグループ名とともに色分けされた左側の丸いアイコンをクリックすると、そのグループのコードブロックが表示されます。

②スクリプトエリア

プログラムを作るエリアです。一般的なプログラム言語ではコードを文字で作りますが、Scratchではコードブロックをスクリプトエリアにドラッグして並べることで、プログラムを作ります。コードブロックを削除するには、ブロックパレット上にドラッグします。ブロックを選択してDeleteキーを押すことでも削除できます。

Windowsでは、Ctrl+Z（CtrlキーをおしながらZキーを押す）で「元に戻す」、Ctrl+Cで選択しているコードの「コピー」、Ctrl+Vで「貼り付け」、などのおなじみの操作も可能です。

③ステージ

プログラムの実行が表示される画面です。この画面の中でスプライト（ブログラム内で使うキャラクターのこと、詳しくは3-4節「スプライトを準備する」で説明します）を表示したり動かしたりします。

④スプライトリスト

スプライトを追加したり削除したり、スプライトの情報を表示したりするエリアです。

⑤ステージリスト

背景を追加したり削除したりするエリアです。

3-3 最終的なコードを確認する

この章では、コードブロックを少しずつ増やして動作を確かめながら、最終的に**図3-3**と**図3-4**に示したプログラムを作っていきます。とても小さいプログラムで、そんなに難しくはないので安心してください。

Scratchのプログラムは、プログラムの命令文の働きをするコードブロックを並べて作ります。コードブロックを組み合わせたものを「コード」または「プログラム」と呼びます。本書では「コード」と「プログラム」をほとんど同じ意味として使いますが、「プログラム」は作品全体のこと、「コード」はプログラムを作るための命令文またはその集合、というニュアンスの違いがあります。

Scratchでは、プログラムで登場させるキャラクターやモノを「**スプライト**」と呼びます。「スプライト」は次節で詳しく説明しますが、このゲームでは「マイケル」と「ボタン」がスプライトです。また、背景は「**ステージ**」と呼びます。ステージは3-5節「ステージを準備する」で詳しく説明します。Scratchでは、各スプライトとステージのそれぞれに対してコードを作ることができます。他のプログラム言語と比べると少し特殊に感じるかもしれません。図3-3はマイケルのコード、図3-4はボタンとステージのコードになります。

図 3-3●「ダンシングマイケル」のコード（その 1）

図 3-4●「ダンシングマイケル」のコード（その 2）

3-4 スプライトを準備する

それでは、「スプライト」について説明します。スプライトは自分の座標、向き、大きさ、などの表示に関わる数値を持っています。それをプログラムで変えることで、そのスプライトの位置や向き、大きさ、などの表示の様子を変化させることができます。

ダンシングマイケルで使用するスプライトの準備から始めましょう。ファイルメニューから「新規」を選んだ直後では、ステージにはネコのスプライトが表示されています。ネコのスプライトを使ってさまざまなプログラムを作ることもできますが、今回は使用しないのでゴミ箱アイコンをクリックして消去します（**図3-5**の①）。

図3-5●スプライトを追加する

次に、使用するスプライトを追加します。右下にあるネコの形のアイコンにマウスポインターをかざすとリストが表示されますので、その中から「スプライトを選ぶ」と表示されるアイコンをクリックし（図3-5の②）、スプライトの一覧を表示します（**図3-6**）。

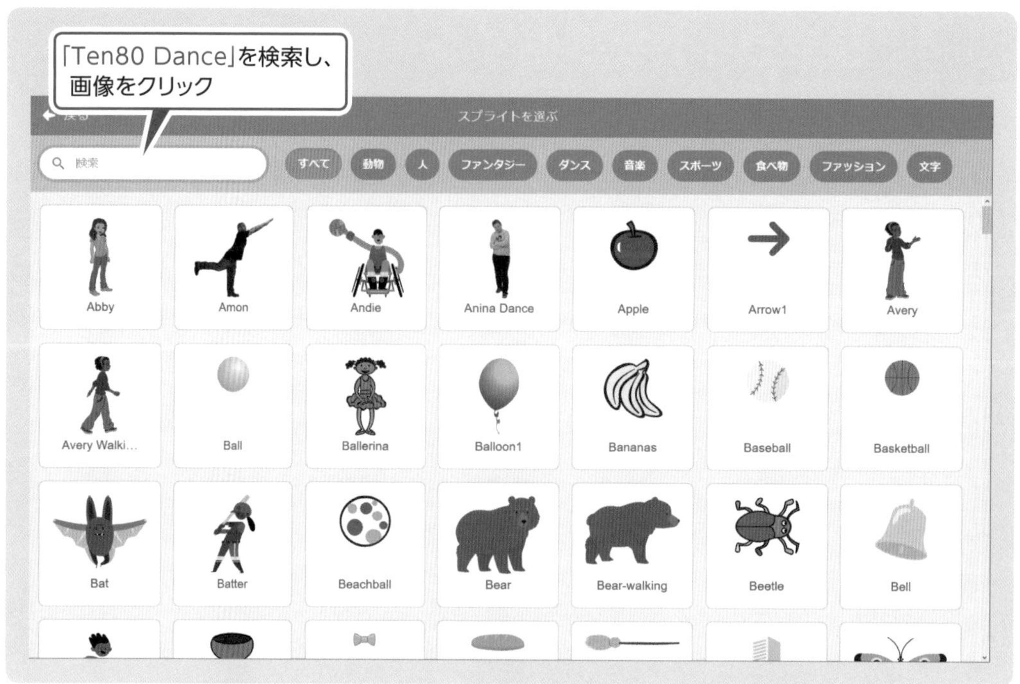

図3-6●「Ten80 Dance」を検索してスプライトを追加する

画面左上の検索窓に「Ten80 Dance」と入力してスプライトを探し（図3-6）、その画像をクリックするとTen80 Danceがステージとスプライトリストに表示されます（**図3-7**の①）。このスプライトの名前は「Ten80 Dance」ですが、「マイケル」という名前に変更します（図3-7の②）。

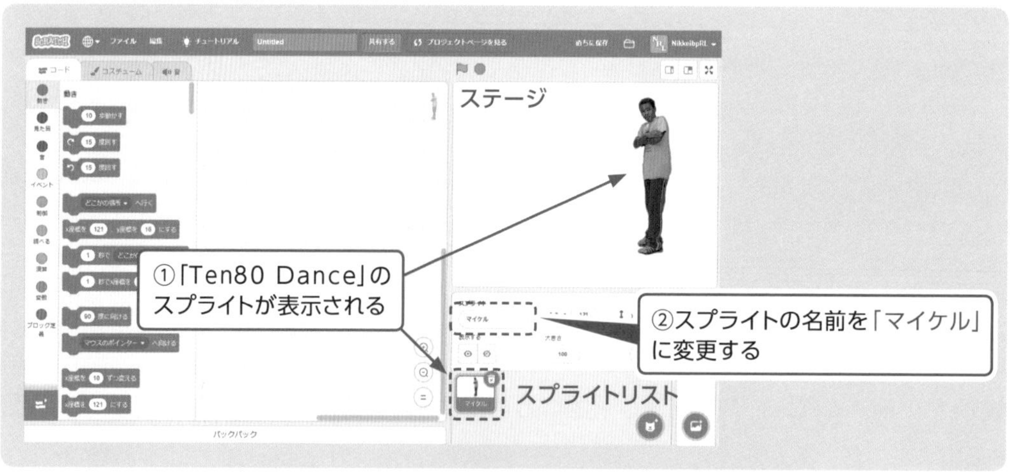

図3-7●スプライトの名前を「マイケル」に変更する

同様にして、「Button1」というスプライトも追加します（**図3-8**）。これは緑色のボタンです。スプライトの名前は「ボタン」に変更します。これでスプライトの準備は完了です。ステージに表示されたスプライトは、ドラッグで自由に場所を変えることができます。

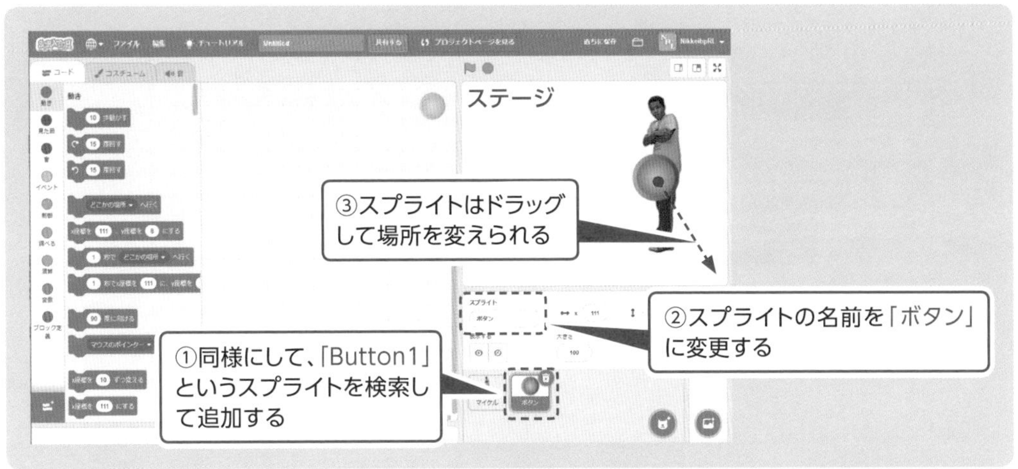

図3-8●スプライト「Button1」を追加して名前を「ボタン」に変更する

3-5 ステージを準備する

ステージは背景を決める役割があります。また、スプライトと同様にコードを記述することもできます。それでは、宇宙の背景をセットしましょう。右下にある絵のようなアイコンにマウスポインターをかざすとリストが表示されますので、その中から「背景を選ぶ」と表示されるアイコンをクリックし、背景を選ぶ画面へ移動します（**図3-9**）。

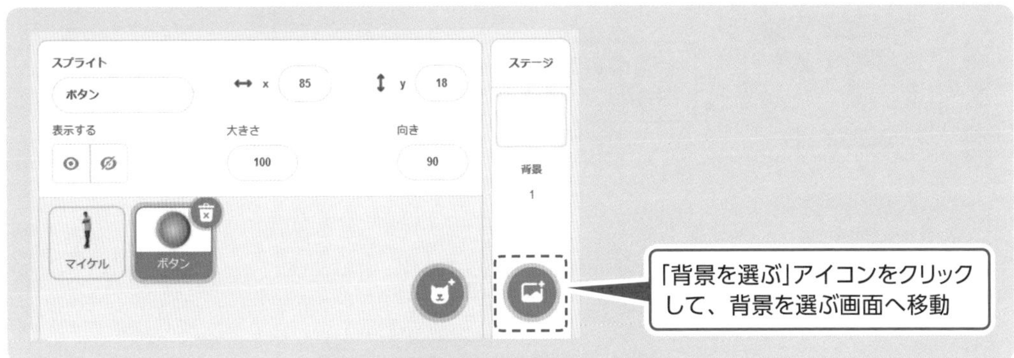

図3-9●背景の選択画面へ移動する

左上の検索窓を使って「Nebula」を探し（**図3-10**）、その画像をクリックします。すると、ステージとステージリストに宇宙（Nebulaは星雲の意味）の背景が表示されます（**図3-11**）。これでステージの準備は完了です。

図3-10●背景に「Nebula」を選択する

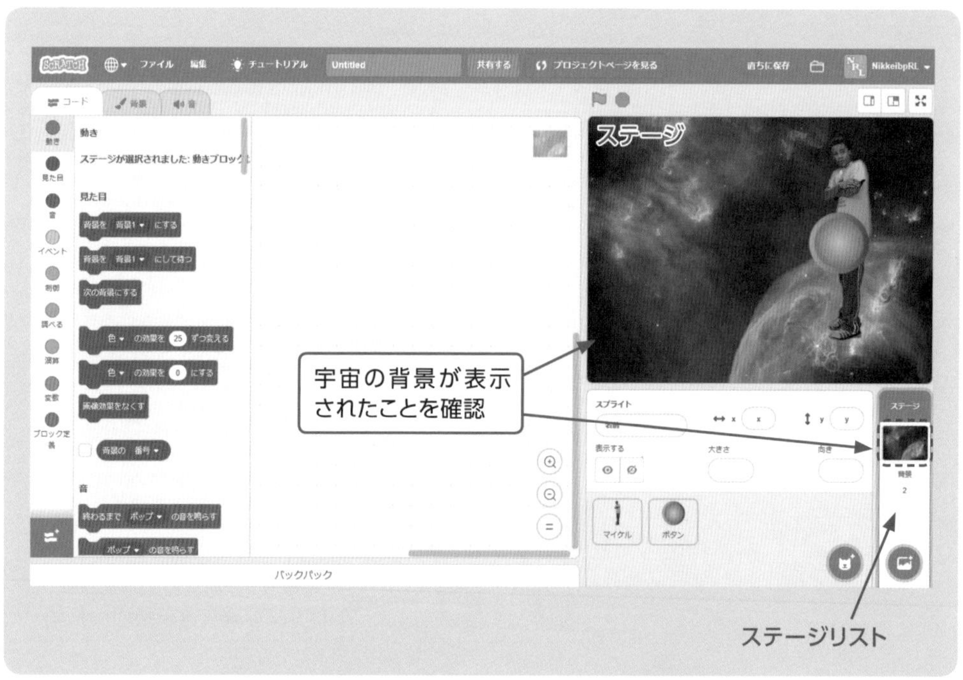

図3-11●背景が宇宙になったことを確認する

3-6 スプライトの3要素「コード」、「コスチューム」、「音」

スプライトは３つの要素、「コード」、「コスチューム」、「音」を持っています。スプライトリストからどれかのスプライトをクリックして選択すると、そのスプライトのコード、コスチューム、音を、左上のタブで表示することができます（**図3-12**）。スプライトだけではなく、ステージも同様です。ただしステージの場合は、「コスチューム」ではなく「背景」となります。

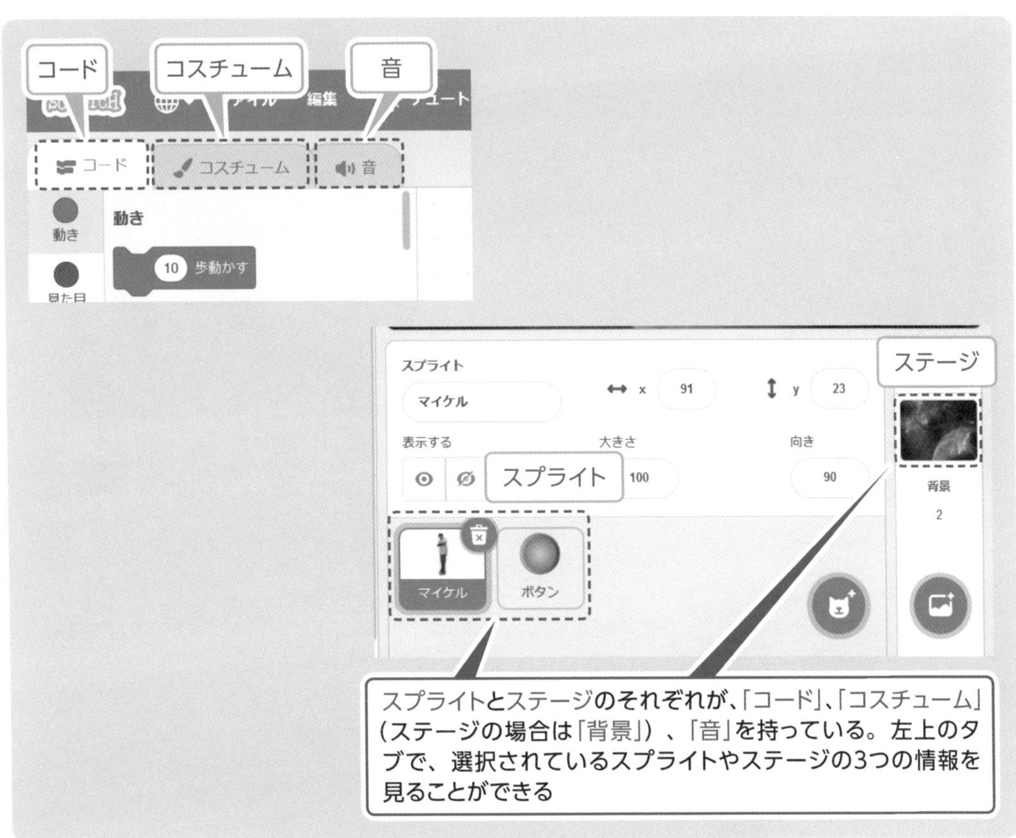

図3-12●スプライト／ステージの３つの要素

3-6-1 コード

スプライトリストから「マイケル」を選択し、左上のコードタブをクリックするとマイケルのコードの作成画面になります（**図3-13**）。スクリプトエリアにはまだ何もない状態です。

図3-13●「マイケル」のコード作成画面

3-6-2 コスチューム

左上の「コスチューム」タブをクリックすると**図3-14**の画面になります。左側には、13種類のマイケルの画像のアイコンが表示されています。この1つひとつをコスチュームと言い、プログラム中で切り替えることができます。コスチューム（衣装）と言うよりもポーズ（姿勢）ですが、Scratchではこのようなポーズの違いもコスチュームと呼んでいます。

コスチュームの数はスプライトによって異なります。コスチュームのアイコンの1つをクリックするとその画像が中央に表示され、絵描きソフトのような要領で編集することができます。また、コスチュームを新しく作ることもできます。

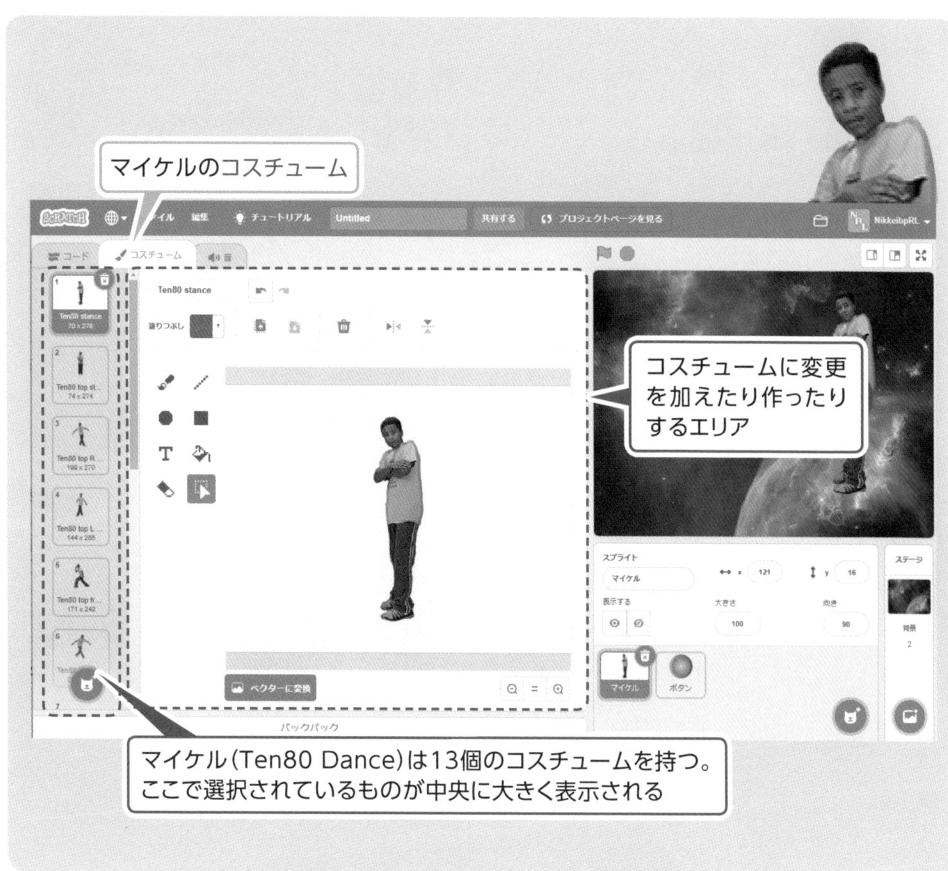

図3-14●コスチュームの編集画面

3-6-3 音

左上の「音」のタブをクリックすると、**図3-15**の画面になります。検索して取ってくることができるスプライトには、初めから何らかの音が登録されています。再生ボタンを押すと、中央に波形で表示されている音が再生されます（図3-15）。別の音を追加することもできます。スプライトに登録されている音は、そのスプライトのコードで再生することができますが、他のスプライトからは再生できませんので注意が必要です。

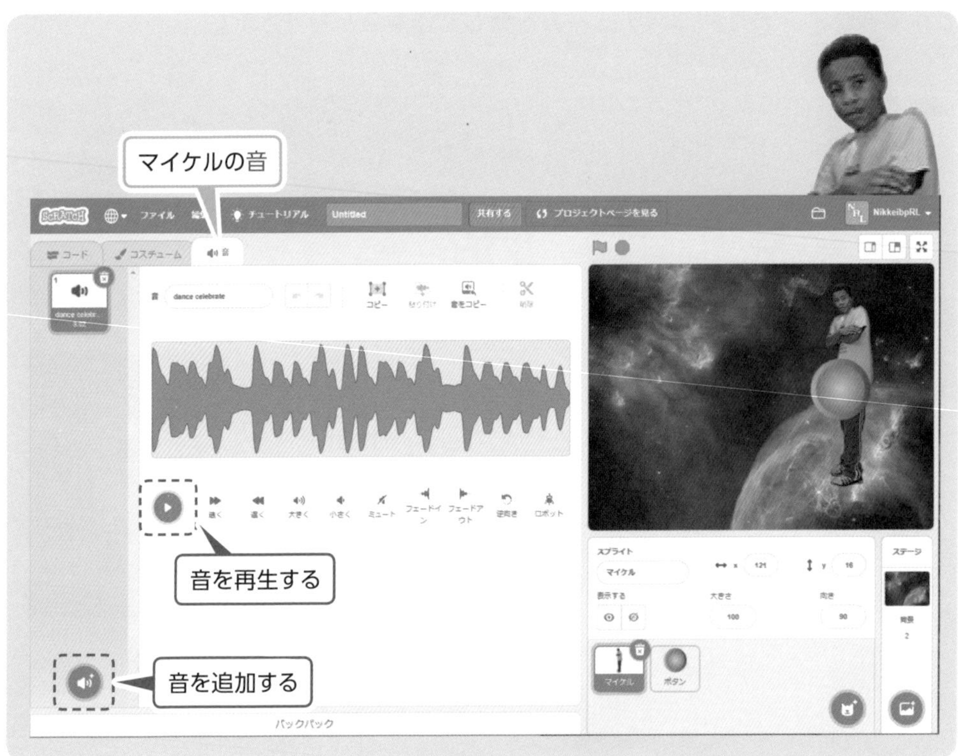

図3-15●音の編集画面

3-7 マイケルを上下に動かす：動き

それでは、ここからコードを作っていきます。まず、スプライトリストの「マイケル」をクリックし、左上のタブで「コード」を選んでください。

そして、ブロックパレットの左に並んだ丸いアイコンのうち、一番上にある「動き」をクリックしましょう。すると、「動き」に関係した青色のコードブロックが表示されます。この中で、「(　) 秒でx座標を（　）に、y座標を（　）に変える」というコードブロックを見つけて、スクリプトエリアにドラッグしてください。そして、同じブロックをもう一度ドラッグし、2つのコードブロックをつなげてください。最後に中の6カ所の数値を**図3-16**と同じ数値にしてください。上のブロックは左から0.2、0、0、下のブロックは左から0.2、0、-20です。数値は半角文字で入力します。

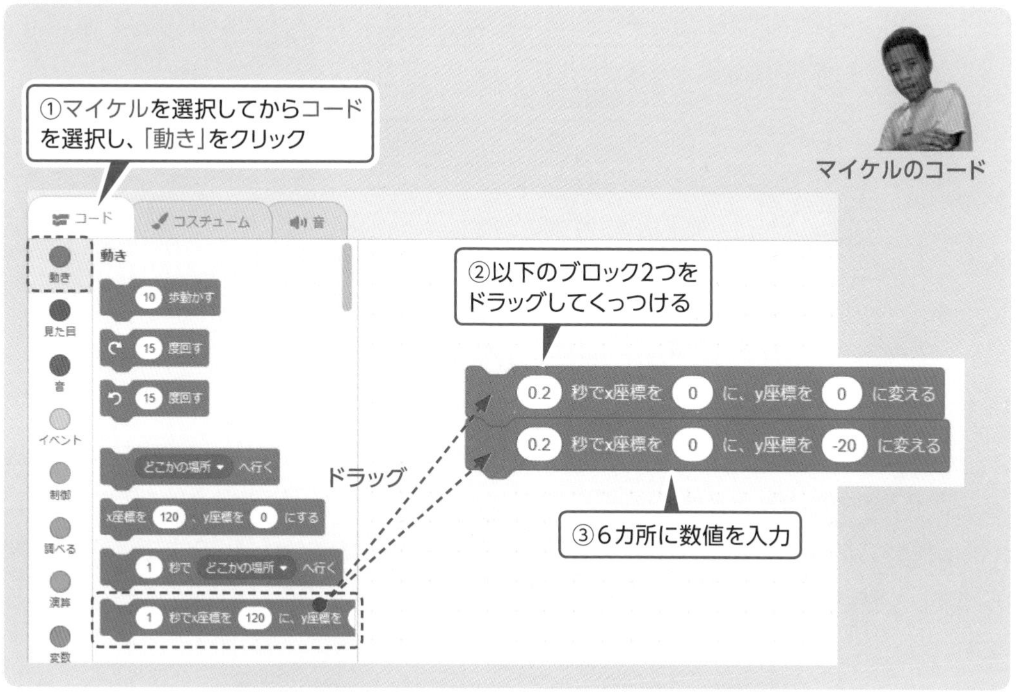

図3-16●「マイケル」を上下に動かす（その1）

それでは、コードが正しく動くかを確認します。作ったコードをクリックすると、**図3-17**のようにコードの周りが黄色くなり、このコードが実行されます。すると、ステージに表示されているマイケルが上下に小さく動きます。うまくいったでしょうか。うまくいかない場合は、入力した数値が正しく半角文字で入力されているかなどをもう一度確かめてください。

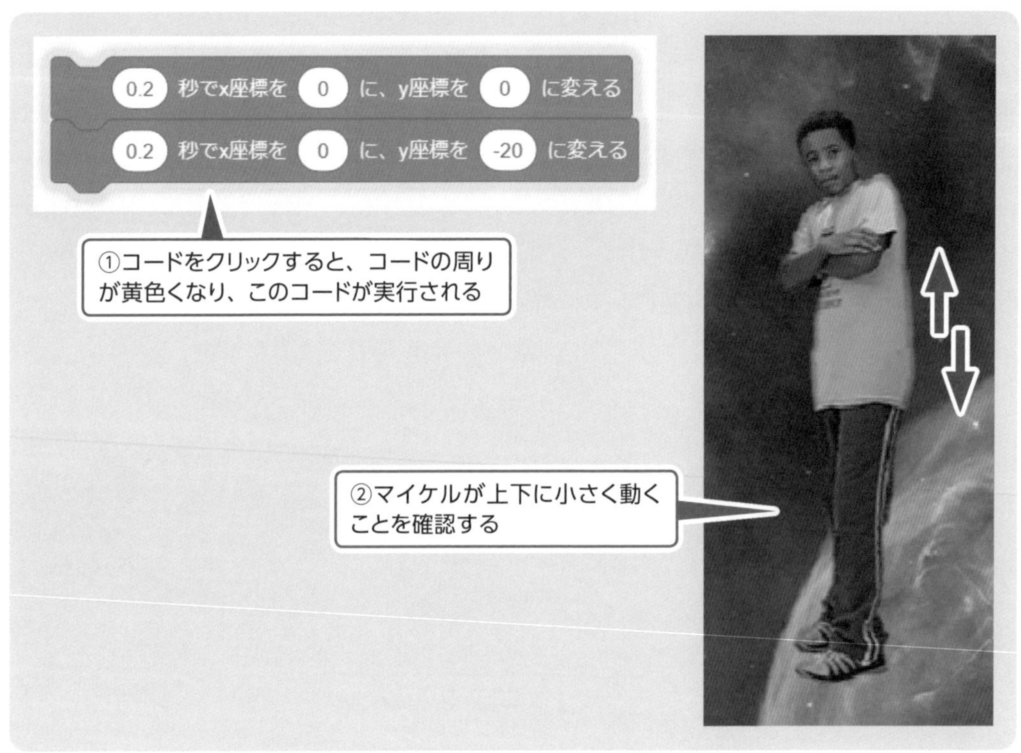

図3-17●「マイケル」を上下に動かす（その2）

コードの意味を説明しましょう。すべてのスプライトはx座標とy座標を持っており、スプライトの中心がその座標の位置になるように表示されます。**図3-18**に示すように、x軸は横軸であり、画面の左端から右端までの位置を-240から240までの数値で表します。y軸は縦軸であり、下端から上端までの位置を-180から180の数値で表します。

先ほど、上のブロックは「(0.2) 秒でx座標を (0) に、y座標を (0) に変える」、下のブロックは「(0.2) 秒でx座標を (0) に、y座標を (-20) に変える」としました。これにより、マイケルの中心の座標が0.2秒で (0,0) に移動し、次の0.2秒で(0,-20)に移動したので、見た目上、マイケルが上下に小さく動いたというわけです。

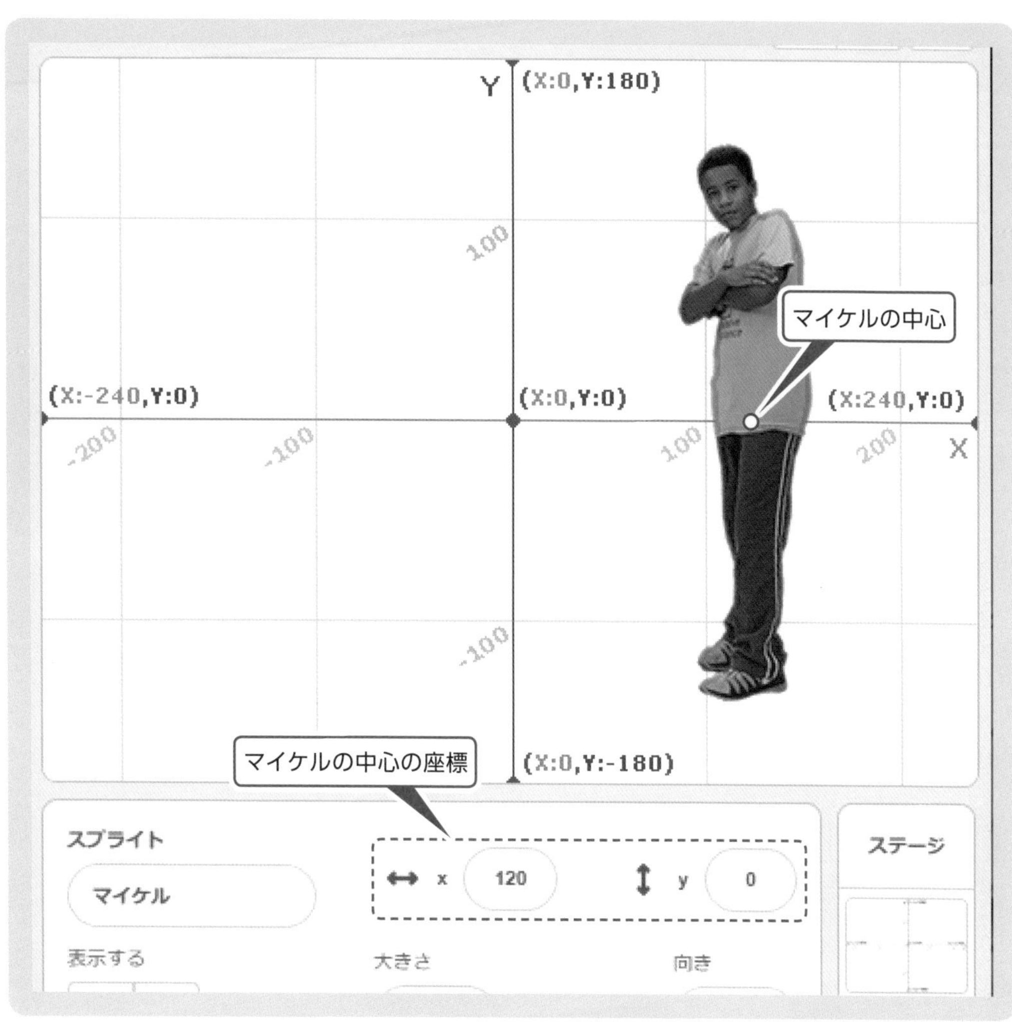

図3-18●スプライトの座標

座標を変えるコードブロックはほかにもいくつかありますので試してみるとよいでしょう。初めて使うものでも、機能を想像できるものが多いと思います。例えば、「x座標を（　）、y座標を（　）にする」というコードブロックは、先ほど使ったものと似ていますが「（　）秒で」という部分がありません。このコードブロックを実行すると、スプライトは瞬間的にその位置に移動します。

また、本書のプログラムでは使いませんが、スプライトはxy座標以外にも「向き」を持ちます。この向きを変えるコードブロック「（　）度回す」や「（　）度に向ける」も「動き」グループにあります。

3-8 動きを4回繰り返す：制御

先ほど作ったマイケルの上下の動きを４回繰り返すにはどうしたらよいでしょうか。単純には、同じ２つのコードブロックを４回つなげればよいのですが、それは非効率です。

このようなときには、**図3-19**に示したように、オレンジの丸いアイコンの「制御」をクリックすると出てくる「(　) 回繰り返す」というコードブロックを使います。スクリプトエリアにドラッグして先ほどの青のコードの外側にくっつけ、４回繰り返したいので数値を４に変更します。その際には、半角文字で入力するように気を付けてください。全角文字にしてしまうと動きません。繰り返しのコードブロックが正しくセットできたら、コードをクリックして、動作を確認してみましょう。マイケルが上下に４回動けば成功です。

「制御」グループでは、ほかにも、一定時間処理を止める「(　) 秒待つ」や、条件で処理を変える「もし (　) なら～」や「もし (　) なら～、でなければ～」などがよく使われます。

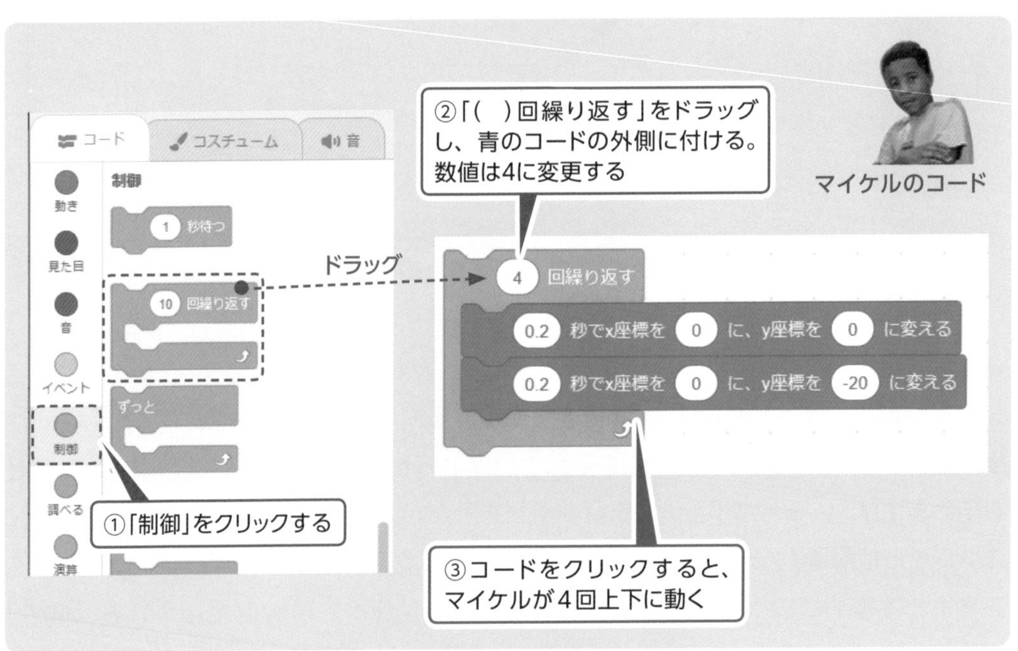

図3-19●動きを４回繰り返す

3-9 音楽を付ける：音

マイケルの動きに音楽を付けます。**図3-20**のように「音」グループの「(　)の音を鳴らす」のコードブロックを、作っていたコードの最初に追加します。似たブロックに「終わるまで（　）の音を鳴らす」がありますので、間違わないように注意してください。そして、「すべての音を止める」をコードの最後に付けます。これでコードをクリックして、マイケルが動いている間だけ音楽が流れることを確認してください。

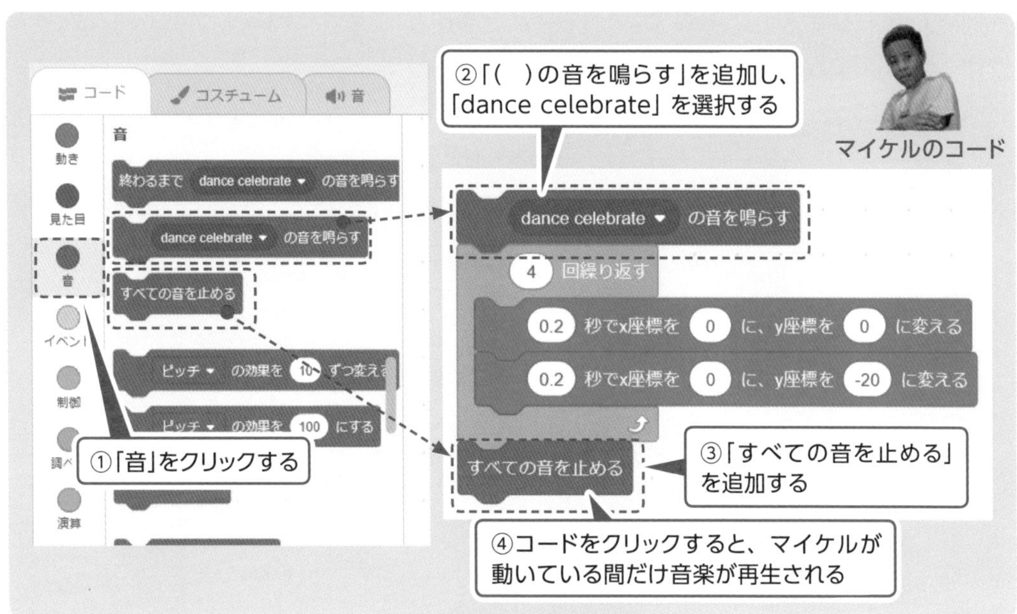

図3-20●音楽を付ける

「すべての音を止める」がないと、マイケルの動きが終わっても音楽は終わりまで鳴り続けます。最初のブロックに「終わるまで（　）の音を鳴らす」を使うと、音楽が鳴り終わってから、マイケルが動き出します。

この「(　)の音を鳴らす」ブロックは、「dance celebrate」と表示されている部分を押して音を変えることができます。ここで選べる音は、そのスプライトが持っている音のみです。マイケルには「dance celebrate」の1つだけしかありませんが、「音」のタブをクリックし、左下の「音を選ぶ」アイコンをクリックすることで、別の音を追加することができます。

音もいろいろな種類が用意されています。「dance celebrate」は比較的長いBGMのような音ですが、短い効果音のようなものも多くあります。

3-10 「カウント」を作る：変数

マイケルにダンスをさせるために、コスチュームを順番に変える機能を付けたいのですが、その準備として、マイケルのステップを数える「カウント」と名付けた「変数」を作ります。変数とは、数値や文字を入れる箱、と考えてください。

図3-21の手順で、「変数」グループから「変数を作る」をクリックし、「カウント」という変数を作ります。変数の種類には「すべてのスプライト用」と「このスプライトのみ」がありますが、本書では、使い方が簡単な「すべてのスプライト用」だけを使用します。

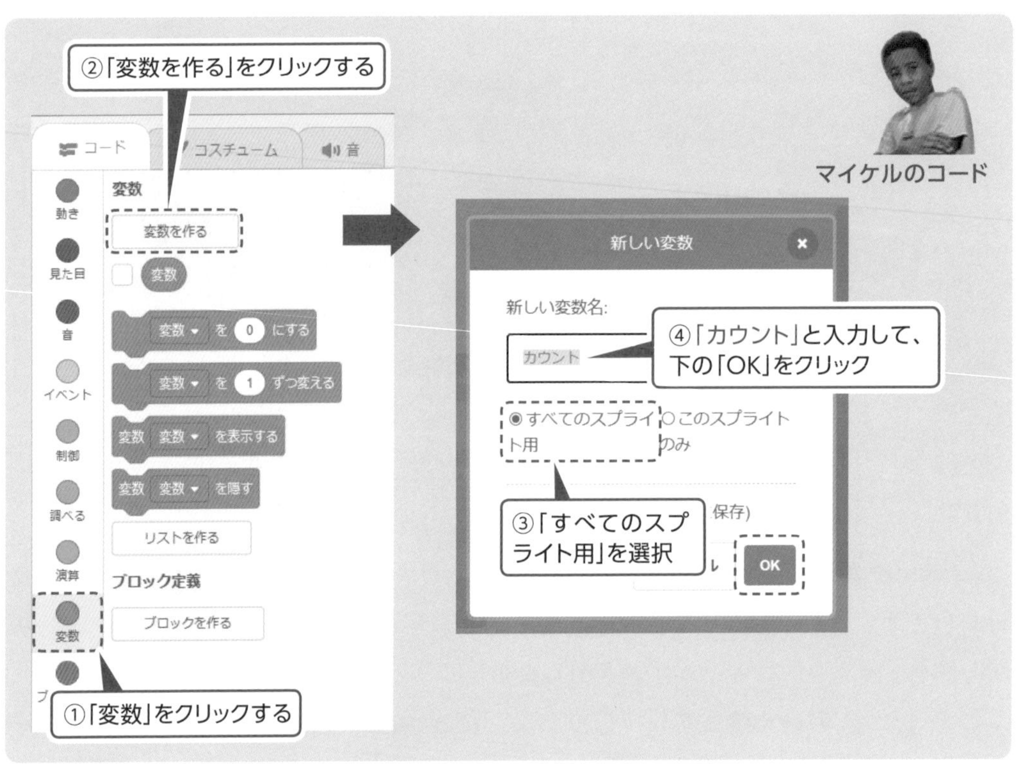

図3-21●変数「カウント」を作る（その1）

「カウント」が作られると、**図3-22**のように、ブロックパレットから「カウント」という変数のコードブロックが使えるようになります。「カウント」の左側には、青のチェックボックスがあります。ここにチェックが入っていると、ステージに変数名とその内容が表示されます。ここでは、チェックを入れたままにします。

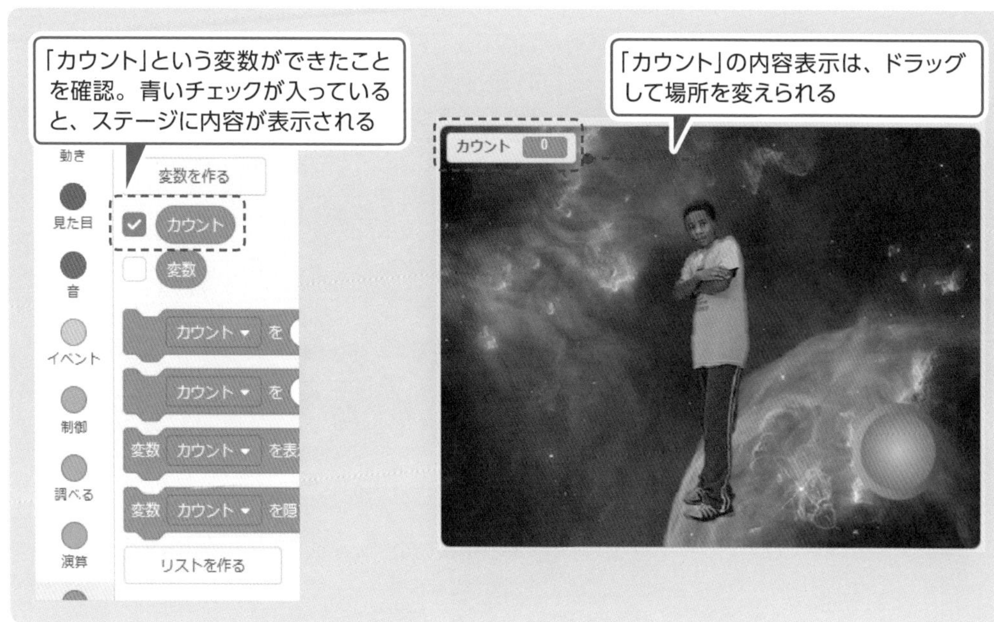

図3-22●変数「カウント」を作る（その2）

「変数」グループの下の方には、「(カウント) を (0) にする」や「(カウント) を (1) ずつ変える」などのコードブロックが表示されています。「カウント」という文字部分をクリックすることで他の変数名にも変えることもできますが、今はそのままにしてこの２つを**図3-23**に示した位置に挿入します。準備ができたらコードをクリックして動作を確認しましょう。マイケルの動きに合わせてカウントが１から４まで増えればOKです。

コードを説明します。「(カウント) を (0) にする」は、そのままの意味で、「カウント」という変数の中身を0にします。「(カウント) を (1) ずつ変える」は、「カウント」の中身に１を足すという意味です。このコードがループの内側にあるので、ループを繰り返すたびに「カウント」の中身が１ずつ足され、４回繰り返されて最後に「カウント」も４になります。

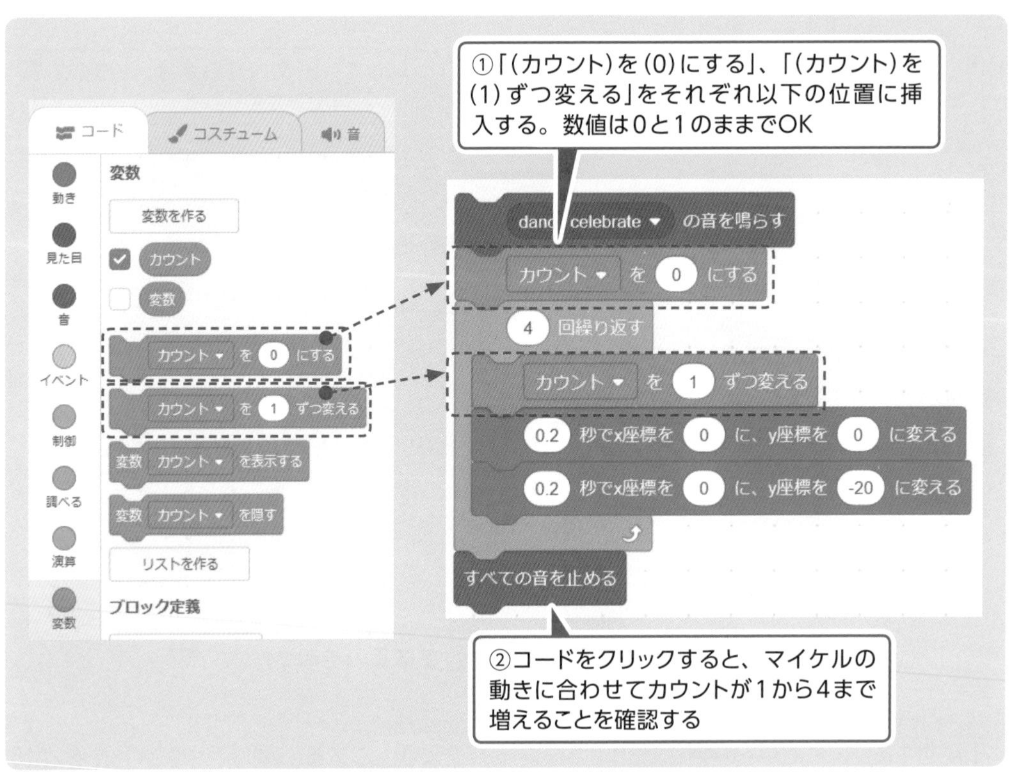
①「(カウント)を(0)にする」、「(カウント)を(1)ずつ変える」をそれぞれ以下の位置に挿入する。数値は0と1のままでOK
②コードをクリックすると、マイケルの動きに合わせてカウントが1から4まで増えることを確認する
コード
コスチューム
音
変数
変数を作る
カウント
変数
カウント を 0 にする
カウント を 1 ずつ変える
変数 カウント を表示する
変数 カウント を隠す
リストを作る
ブロック定義
動き
見た目
音
イベント
制御
調べる
演算
変数
celebrate の音を鳴らす
カウント を 0 にする
4 回繰り返す
カウント を 1 ずつ変える
0.2 秒でx座標を 0 に、y座標を 0 に変える
0.2 秒でx座標を 0 に、y座標を -20 に変える
すべての音を止める

図3-23●「カウント」をコードに組み込む

3-11 コスチュームを「カウント」で変える:見た目

それでは、「カウント」を使ってコスチュームを1番から4番までに変えてみましょう。紫の丸いアイコンの「見た目」グループから、「コスチュームを(Ten80～)にする」のコードブロックを選び、**図3-24**に示した場所に挿入します。( )内の「Ten80」の後ろの部分には「pop R arm」のほか「stance」や「top stand」といったコスチュームの名前が入っているはずですが、ここでは何を選ぶのか気にする必要はありません。

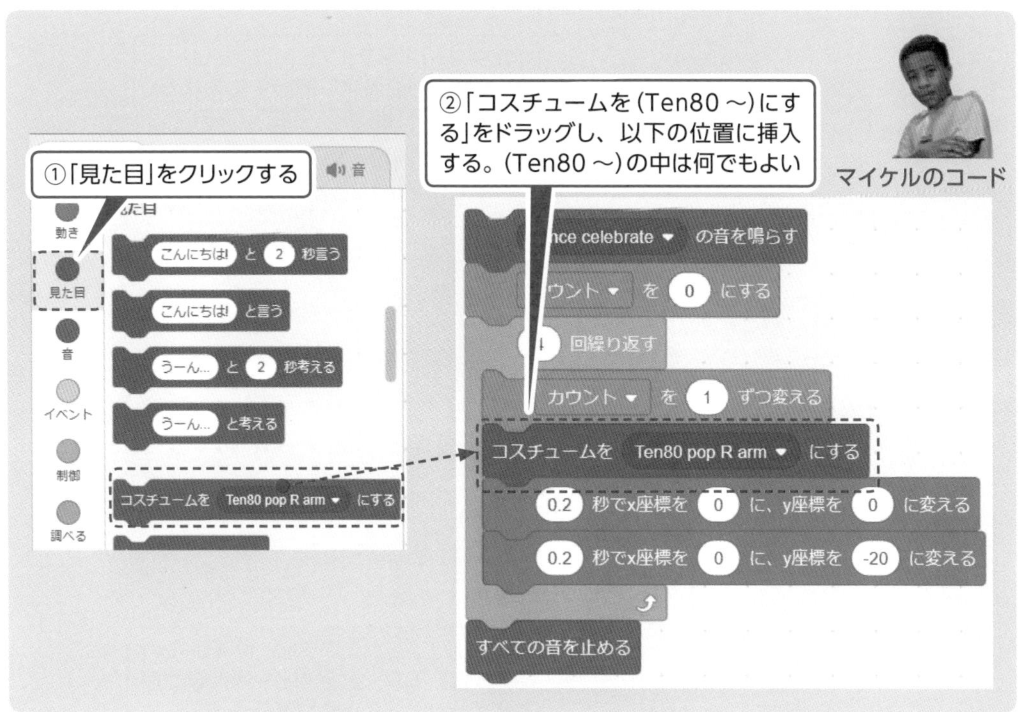

図3-24●コスチュームを「カウント」で変える（その1）

この「Ten80 ～」というのはコスチュームの名前ですが、この枠は丸い形をしていて、変数の形も同じ丸い形です。実は、この枠には変数を入れることもできるのです。そして、コスチュームには名前以外にも1から始まる通し番号が付いており、数値でコスチュームを指定することもできます。

そこで、**図3-25**のように変数「カウント」を「Ten80 ～」の丸い枠のところにはめてみましょう。うまくいったらコードの確認です。コードをクリックして、マイケルの動きに合わせてコスチュームが1番から4番まで順番に変化すれば成功です。

「見た目」グループには、コスチューム以外にも、いろいろなコードブロックがあります。例えば、「大きさを（　）%にする」は、表示するスプライトの大きさを調節するものです。「表示する」と「隠す」は、文字通りスプライトを表示したり消したりするコードで、Scratchプログラムではよく使われます。

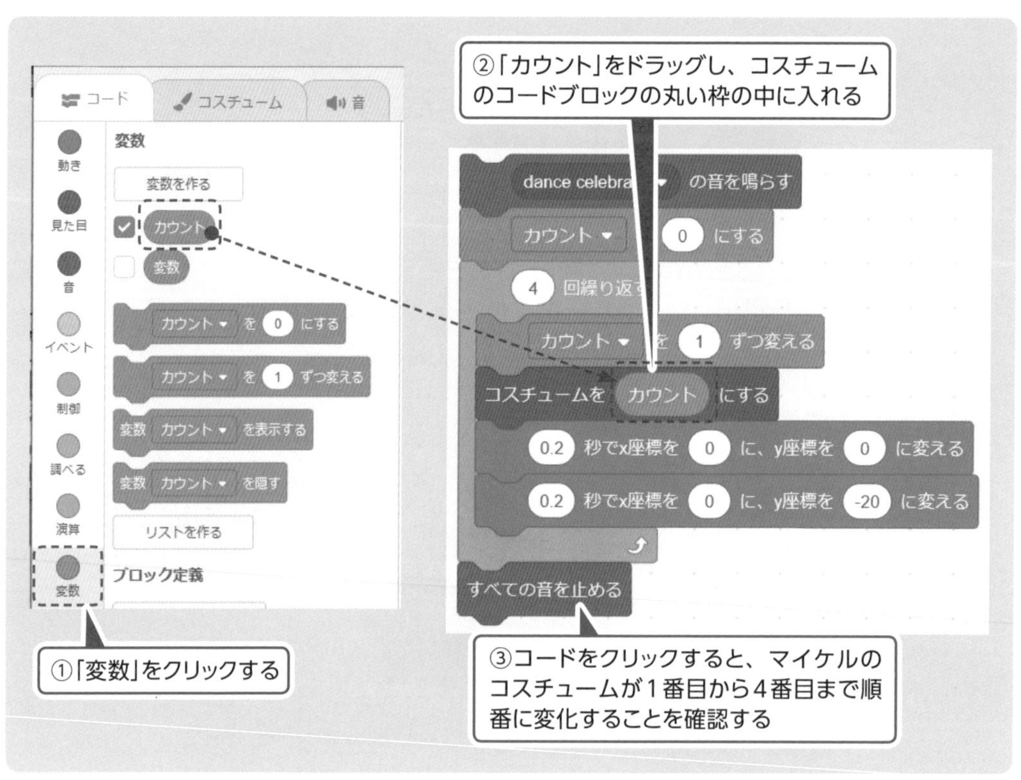

コード
コスチューム
音
変数
動き
見た目
音
イベント
制御
調べる
演算
変数
変数を作る
カウント
変数
カウント ▾ を 0 にする
カウント ▾ を 1 ずつ変える
変数 カウント ▾ を表示する
変数 カウント ▾ を隠す
リストを作る
ブロック定義
②「カウント」をドラッグし、コスチューム
のコードブロックの丸い枠の中に入れる
dance celebra ▾ の音を鳴らす
カウント ▾ を 0 にする
4 回繰り返す
カウント ▾ を 1 ずつ変える
コスチュームを カウント にする
0.2 秒でx座標を 0 に、y座標を 0 に変える
0.2 秒でx座標を 0 に、y座標を -20 に変える
すべての音を止める
①「変数」をクリックする
③コードをクリックすると、マイケルの
コスチュームが1番目から4番目まで順
番に変化することを確認する

図3-25●コスチュームを「カウント」で変える（その2）

3-12 ボタンを押して音を出す：イベント

次は、「ボタン」の準備をするために「ボタン」のコードを作ります。右下のスプライトリストの「ボタン」をクリックし、左上の「コード」タブを選択してください。まだ、スクリプトエリアには何もないはずです。

ここに、**図3-26**のように「イベント」グループの中から「このスプライトが押されたとき」を選び、スクリプトエリアにドラッグします。次に「音」グループの「(pop)の音を鳴らす」をドラッグしてつなげます。「pop」は「ボタン」に最初から付いている「音」です。

では、コードの確認です。ステージ上の「ボタン」をクリックして、「ポン」と音が鳴ればOKです。「ボタン」の位置はドラッグで自由に変えることができます。

「イベント」グループのコードブロックの多くは、左側が上に丸く膨らんだ形をしています。この形状のブロックは、別のブロックの下につなげることができません。かならずコードの先頭に置き、ブロックに書かれたイベントが発生したタイミングで下に続くコードの実行を開始します。今回、「このスプライトが押されたとき」は「ボタン」が押されたときのことであり、「ボタン」が押されたことによって次の「(pop) の音を鳴らす」が実行されたというわけです。

別のイベント、例えば「[緑フラッグ] が押されたとき」は、ステージの左上の緑色のフラッグが押されたときにコードを開始します。また、「(スペース) キーが押されたとき」は、スペースキーが押されたときにコードを開始します。「スペース」の部分をクリックして、矢印キーなど他のキーに変更することもできます。

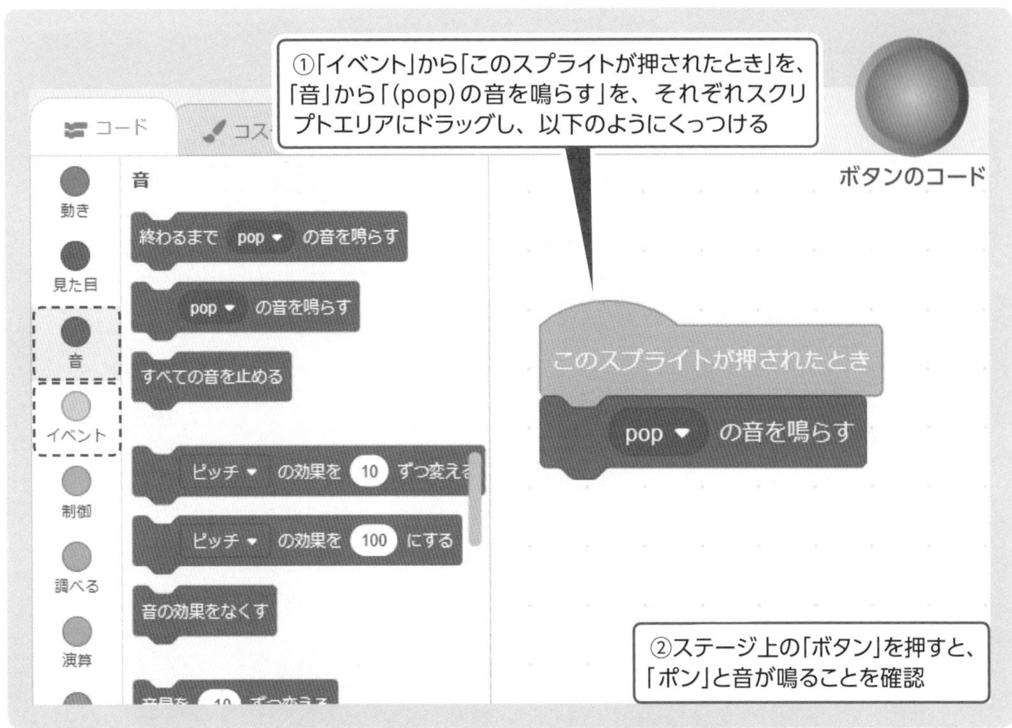

図3-26●「ボタン」を押して音を出す

3-13 ボタンを押してダンスを開始：イベント

「ボタン」を押したときに、マイケルのダンスを開始するようにします。ここでは、「イベント」の「(メッセージ1) を送る」を使います。**図3-27**の手順で、「ボタン」のコードに、「(メッセージ1) を送る」のブロックを追加し、メッセージの名前を「ダンスして」に変更してください。

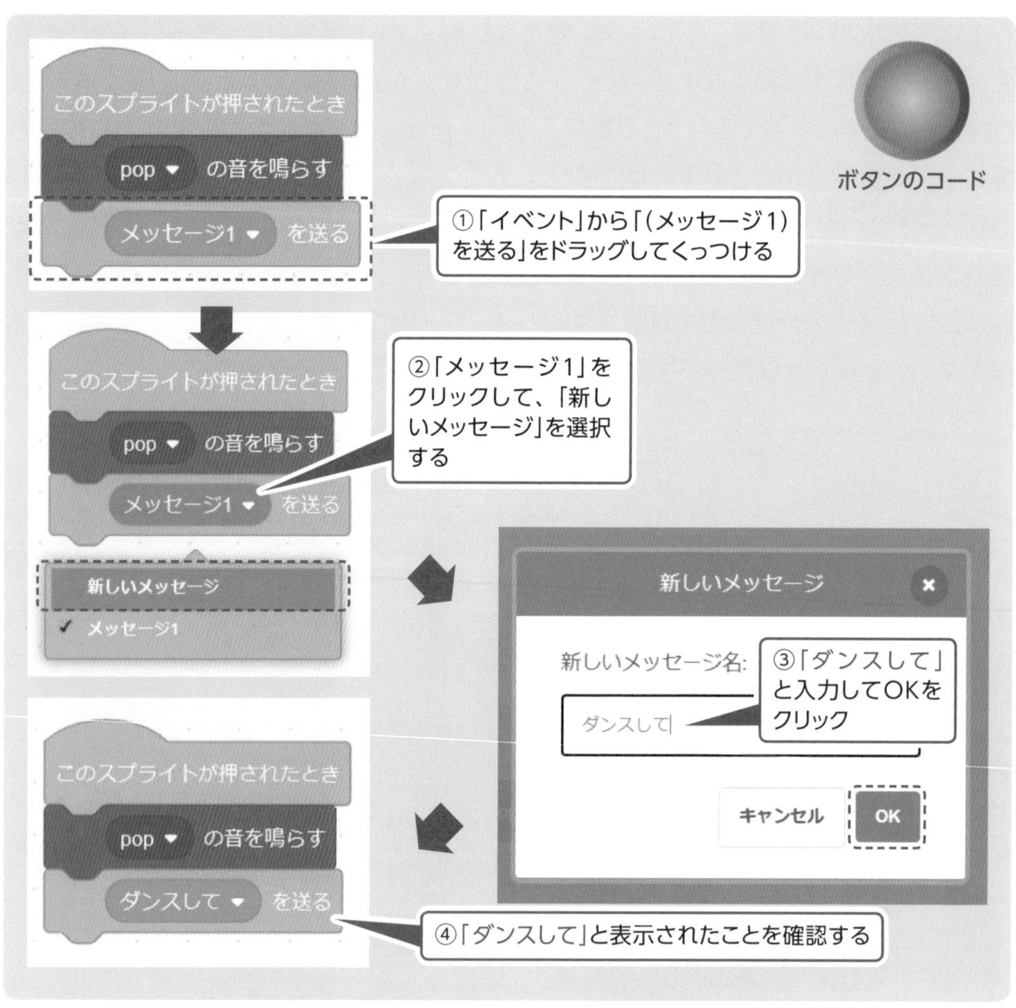

図3-27●「ボタン」を押してダンスを開始（その1）

次にマイケルのコードを変更します。右下のスプライトリストの「マイケル」をクリックしてから、**図3-28**のように「イベント」から「(ダンスして) を受け取ったとき」をドラッグし、これまでのコードの先頭にくっつけます。(　) の部分がもし「ダンスして」になっていない場合は、クリックして「ダンスして」を選んでください。では確認してみましょう。ステージの「ボタン」を押してみてください。マイケルのダンスが開始されたらOKです。

このように「メッセージ」を使うと、あるスプライトから別のスプライトのコードを実行することができます。強化学習のプログラムでは、このメッセージを多用しています。メッセージの送受信は、きちんと押さえておいてください。

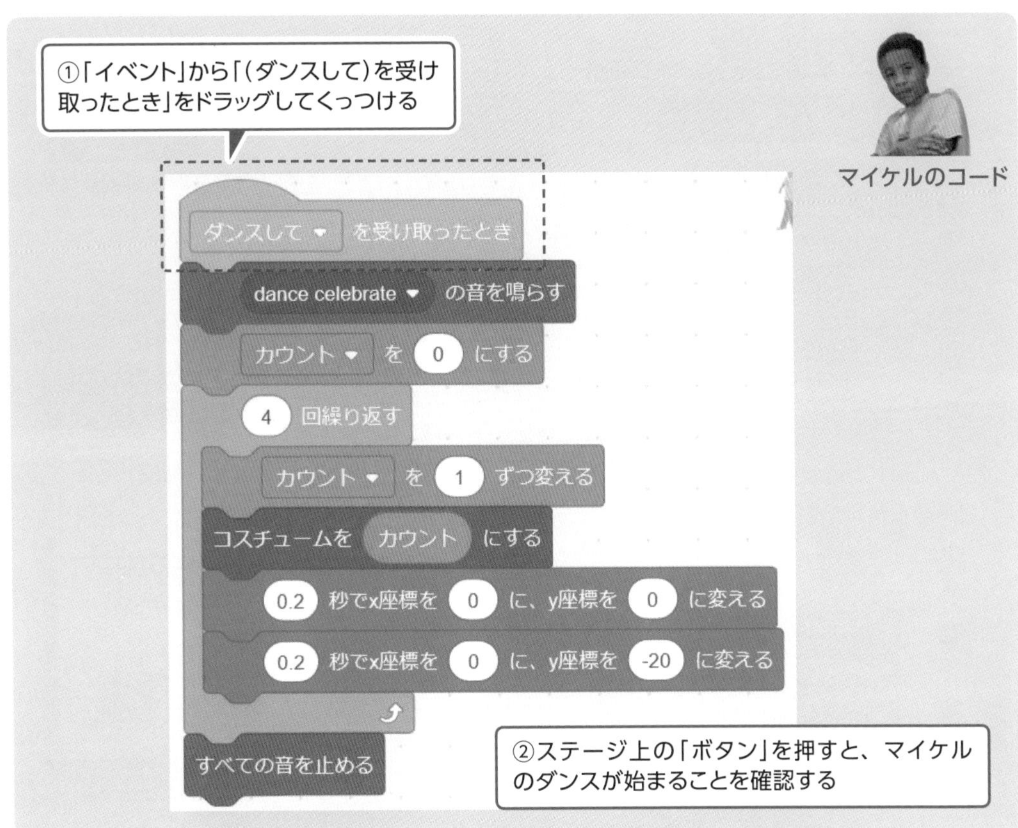
①「イベント」から「(ダンスして)を受け取ったとき」をドラッグしてくっつける
マイケルのコード
ダンスして を受け取ったとき
dance celebrate の音を鳴らす
カウント を 0 にする
4 回繰り返す
カウント を 1 ずつ変える
コスチュームを カウント にする
0.2 秒でx座標を 0 に、y座標を 0 に変える
0.2 秒でx座標を 0 に、y座標を -20 に変える
すべての音を止める
②ステージ上の「ボタン」を押すと、マイケルのダンスが始まることを確認する

図3-28●「ボタン」を押してダンスを開始（その2）

3-14 振り付けに乱数を入れる：リスト

次は、リストです。リストは変数と同じように数値や文字を入れることができますが、変数とは異なり、複数の数値や文字を入れることができます。ダンシングマイケルでは、振り付けの順番を記憶する入れ物としてリストを使います。

この節では、リストに４つのランダムな数値を入れるところまでを作ります。コードを作る場所はステージです。ステージリストから「背景」をクリックして、左上のタブから「コード」を選んでください。スクリプトエリアにはまだ何もないはずです。

「変数」グループを選ぶと、下の方に「リストを作る」というボタンがあります。これをクリックし、**図3-29**の手順に従って「振り付け」というリストを作ってください。ブロックパレットに、「振り付け」のリストと、リスト関連のコードブロックが表示されます。

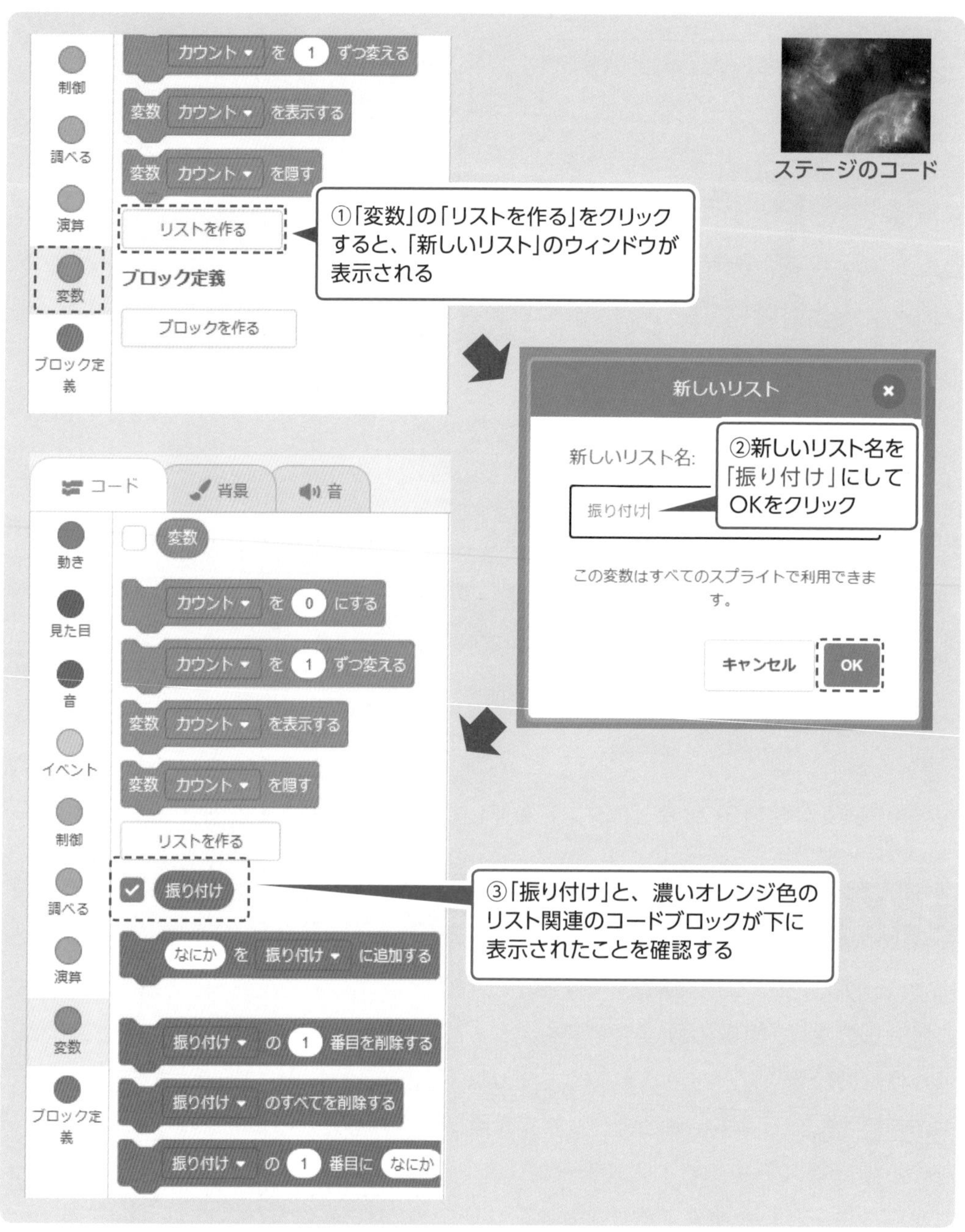

図3-29●「振り付け」リストに乱数を入れる(その1)

このリストのコードブロックを使って、**図3-30**に示したコードを作ってください。緑の丸いアイコンの「演算」グループから「(　) から (　) までの乱数」を加えて、数値を1と13に変更することも忘れないでください。乱数というのはさいころの目のように、実行するたびに変わる数値です。

ではコードの確認です。ステージ左上の緑フラッグをクリックしてみましょう。ステージに表示された「振り付け」に4つの数値が入り、それぞれが1から13までの数値であることを確認してください。緑フラッグを押すたびに数値が変わればOKです。

「(○○) を (振り付け) に追加する」というコードブロックは、「振り付け」というリストの後ろに (○○) を加えていく、という命令文です。このコードを1回実行するたびにリストは1つずつ長くなります。

「(振り付け) のすべてを削除する」を「[緑フラッグ] が押されたとき」の次に挿入したのは、これがないと2回目に実行するときに1回目で入れた4つの数値に加えて5番目から数値を追加してしまうからです。何度実行してもリストの長さを4つに保つためには、この削除のコードが必要となります。

リストに入った数値は、「(振り付け) の (　) 番目」というコードブロックで読み出すことができます。また、「(振り付け) の (　) 番目を (　) で置き換える」というコードブロックで値を書き換えることもできます。この場合、リストの長さは変わりません。

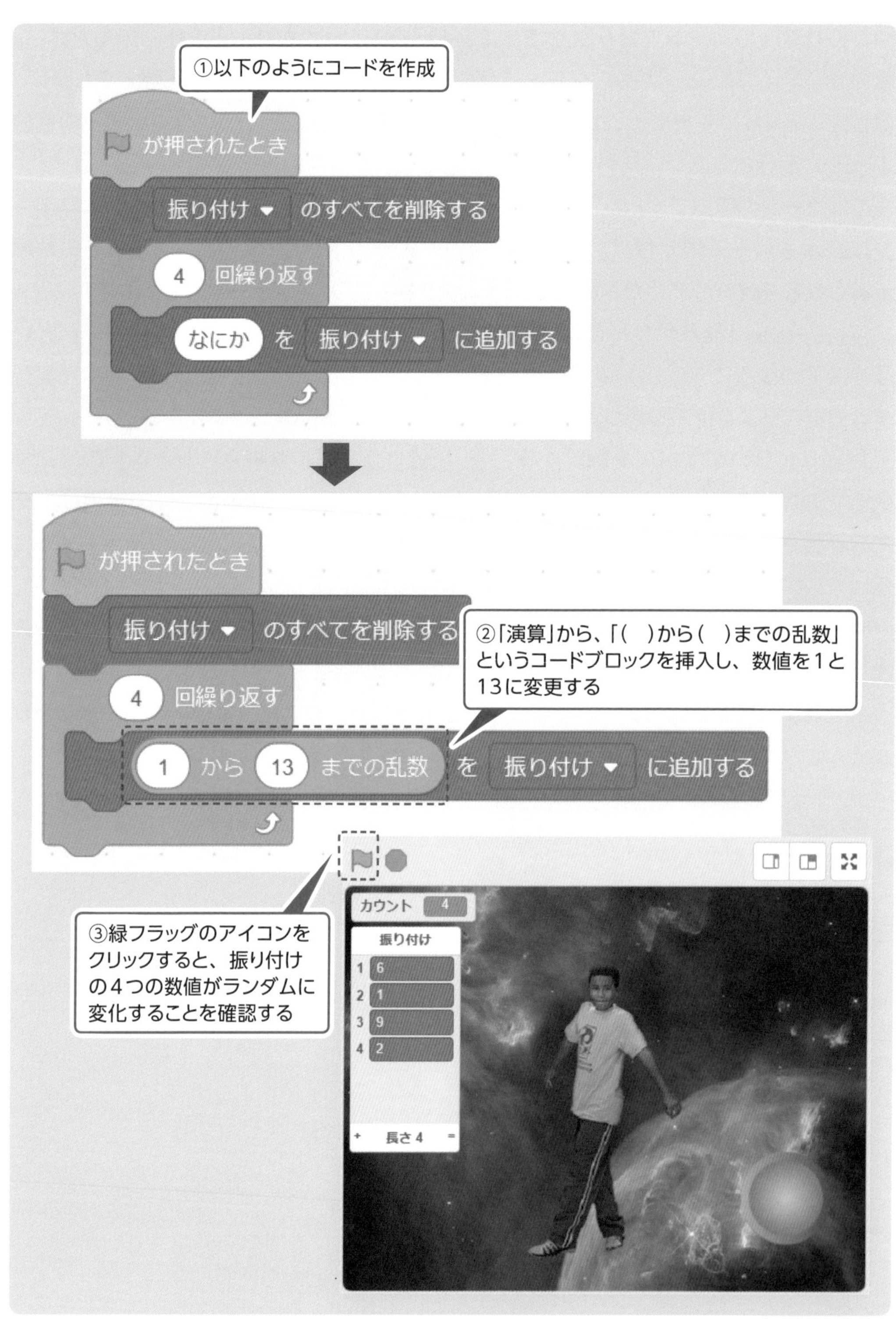

図3-30●「振り付け」リストに乱数を入れる(その2)

3-15 振り付けでダンスをする：リスト

それでは、「振り付け」の数値をダンスに関連付けましょう。もう一度マイケルのコードに戻って、「コスチュームを（カウント）にする」を、**図3-31**の手順で「コスチュームを（（振り付け）の（カウント）番目）にする」に変更してください。

ではコードの確認です。ステージ上の「ボタン」を押し、マイケルのダンスがこれまでと変わったことを確認してください。そして、緑フラッグを押すたびに「振り付け」リストの数値が変わり、使われるコスチュームが変わることも忘れずに確認してください。

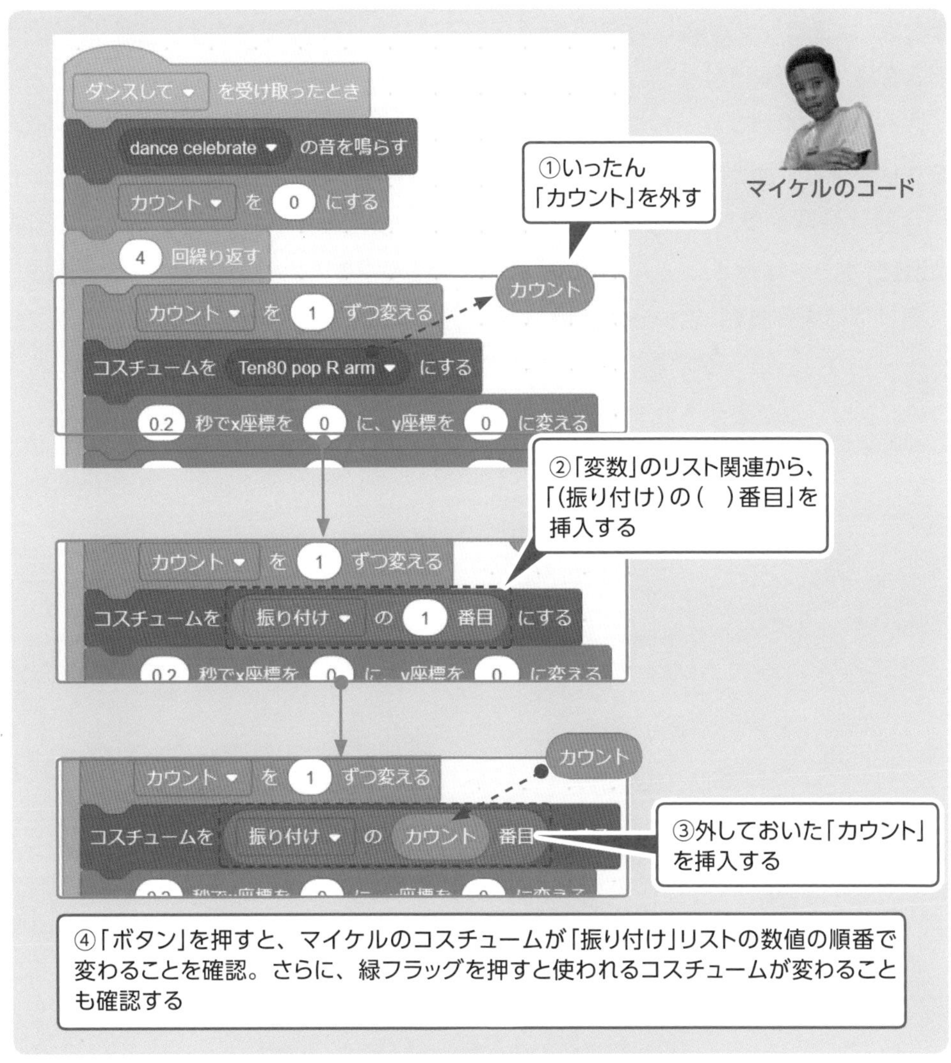

図3-31●「振り付け」でダンスをする

3-16 スペースキーでも振り付けを変えられるようにする：ブロック定義

現在のコードは、緑フラッグをクリックして「振り付け」を変えることができますが、スペースキーを押して変える方がカンタンかもしれません。緑フラッグとスペースキーのどちらでも、「振り付け」を変えるようにするにはどうしたらよいでしょうか。

ステージのコードを開きましょう。「イベント」から「(スペース) キーが押されたとき」というコードを追加して、緑フラッグの下のコードと同じものを作ればその機能は実現します。しかし、2カ所にある同じコードはできればまとめたいものです。こんなとき、「ブロック定義」の機能を使うとスマートに実現できます。これは他のプログラム言語での「関数」に似た機能です。

では、ブロックパレット左側にあるピンクの丸いアイコンの「ブロック定義」グループをクリックし、**図3-32**の手順で「振り付けを作る」という名前のブロックを作ります。今回は引数やラベルは必要ないので、「引数を追加」ボタンや「ラベルのテキストを追加」ボタンは押さないように注意してください。すると、スクリプトエリアに、「定義（振り付けを作る)」という大きいコードブロックが表示されます。そして、ブロックパレットの「ブロック定義」に、赤色の「振り付けを作る」という新しく定義されたコードブロックが表示されます。

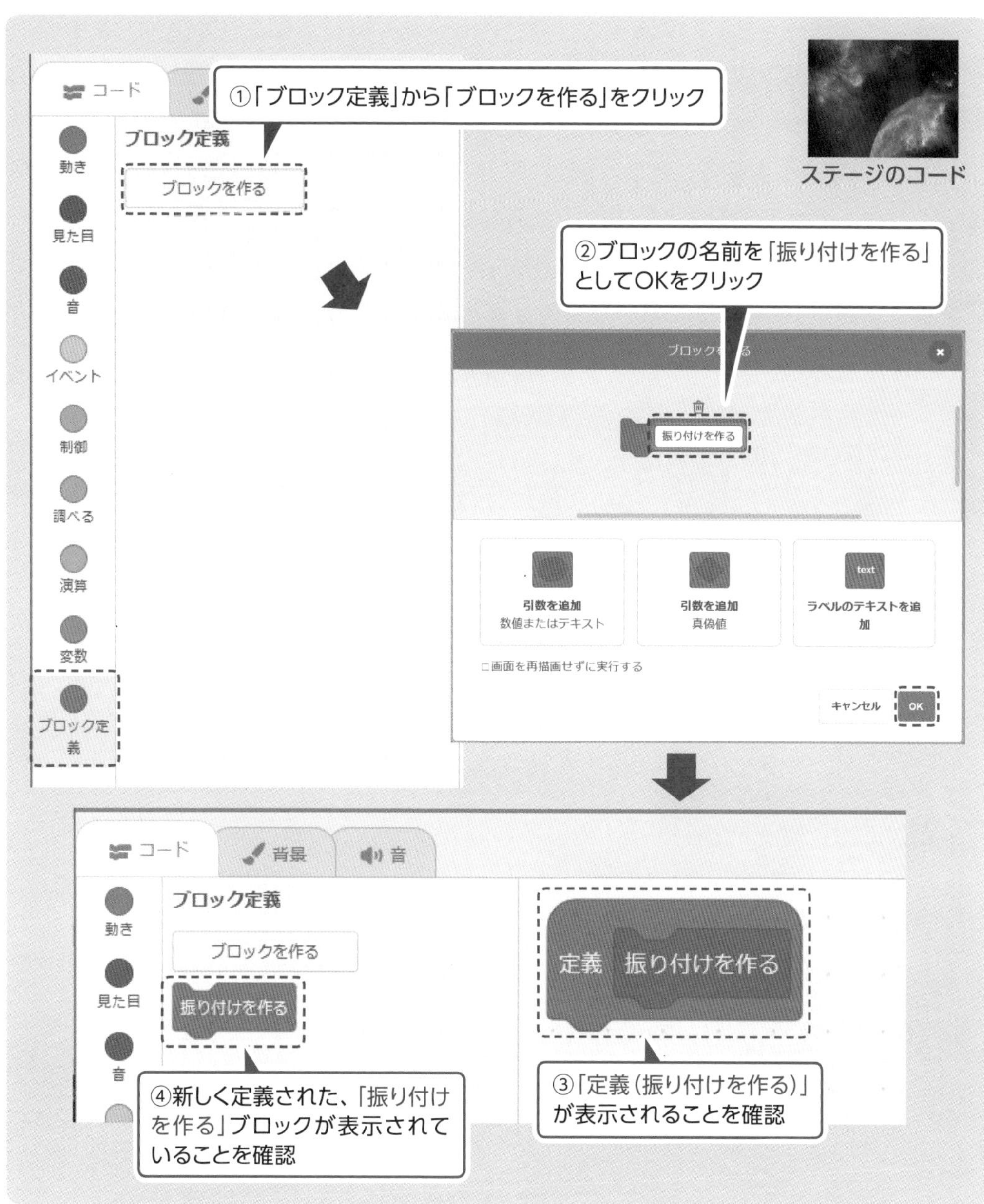

図3-32●スペースキーでも振り付けを変えられるようにする（その1）

この2つのコードブロックを使って**図3-33**のように、ステージのコードを作り変えてください。これまでは「[緑フラッグ] が押されたとき」の下にあったコードを、まとめて「定義（振り付けを作る）」の下につなげます。そして、「[緑フラッグ] が押されたとき」の下には、「振り付けを作る」をつなげます。「イベント」から「(スペース）キーが押されたとき」を挿入し、そこにも「振り付けを作る」を追加します。

では、コードの確認です。スペースキーを押しても、緑フラッグを押しても、「振り付け」の数値がランダムに変わることを確認してください。

「ブロック定義」を使うことは、同じコードを1つにまとめるという意味で重要です。まとめていると修正するときも1カ所で済みます。また別の利点もあります。それは、コードのまとまりに名前を付けることでコードが分かりやすくなるということです。ここでは、「振り付けを作る」という名前をまとまったコードに付けることで、コードが読みやすくなりました。

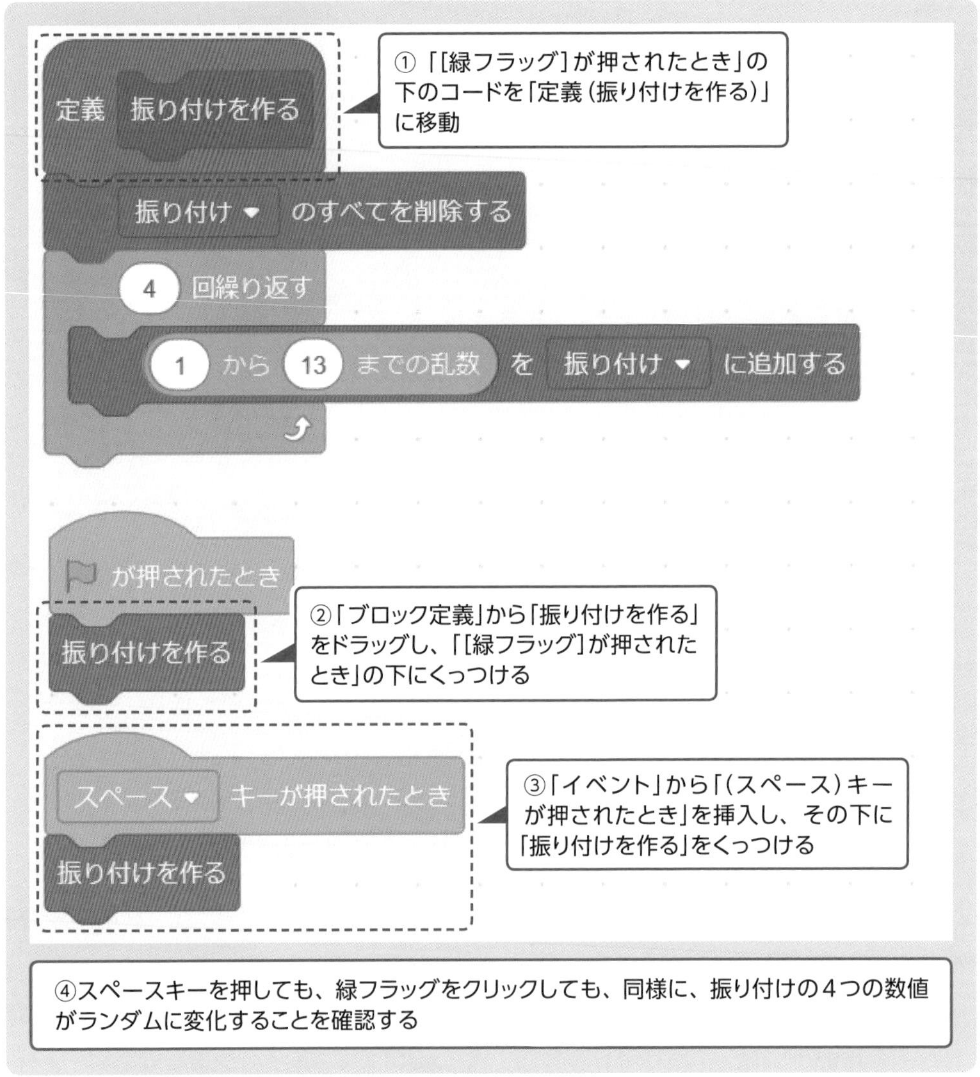

図3-33●スペースキーでも振り付けを変えられるようにする（その2）

3-17 仕上げて完成

それでは最後の仕上げです。プログラムをチェックしやすくするためにダンスは短くしていましたが、今のダンスを4回繰り返すようにして完成としましょう。

マイケルのコードを表示し、**図3-34**で示した位置に4回繰り返すループを入れてください。これまであった内側のループで4回繰り返し、さらに新しい外側のループで4回繰り返すので、合計16回繰り返すループが出来上がりました。そして、こうするとダンスがちょうど音楽「dance celebrate」の長さと同じになるので、最後の「すべての音を止める」を削除します。

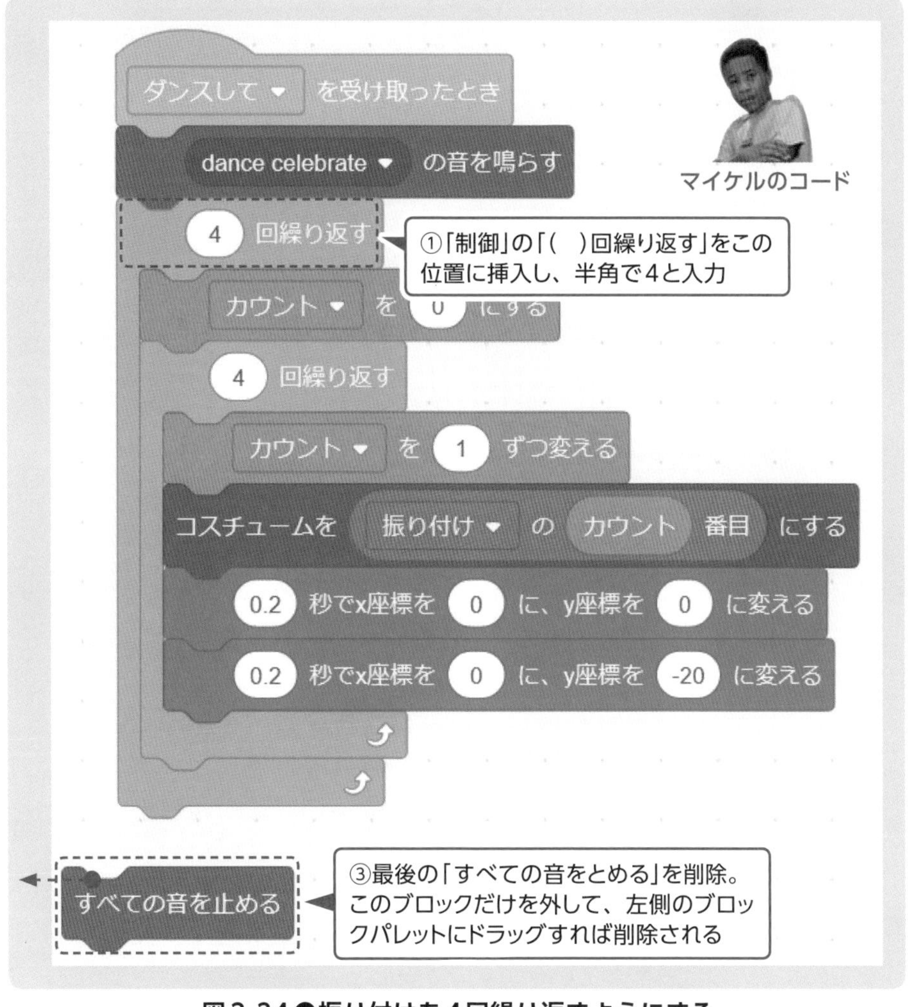

図3-34●振り付けを4回繰り返すようにする

最後に、ステージ内の「ボタン」の位置や、「振り付け」、「カウント」の位置をドラッグで調節すれば完成です（**図3-35**）。

最終的なチェック項目は、

1. 「ボタン」を押すとダンスが開始される
2. ダンスは4つのポーズを4回繰り返し、音楽は「ヘイ！」で終わる
3. 緑フラッグかスペースキーで振り付けが変わる

です。動作が異なる場合には、例えば、図3-34のループの位置を確かめてみてください。

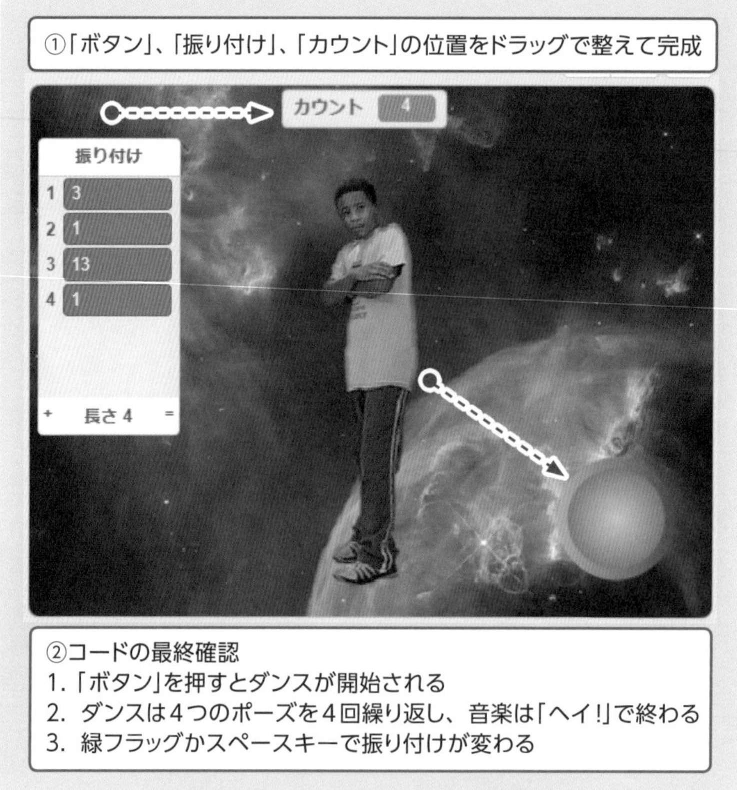
①「ボタン」、「振り付け」、「カウント」の位置をドラッグで整えて完成
カウント 4
振り付け
1 3
2 1
3 13
4 1
+ 長さ4 =
②コードの最終確認
1.「ボタン」を押すとダンスが開始される
2. ダンスは4つのポーズを4回繰り返し、音楽は「ヘイ!」で終わる
3. 緑フラッグかスペースキーで振り付けが変わる

図3-35●仕上げとコードの最終確認

これで、Scratchのプログラムの作り方の基本は終わりです。ここで紹介した「変数」、「イベント」、「リスト」、「ブロック定義」などを使った強化学習のプログラムを、次章から解説していきます。この章では扱わなかったコードブロックも出てきますが、難しそうなものはそのつど解説していきますので安心してください。

4章

レベル1・砂漠でダイヤ集めゲーム

4章 レベル1・砂漠でダイヤ集めゲーム

ここから強化学習の具体的な内容に入ります。本章ではレベル１の問題設定を説明し、これを解くためのL1-Q学習を紹介します。Scratchプログラム「砂漠でダイヤ集めゲーム」を使い、そのコーディング内容をひもとくことで、L1-Q学習のアルゴリズムを解説します。

4-1 砂漠でダイヤ集めゲームの遊び方

Scratchのプログラムの内容に入る前に、まず、ゲームをプレイして、強化学習の問題設定と強化学習の動作を体感しましょう。インターネットにつながっているパソコンのブラウザを開いて、以下のアドレスにアクセスし、「砂漠でダイヤ集めゲーム」の画面を開いてください。

https://scratch.mit.edu/projects/400074584/

スマートフォンでも画面解像度によってはプレイが可能です。以下のQRコードを読み取ってもサイトにアクセスできます。

サイトにつながると**図4-1**の画面が表示されます。ゲーム画面の中心にある緑フラッグを押すとゲームが開始されます。スマートフォンの場合は、ゲームを開始する前に画面を横表示にし（スマートフォンを横にするなどで切り替わりますね）、右上の画面合わせボタンを２回押すと（いったん小さくして大きくする）、見やすくなるかもしれません。

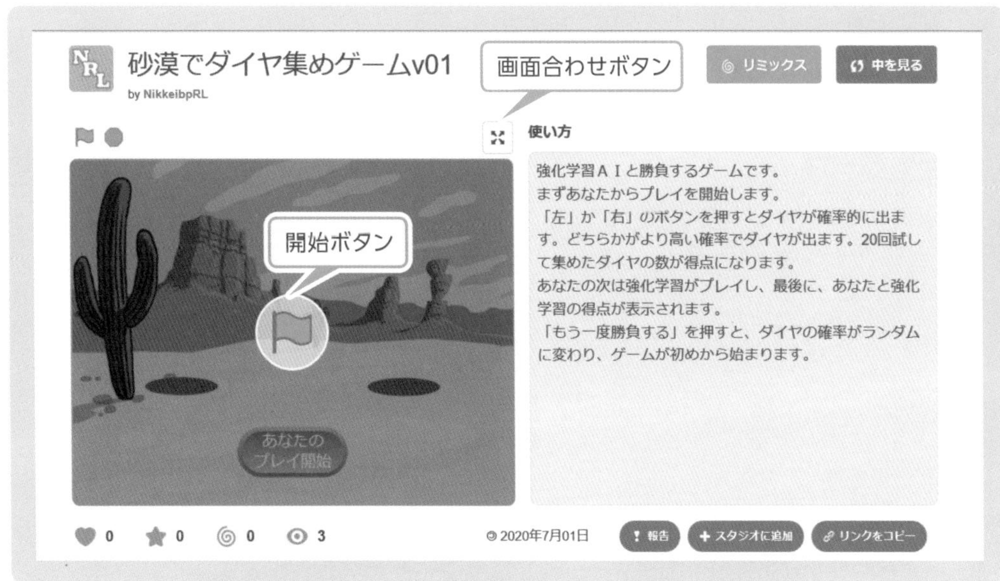

図4-1●「砂漠でダイヤ集めゲーム」のゲーム開始画面

図4-2にゲームの流れを図示します。まず、「あなたのプレイ開始」ボタンを押すと（図4-2の①）、左右の２つのボタンが表示されます（図4-2の②）。どちらかのボタンを押すとフランク君というキャラクターがその方向の地面を掘ります。その結果、ダイヤが出るときと出ないときがあります。左右のボタンを20回選んで、できるだけ多くのダイヤを集めてください。これがゲームの目的になります。

図4-2●「砂漠でダイヤ集めゲーム」の流れ

ダイヤが出るかどうかは確率的に決まっています。例えば、左はダイヤが出る確率が0.7、右はダイヤが出る確率が0.4といったようにゲーム開始時に設定されます。左の確率0.7というのは、左を10回選べばそのうち7回くらいでダイヤが出ることを意味します。

ゲームなので当然ですが、右と左のダイヤの出る確率はプレーヤーには分からないようにランダムに決まります。20回選び終えると「終了」と表示され、最終的なあなたの得点が表示されます。

次は、強化学習「L1-Q学習」の番になります。「強化学習のプレイ開始」ボタンを押すと（図4-2の③）、強化学習が20回、左右を選んでダイヤを掘ります（図4-2の④）。最後に、あなたと強化学習の得点が表示され、どちらの点数が高かったかが分かります。「もう一度勝負する」ボタンを押すと（図4-2の⑤）、ダイヤの出る確率がランダムに変わり、同じゲームを再開します。

ゲームがどんなものかをつかむために、何度かプレイしてみましょう。強化学習に勝つことができたでしょうか。

１つの戦略を紹介します。例えば、最初の５回は左だけを選び、出たダイヤの数を数えます。そして、次の５回は右だけを選び、ダイヤの数を数えます。そして、残りの10回は、前半で多くダイヤが出た方をひたすら選び続けるという方法です。“そこそこ”の得点が稼げると思います。前半の10回（左５回＋右５回）を「調査」、後半の10回を「得点稼ぎ」だとすると、「調査」と「得点稼ぎ」にどれくらいの回数を使うかで、点数が変わってきそうですね。

まったく別の方法もあります。ダイヤが出たら次も同じボタンを選び、出なかったら次は逆のボタンを選ぶという戦略です。この手法には、「win-stay, lose-switch」（勝ったらそのまま、負けたら変更という意味）という名前がついています。先の方法のようにダイヤを数えて覚える必要がありませんが、この方法でも“そこそこ”の点数が取れるでしょう。このように、こんなにシンプルなゲームでもいくつも戦略を考えることができます。

さて、強化学習はどのような方法でダイヤを集めていたのでしょうか。ここで使っているのはL1-Q学習ですが、上で述べた２つの戦略とも異なる方法です。この方法を詳しく説明していくのが本章の目的です。

4-2 「行動」と「報酬」

まず、あらためて強化学習で大切な言葉の説明です。1章でも触れましたが、ここでは「右」か「左」のどちらかのボタンを選ぶことを**行動**と呼びます。そして、ダイヤが出るか出ないかを**報酬**と呼びます（**図4-3**）。ダイヤがもらえたら報酬は1、もらえなかったら報酬は0とします。このゲームでは、同じ行動をしても報酬はもらえたりもらえなかったりします。このような設定を、「報酬は確率的である」と言います。

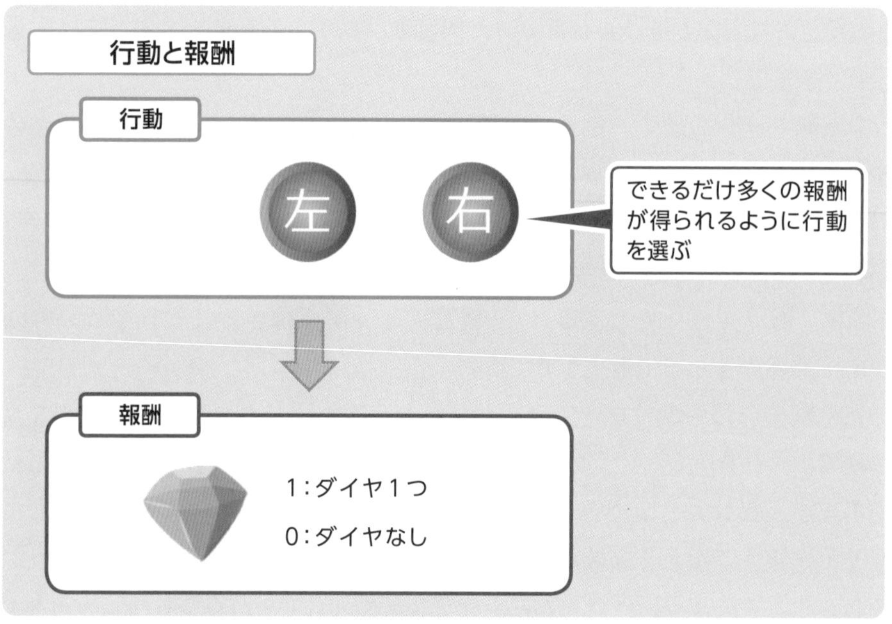

図4-3●行動と報酬

4-3 L1-Q学習のアルゴリズム

いよいよL1-Q学習の説明です。アルゴリズムの目的については、今の段階ではこのゲームの目的と同様に「限られた回数の中で、できるだけ報酬を集めること」と考えます。

L1-Q学習のアルゴリズムを一言でいえば、「左右でどれくらい報酬がもらえるかを毎回予測し、予測の多い方を選ぶ」という方法です。まず、「予測をする」ということをきちんと理解するために、期待値という量を説明します。

4-3-1 期待値

期待値とは、簡単に言えばギャンブルでもらえる儲けの平均値です(**図4-4**)。ただし、ギャンブル以外でも未来の予測の平均値を考えるときであれば、期待値という言葉は使えます。

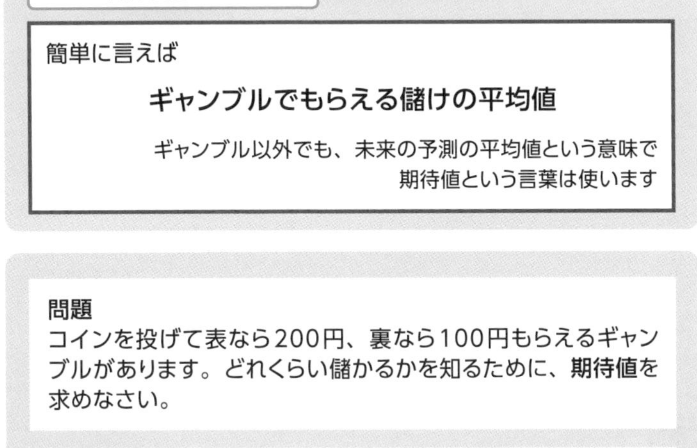

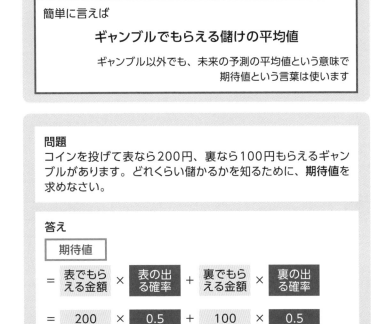

図4-4●期待値とその求め方

例えば、コインを1回投げて表だったら200円をもらえて、裏だったら100円をもらえるギャンブルがあるとします。このギャンブルでどれくらい儲かるかを知るために、儲けの平均値である期待値を考えます。直感的に、期待値は200円と100円の中間の金額である150円だと予想ができると思います。

式で計算するには、

期待値 = 表でもらえる金額 × 表の出る確率 ＋ 裏でもらえる金額 × 裏の出る確率
= 200 × 0.5 ＋ 100 × 0.5
= 150 円

となります。実際にこのギャンブルを何度もやって、儲けた金額の平均値を計算すると、この期待値に近い値になるはずです。しかし、コインの確率が分かっていれば、実際にギャンブルをしなくても、正確な平均値が計算できるということです。

では、コインがインチキで表が出る確率が0.2しかなかったら、期待値はいくつになるでしょうか。裏が出る確率は0.8になることに注意して、

期待値 = 200 × 0.2 ＋ 100 × 0.8
= 40 ＋ 80
= 120 円

となります。このインチキコインのギャンブルでは平均して120円しかもらえないということが分かります。期待値の意味は、つかめたでしょうか。

4-3-2 報酬予測

砂漠でダイヤ集めゲームの話に戻ります。左を選んだときに、報酬が1となる確率が0.7だったら期待値はいくつになるでしょうか。報酬が0となる確率が0.3になることに注意して計算すると、

報酬の期待値 = 1 × 報酬が1となる確率 ＋ 0 × 報酬が0となる確率
= 1 × 0.7 ＋ 0 × 0.3
= 0.7

となります。この場合、報酬が1ですので、期待値は報酬確率と同じ値になります。

はじめに戻りますが、L1-Q学習で使う、どれくらい報酬がもらえるかの予測は、この期待値0.7を予測するということになります。

アルゴリズムでは、ゲームの最初には左右の期待値は分からないので、左の予想は0.5、右の予想は0.4と適当に決めておきます（どちらも0.5とするのが普通ですが、

説明のために、あえて違う値を考えます）。これをそれぞれ、**左の報酬予測**、**右の報酬予測**と呼びます（**図4-5**）。行動を選ぶときには、この２つの予測を比較して大きい方の行動を選ぶようにします。

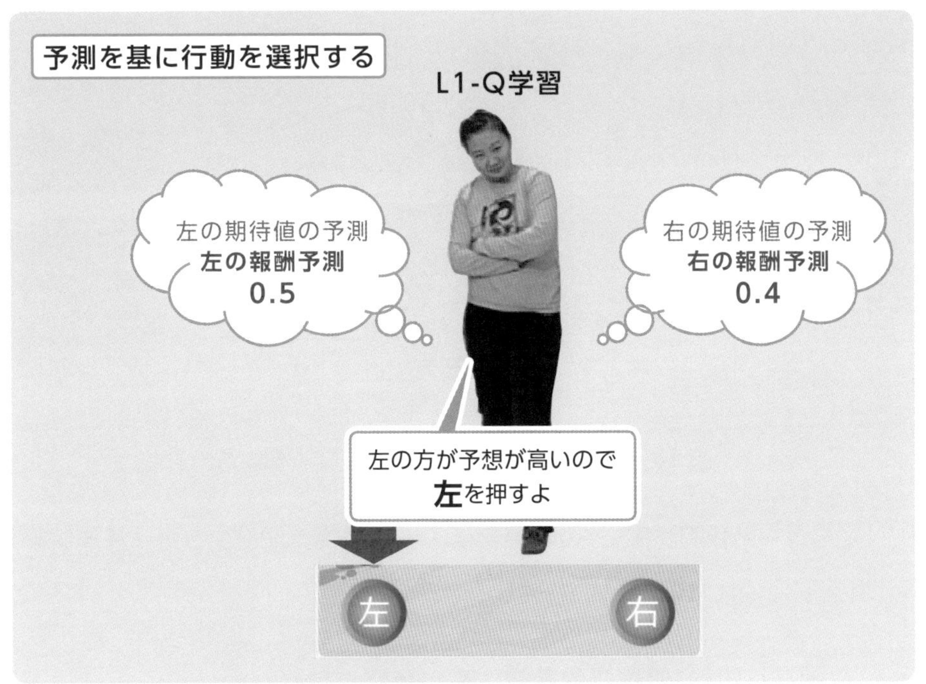

図4-5●L1-Q学習のアルゴリズム（その1）

そして、行動をした後の実際の報酬を基に左右の報酬予測を少しずつ修正し、正しい期待値に近づくようにします。例えば、左を選んで報酬が１だった場合、左の報酬予測を少しだけ増やします（**図4-6**）。

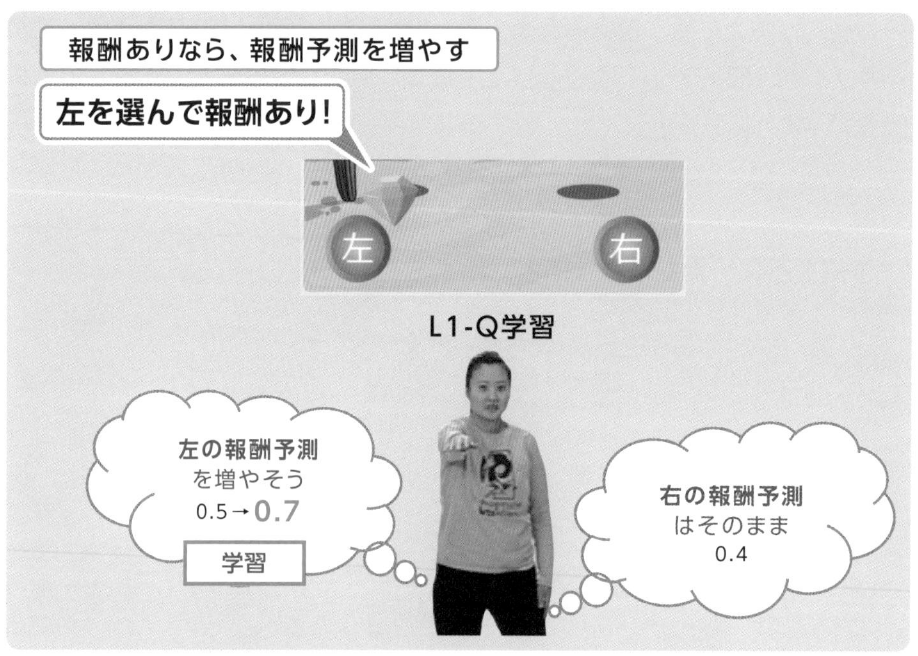

図4-6●L1-Q学習のアルゴリズム（その2）

同じく左を選んで報酬が0だった場合には、左の報酬予測を少しだけ減らします（**図4-7**）。

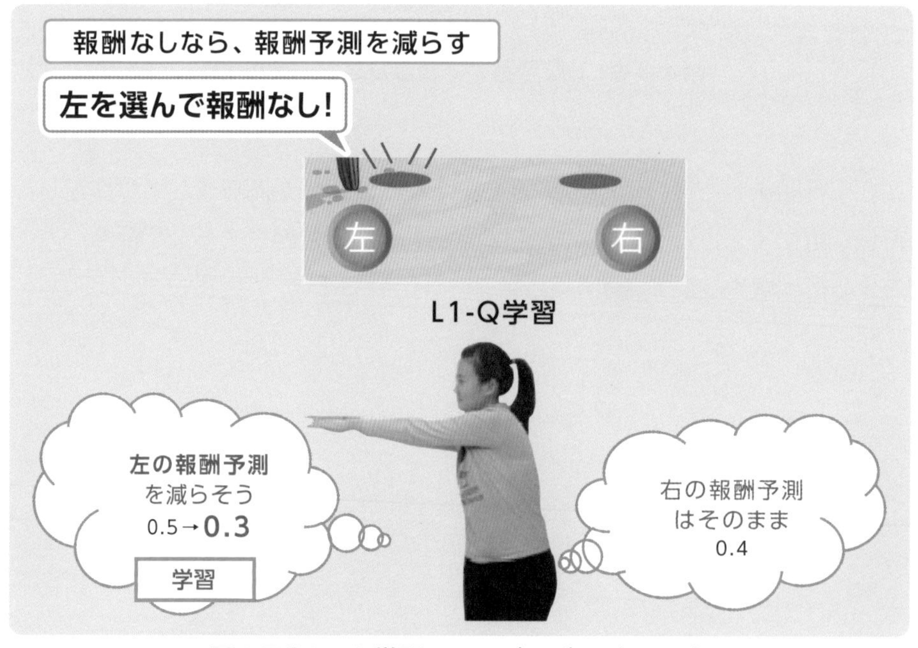

図4-7●L1-Q学習のアルゴリズム（その3）

図4-6と図4-7の例は左を選んだ場合でしたが、右を選んだ場合にも同じように右の報酬予測を増減します。具体的にどれくらいの数だけ増減させればよいかは次の節で説明しますが、以上の手続きを繰り返すことで、左と右の報酬予測を徐々に正しい期待値に近づけることができます。このような報酬予測の修正を**学習**と呼びます。学習によって左右の報酬予測が期待値に近づけば、行動の選択も正しくなります。

4-3-3 報酬予測の学習則

それでは、学習をさせるための具体的な式の説明に入ります。左右を選ぶということはまだ考えず、例えば、左を選び続けている状況を想定します。報酬予測を修正するための具体的な数式は、

報酬予測 ← 0.9 × 報酬予測 ＋ 0.1 × 報酬

です。「←」は「右の値を左の変数に入れる」という意味です。例えば、A ← A ＋ 1は、「Aに1を足したものをAに入れる」という操作を表します。つまり、Aの中身に1を足すことになります。上の式は、今の「報酬予測」の90%と実際の「報酬」の10%を足し合わせ、「報酬予測」に入れる、という操作となります。このような操作で、今の報酬予測が報酬に少しだけ近づきます。

例えば、報酬予測が0.5のときに、報酬が1、0、1……という順番で得られたとしたら、具体的な計算は以下のようになります。

1回目の報酬は1なので、
　報酬予測 ← 0.9 × 0.5 ＋ 0.1 × 1 = 0.55
（報酬予測0.5が0.55に増加）
2回目の報酬は0なので、
　報酬予測 ← 0.9 × 0.55 ＋ 0.1 × 0 = 0.495
（報酬予測0.55が0.495に減少）
3回目の報酬は1なので、
　報酬予測 ← 0.9 × 0.495 ＋ 0.1 × 1 = 0.5455
（報酬予測0.495が0.5455に増加）

このように報酬予測を修正（更新とも言います）することを学習と呼び、その式を**学習則**と呼びます。

このような報酬予測の変化のグラフを描くと**図4-8**のようになります。報酬の確率が0.8の場合（期待値も0.8）と、0.2の場合（期待値も0.2）で、実際に試したときの様子を示しました。この手続きを繰り返すことで、報酬予測は報酬の期待値に近づき、その後は、そこを中心として変動を繰り返すという動きをします。

ここで、報酬予測が目標となる値まで近づいたことを、「報酬予測が収束する」、「学習が収束する」などと表現します。数学的に「収束する」とは、「一定の値に限りなく近づくこと」です。この場合は、期待値に近づいたら、その周りをいったりきたりと変動を繰り返しますから、厳密には「収束する」ではないのですが、慣例として収束すると表現します。図4-8から、報酬確率が0.8の場合も0.2の場合も、「報酬予測は10回程度の更新で収束している」、と言うことができるでしょう。

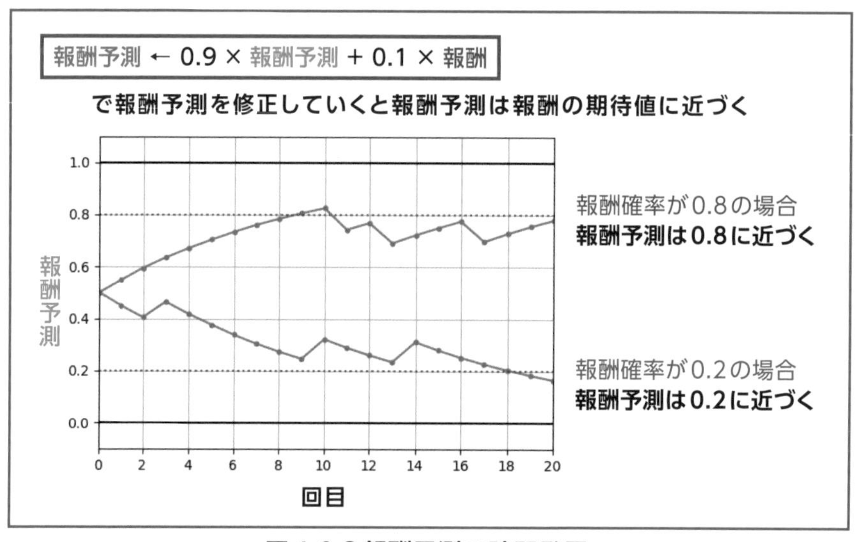

図4-8●報酬予測の時間発展

さて、[0.9と0.1]の混ぜ合わせの比率は、2つの数値の和が1になるものであれば、他の数値でも使うことができます。例えば、[0.8と0.2]や[0.95と0.05]などです。これを、「**学習率**」という変数を使って、[1 -「学習率」と「学習率」]のように混ぜ合わせの比率を表すことを考えます。学習率を0.1とすると、混ぜ合わせの比率は、[1 - 0.1 と0.1]、つまり、[0.9と0.1]ということになります。学習率を使って、学習則をまとめると**図4-9**のようになります[*1]。

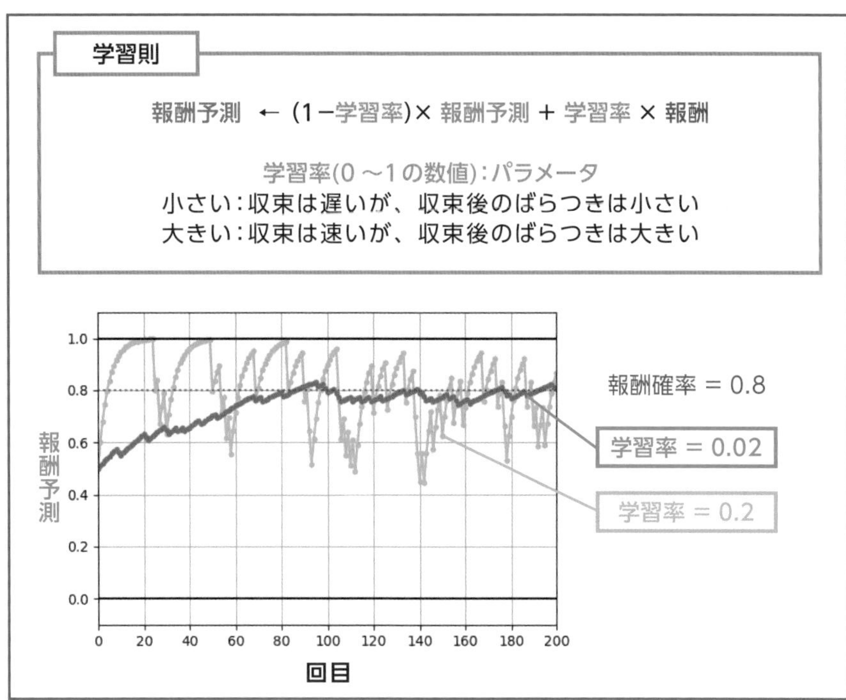

図4-9●学習則と学習

学習率は、プログラムを作る人が決める値であり、アルゴリズムのパラメータ[*2]と呼ばれるものです。図4-9の学習率0.02の例のように、学習率が小さいと収束は遅くなりますが、収束後の期待値中心でのばらつきは小さくなります。逆に、図4-9の学習率0.2の例のように、学習率が大きいと収束は速くなりますが、収束後のばらつきは大きくなります。

ScratchのL1-Q学習で実際に使っている学習率の値は0.1です。その振る舞いは図4-8で示したようになるので、10回程度の更新で収束すると言えます。パラメータをどう決めるべきか、という問題については、次のパラメータ「乱雑度」が出てくる4-4-2項「行動選択」の最後で考察します。

[*1] これまで強化学習の勉強をしたことがある人は、「報酬予測誤差」を使った学習則を学んだと思いますが、本書では「混ぜ合わせの比率」という概念を使ってオリジナルの説明をしました。式が1つで済むので分かりやすいと思います。式の上ではどちらも等価です。

[*2] ハイパーパラメータと呼ぶこともあります。

4-4 ScratchのL1-Q学習

次に、Scratchで表されたL1-Q学習の中身を見ていきましょう。画面右上の「中を見る」を押すと、プログラムを見ることができます（**図4-10**）。

図4-10●「中を見る」を押してプログラムを見る

３章で説明したように、Scratchでは各スプライトにコードがひもづきます。L1-Q学習のコードは、「強化学習のプレイ開始」という緑色のボタンのスプライトに書かれています。**図4-11**に示したように、右下のスプライトリストから「強化学習のプレイ開始」を選んで左上の「コード」タブをクリックし、最後に虫眼鏡アイコンで大きさを調整してコード全体が見えるように表示してみましょう。

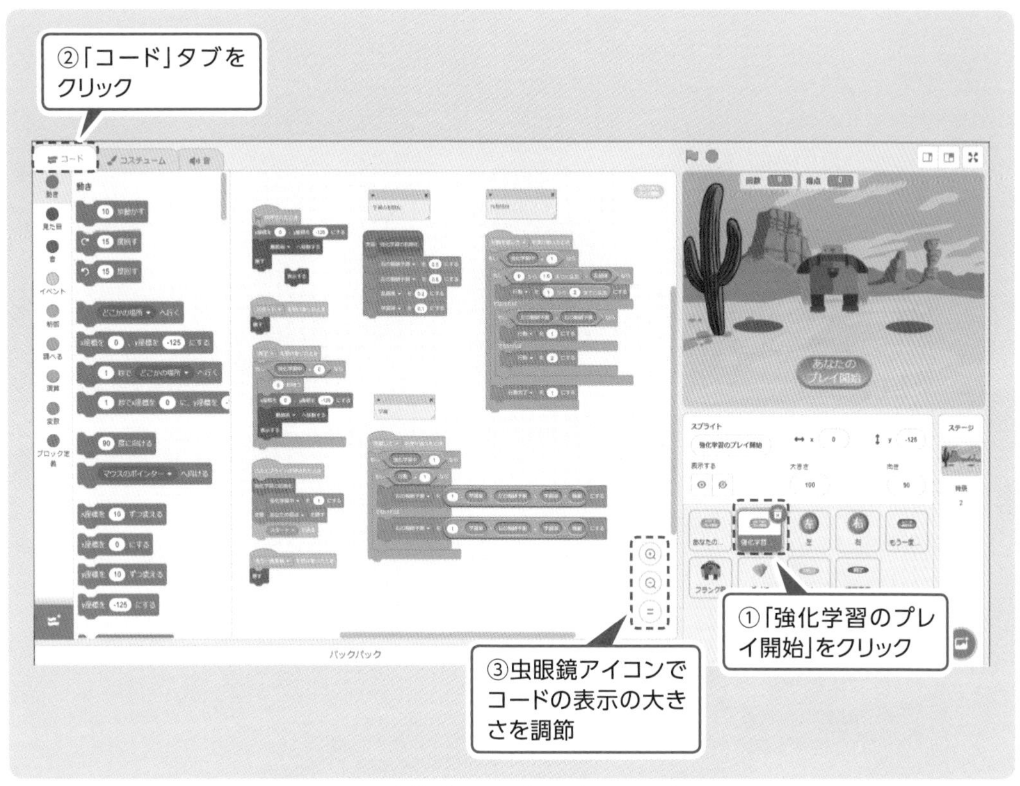
②「コード」タブをクリック
①「強化学習のプレイ開始」をクリック
③虫眼鏡アイコンでコードの表示の大きさを調節

図4-11●強化学習のプログラムを表示する

「強化学習のプレイ開始」の全コードを**図4-12**に示しました。この中で、L1-Q学習にかかわるコードは、（1）**強化学習の初期化**、（2）**行動選択**、（3）**学習**——の3つです。これを順番に説明していきます。

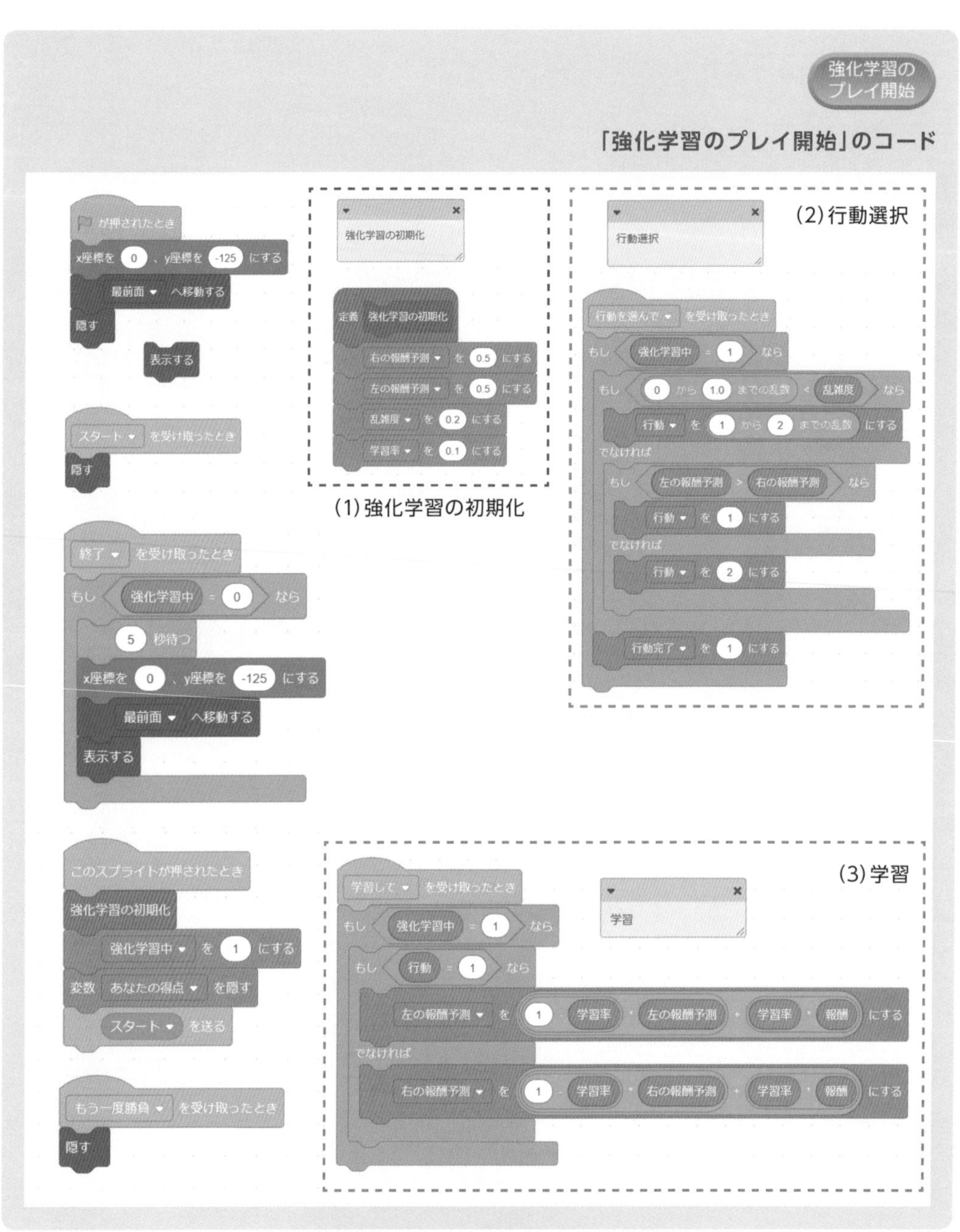

図4-12●L1-Q学習の全コード

4-4-1 強化学習の初期化

L1-Q学習の初期化は、「強化学習の初期化」というブロック定義でコードされています（**図4-13**）。このブロックは、「強化学習のプレイ開始」のボタンが押されたときに実行されます。

L1-Q学習のアルゴリズムが使う変数は4つです。「右の報酬予測」と「左の報酬予測」、そして、パラメータの「学習率」と後で説明する「乱雑度」です。この初期化ブロックで、「左の報酬予測」と「右の報酬予測」には0.5を、「乱雑度」には0.2を、「学習率」には0.1を入れています。

報酬予測の初期値は、収束する値にできるだけ近い方がよいと考えられます。ただし、報酬の確率はゲームのたびに変わるので、収束する値は毎回変わります。そこで、報酬確率は完全にランダムだとして、その中心の値である0.5を初期値として設定しました。「乱雑度」、「学習率」の値については、次の4-4-2項「行動選択」の最後で説明します。

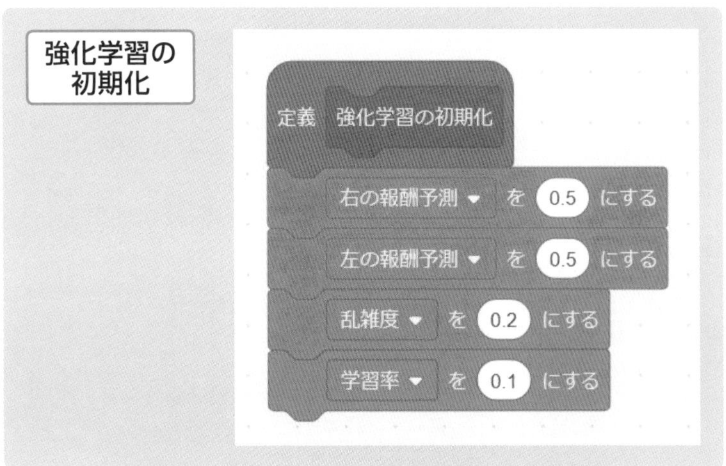

図4-13●L1-Q学習の初期化のコード

4-4-2 行動選択

行動選択のコードは、「(行動を選んで) を受け取ったとき」から始まります（**図4-14**）。このメッセージ「行動を選んで」は司令塔として働いている「ステージ」のメインループから送られてくるのですが、メッセージの送受信については4-6節「メインループ」で説明します。この行動選択のコードは、少し構造が入り組んでいるので、分解したコードを眺めてみましょう（**図4-15**）。

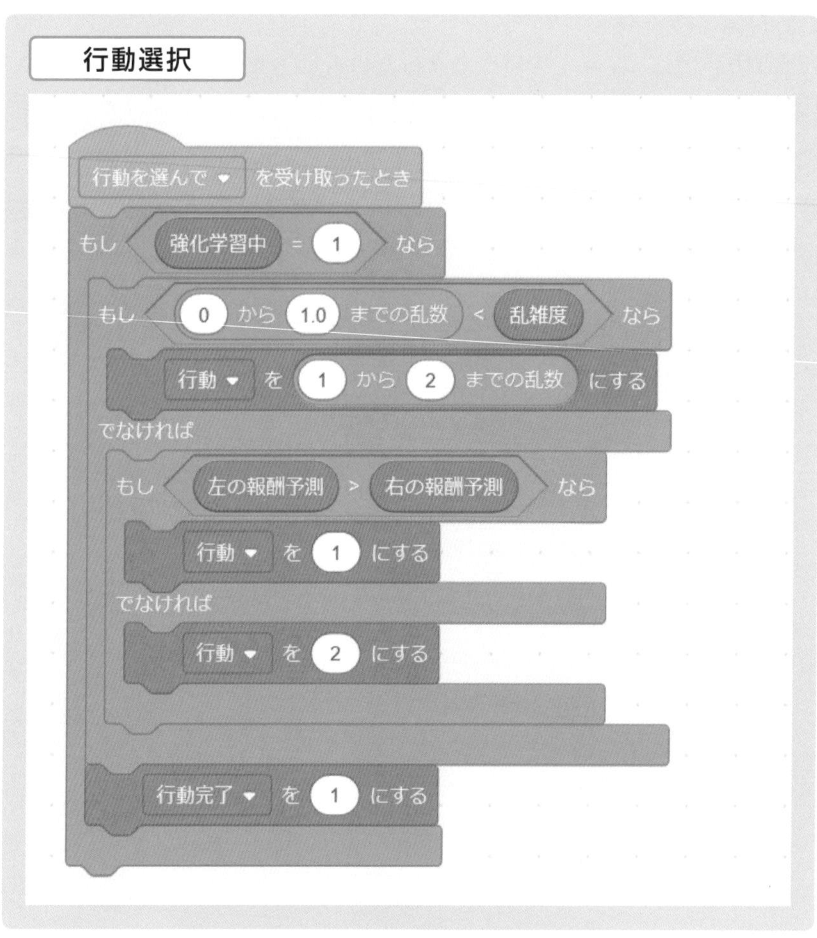

図4-14●L1-Q学習の行動選択のコード

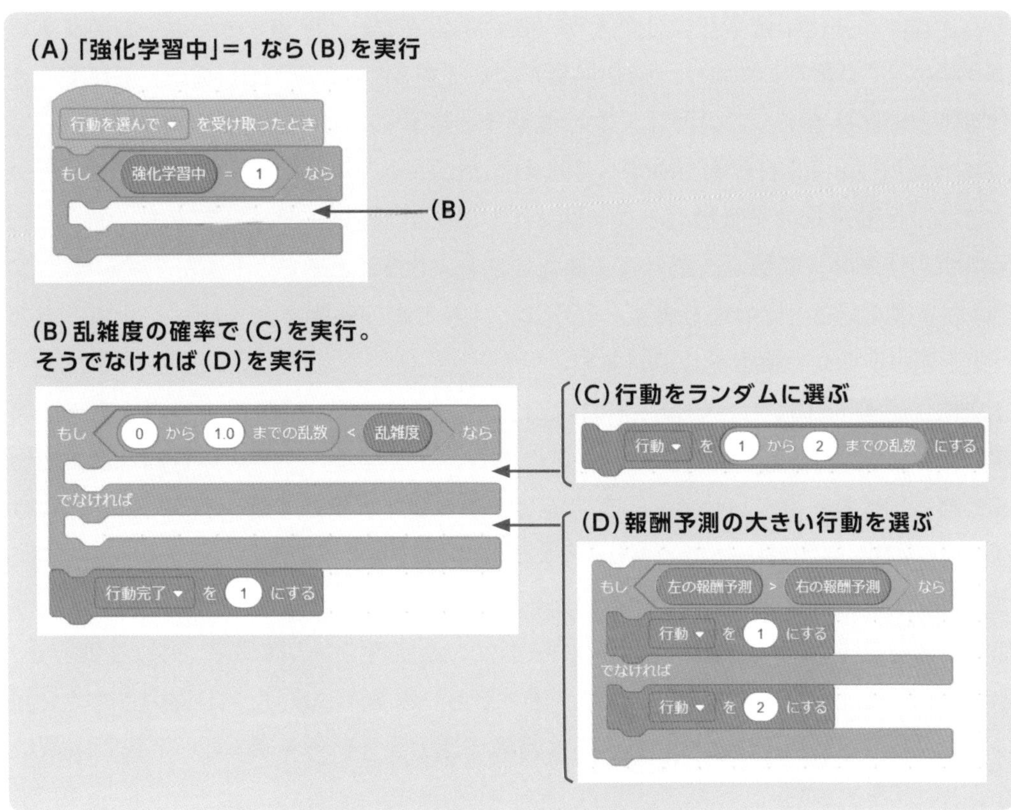

図4-15●分解した行動選択のコード

図4-15のコードの初めの（A）は「もし（(強化学習中）＝（1)）なら」というブロックですが、行動選択のメインのコードは、その内側の(B)になります。この「もし（〇〇）なら」というオレンジのコードブロックは初めて出てきましたが、「制御」グループにあります。（〇〇）の部分が正しいときに内側のコードを実行する、という機能を持っています。

「((強化学習中) = (1))」の「＝」を表す緑色の部分は、「演算」グループにあるコードブロックであり、式が正しいか正しくないかを判定します。これらのブロックの働きによって、「強化学習中」という変数の中身が1のときのみ、コード（B）が実行されるのです。

この「強化学習中」という変数の意味を説明します。ゲームは、あなたがプレイするときと、強化学習がプレイするときの２つの場合があります。これをプログラム内で区別するために使っているのが「強化学習中」という変数です。あなたがプレイするときには「強化学習中」に0が入り、強化学習がプレイするときには1の値が入るようになっています。つまり、強化学習がプレイするときのみ（B）のコードが実行されることになります。この形は、次に説明する学習のコードでも同じです。そして、L2-Q学習でも、L3-Q学習でもすべて同じ構造になっています。

では、行動選択の一番核心となる図4-15の（D）のコードを見てみましょう。行動選択の仕事は、変数「行動」に1または2を入れることです。1は左を選んだこと、2は右を選んだことに対応します。（D）は、「左と右の報酬予測を比べ、大きい方の行動を選ぶ」という働きをしています。

次に、図4-15の（C）のコードの説明です。ゲーム開始時の報酬予測は適当に設定していますので正しくありません。このため、（D）のコードでのみ行動を選んでいると誤った行動を選び続けてしまう可能性があります。そこでランダムに選ぶという別の行動選択がこのコードでできるようになっています。

2つの行動選択を統合しているのが（B）のコードです。「**乱雑度**」には0.2という値が初期化で与えられています。このコードは、乱雑度0.2の確率で（C）を実行し、そうでなければ（D）を実行するという働きがあります。つまり、10回のうち約2回はランダムの行動選択になり、約8回は報酬予測の大きい方を選ぶという行動選択になるということです。

なぜ、（B）が0.2の確率で（C）を実行することになるのでしょうか。これは、「0から1.0までの乱数」で作られた数値は、0.2の確率で0から0.2の間に入るからです。つまり「0から1.0までの乱数 ＜ 0.2」という不等式が、0.2の確率で正しくなるのです。**図4-16**にそのイメージを図解したので参考にしてください。

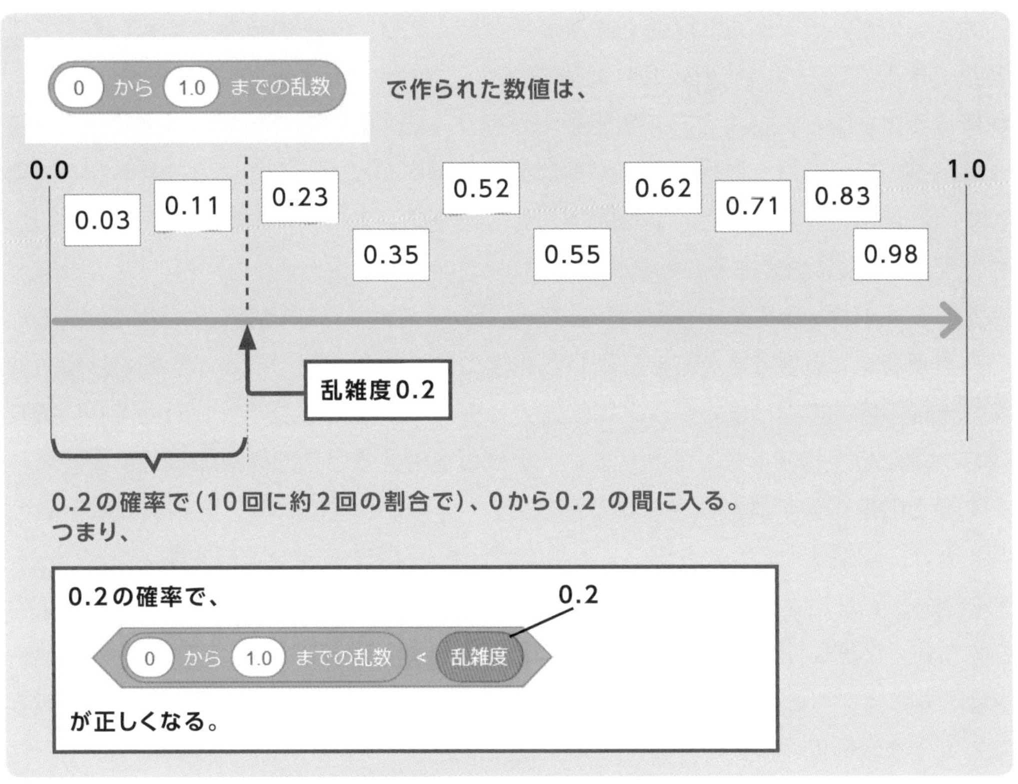

図4-16●確率0.2を作るための基本コード

ここで1つ、Scratchの技術的な注意点があります。「0から1.0までの乱数」のブロックについてです。これを「0から1までの乱数」と整数で「1」を記入してはいけません。このようにすると、生成される数値は0か1のどちらかの整数になってしまうのです。しっかり、1.0と小数点第1桁まで記入してください。また、数値は必ず半角文字で記入してください。数値を全角で入れてしまうミスは、なかなか気づきにくいので特に気をつけてください。

図4-15の（B）のコードの最後に、「（行動完了）を（1）にする」というブロックがあります。これは、行動選択が終わったことを、ステージに教えるための合図です。4-6節「メインループ」でもう一度解説します。

このプログラムでは乱雑度[*3]を0.2としていますが、乱雑度はプログラムを作る人が調節して決める値で、学習率と同様にパラメータと呼ばれるものです。乱雑度には、0から1までの実数を使うことができます。

[*3] 乱雑度という呼び方は、本書でのオリジナルです。専門的には、ε（エプシロン）と呼ばれます。

大きい値だとランダムに行動を選ぶ確率が高くなり、左右の行動を均等に調べることができるでしょう。その代わり報酬を稼ぐことはおろそかになってきます。一方、乱雑度が小さいと、初めの方で報酬予測が高かった方の行動を集中して選ぶ傾向が強まり、選んでいなかった行動の方が実は報酬の確率が高かったということも起こり得ます。乱雑度は「調査」と「報酬稼ぎ」の割合をコントロールするパラメータであり、ちょうどよい値に設定することが大切です。

ところで、ちょうどよい値とはなんでしょうか。それは、砂漠でダイヤ集めゲームでの得点が高くなる値です。しかし同じ乱雑度の値の強化学習でプレイしても、得られる得点は確率的になりますから、毎回得点は変わります。そこで、100回くらい繰り返し、得点の平均値を求めるとします。乱雑度を変えるとこの得点の平均値が変わります。この平均値が最も大きくなる乱雑度が、「ちょうどよい値」と言えます。この考え方は、学習率やこれから出てくる他のパラメータでも当てはまります。

しかし、ちょうどよい値をまじめに探すのはとても時間がかかります。乱雑度を少しずつ変えながら、得点の平均値を求める計算が必要だからです。さらに、他のパラメータとの兼ね合いもあるので、実際には複数のパラメータのさまざまな組み合わせに対して平均値を求めていく必要があり、大変な計算量となります。

とはいっても、このゲームではそこまで厳密にパラメータを調節する必要はありません。乱雑度を0.2、学習率を0.1と設定したのは、筆者が報酬予測の値を見ながら何度もプレイして、これでよさそうだと判断して決めた値であり（つまり勘です）、厳密な調整はしていません。5章と6章でそれぞれ説明するL2-Q学習とL3-Q学習のパラメータについても同様であり、筆者の勘で決めています。

4-4-3 学習

それでは、最後の部分の学習の説明です。学習のコードは、「(学習して) を受け取ったとき」から始まります (**図4-17**)。「学習して」のメッセージもステージのメインループから送られてきます。これも分解した**図4-18**を見てみましょう。

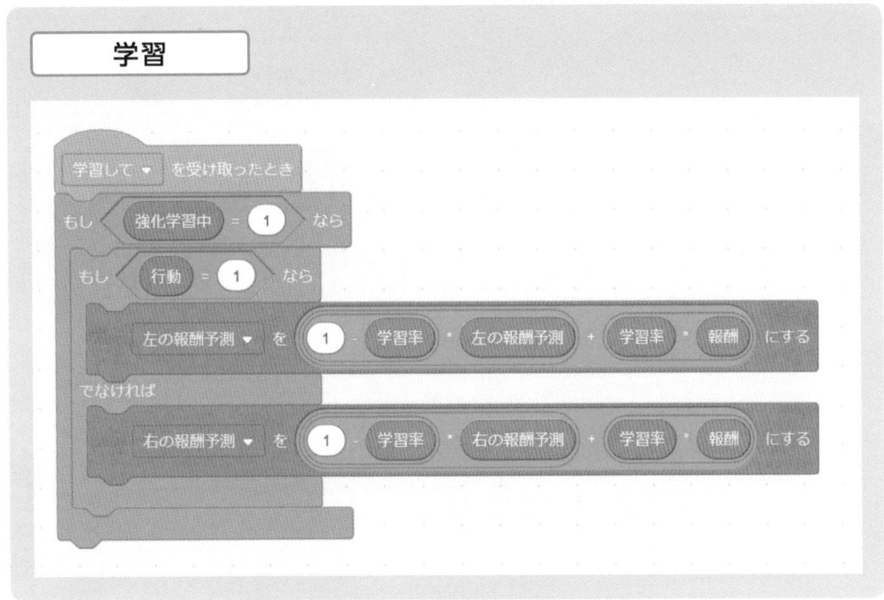

図4-17●L1-Q学習の学習のコード

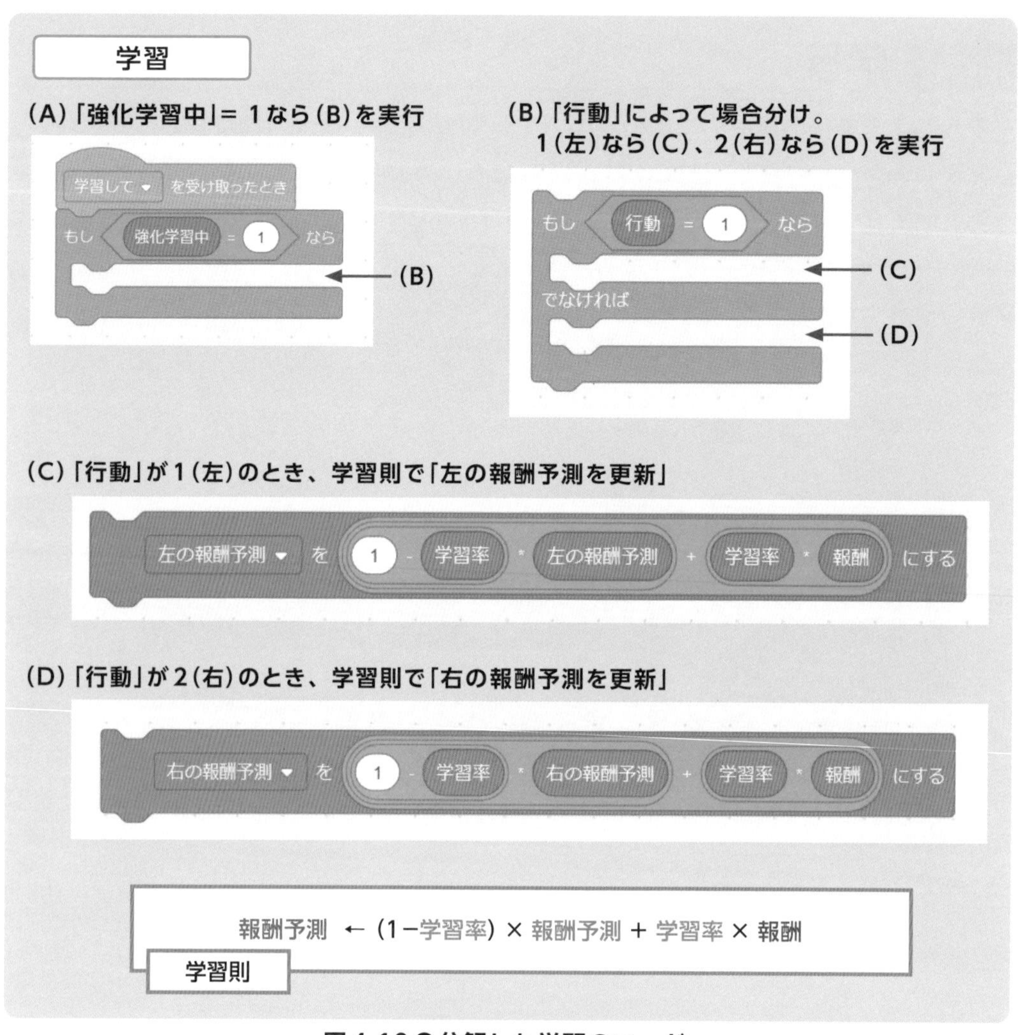

図4-18●分解した学習のコード

行動選択のときと同様の（A）の構造があり、その内側にメインとなる（B）があります。行動選択で決めた「行動」が1だったら、つまり左を選んでいたら、（C）のコードによって「左の報酬予測」を修正します。「行動」が2、つまり右を選んでいたら、（D）のコードによって「右の報酬予測」を修正します。

（C）と（D）の修正の式は、図4-9でまとめた学習則と同じであることを確認してください。（C）と（D）の式で使われている変数「報酬」は、行動選択が終わった直後に、ステージが0か1を入れています。詳しくは4-6節「メインループ」で説明します。

以上が、砂漠でダイヤ集めゲームをプレイするL1-Q学習の説明となります。

4-5 プログラムを改変するためのヒント

プログラムを自分なりに改変していくと理解が深まります。Scratchでは、今見ているコードを自分で修正してそのまま動かすことが可能です。また、2章で説明した「リミックス」を実行すると、プログラムを「私の作品」のリストに入れることができ、改変したコードを保存できるようになります。

ここでは、砂漠でダイヤ集めゲームをどのように修正していくかのヒントをまとめておきます。

4-5-1 改変1：報酬確率と報酬予測を表示する

プログラム中の報酬予測は、本当に報酬の期待値に近づいているのでしょうか。気になる人は、**図4-19**の方法で変数の中を表示させてみましょう。「左の報酬予測」、「左の報酬確率」、「右の報酬予測」、「右の報酬確率」を表示してゲームをすると、強化学習のプレイ中に、報酬予測が報酬確率に徐々に近づいていくことを確かめることができます。

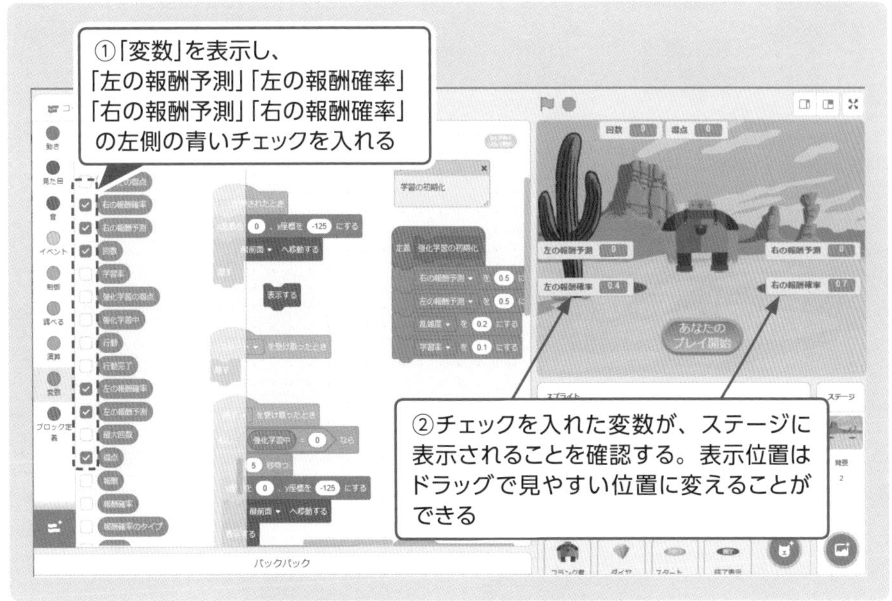

図4-19●改変1：変数を表示する

4-5-2 改変2：初めから強化学習にプレイさせる

強化学習の振る舞いを確認したい場合には、あなたが最初にプレイするという順番は面倒です。**図4-20**で示した変更をすれば、ゲーム開始時（緑フラッグを押したとき）に「強化学習のプレイ開始」のボタンが表示され、すぐに強化学習を動かすことができるようになります。この改変は、5章と6章でそれぞれ説明するL2-Q学習とL3-Q学習のプログラムでも可能です。

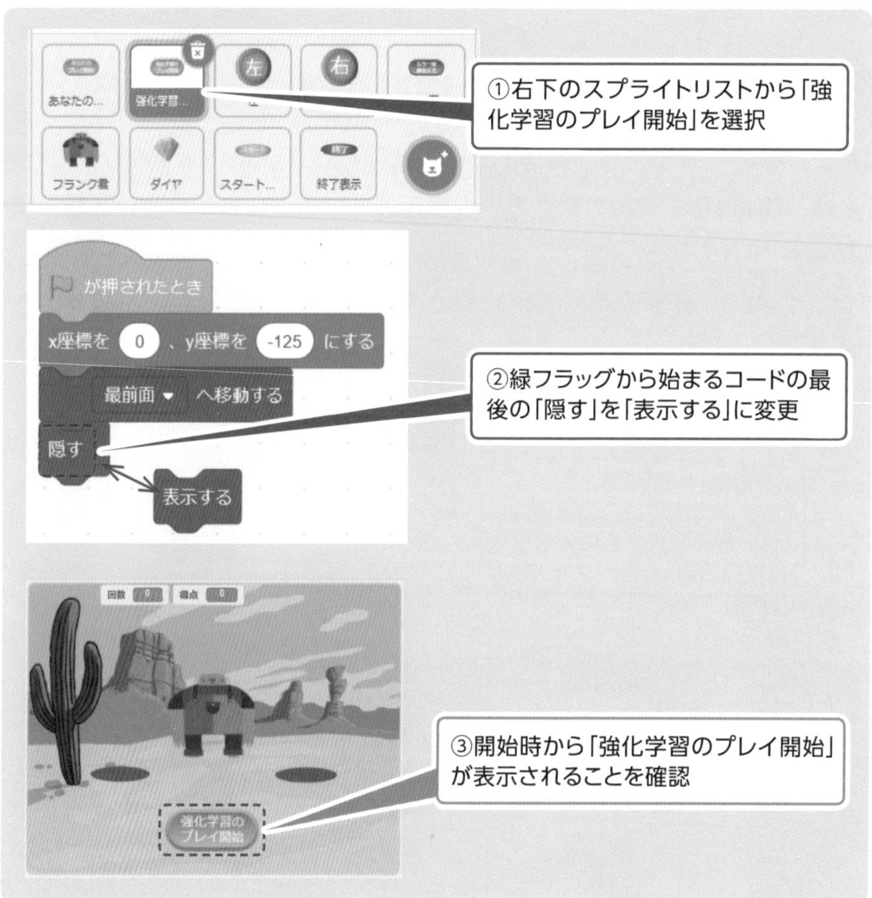

図4-20●改変2：ゲーム開始時に「強化学習のプレイ開始」のボタンを表示する

4-5-3 改変3：パラメータや設定の値を変える

「乱雑度」と「学習率」を変更して強化学習の動きを見るのも面白いでしょう。**図4-21**に示した「強化学習のプレイ開始」スプライトの、「強化学習の初期化」ブロック定義で、その値を変えることができます。現在の設定よりも、もっと点数を稼げるよい値を見つけてみてください。

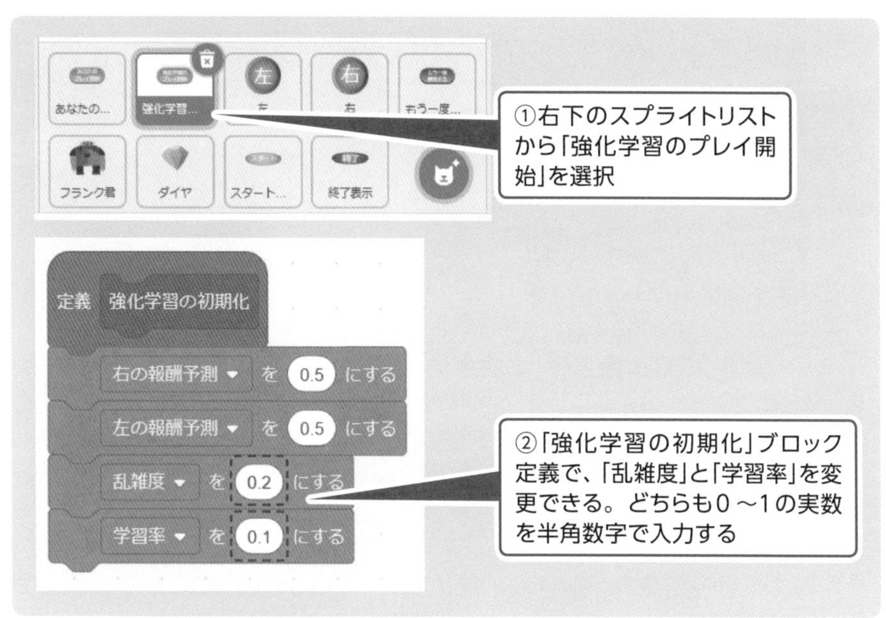

図4-21●改変3-1：「乱雑度」と「学習率」を変更する

固定されている20回の行動を変えることもできます。20回という回数は、ステージのコードに書かれています。「ゲームの初期化」ブロック定義の「最大回数」に入れている20がそれです。ここを好きな数値に変更してみてください（**図4-22**）。「学習率」を小さくして、「最大回数」を大きくしたとき、報酬予測がより正確な値に収束するかどうかを確かめるのもよいでしょう。

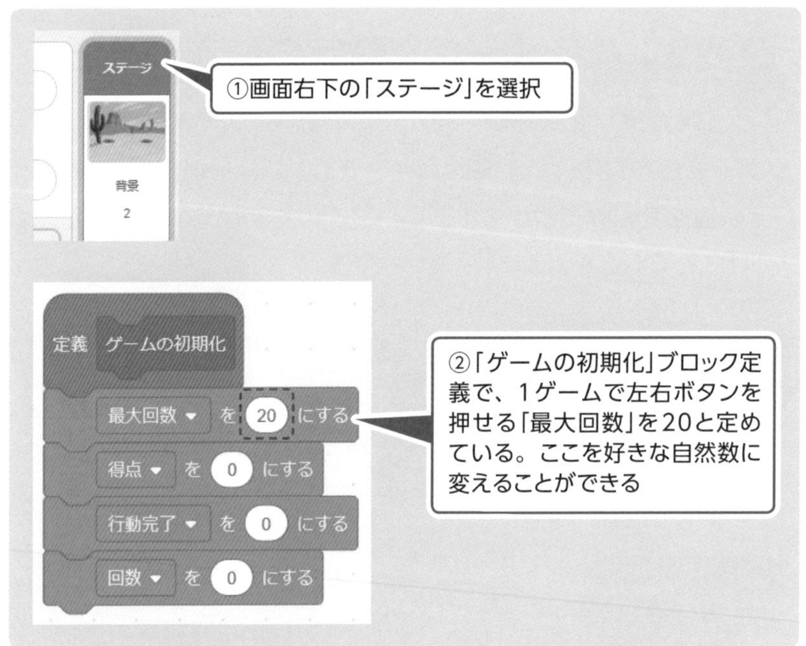
ステージ
①画面右下の「ステージ」を選択
背景
2
定義 ゲームの初期化
最大回数 を 20 にする
②「ゲームの初期化」ブロック定義で、1ゲームで左右ボタンを押せる「最大回数」を20と定めている。ここを好きな自然数に変えることができる
得点 を 0 にする
行動完了 を 0 にする
回数 を 0 にする

図4-22●改変3-2：左右ボタンを押せる回数を変更する

最後に、報酬確率の変更にもチャレンジしてみましょう。これはぜひやってみてください。実は、報酬確率は左右の確率の違いを分かりやすくするために、左0.7・右0.4か、左0.4・右0.7のどちらかにしかセットされない設定にしています。しかし、報酬確率を0から1までの完全なランダムで決めてもゲームは成り立ちます。**図4-23**を参考にして、変更してみてください。

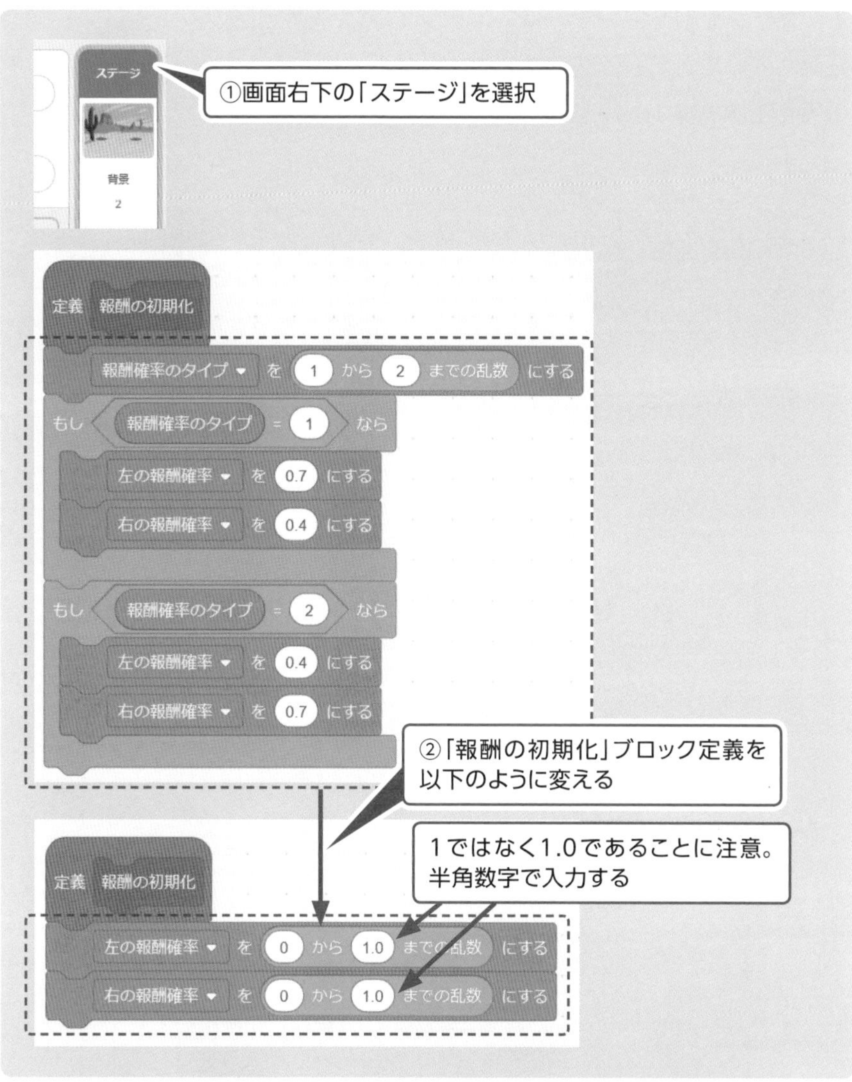

図4-23●改変3-3：報酬の確率を完全な乱数に変更する

4-6 メインループ

この節は、強化学習の説明というよりは、全体のプログラムについての解説です。

強化学習のプログラムの行動選択は「(行動を選んで) を受け取ったとき」のコードブロックから始まり (図4-14)、学習は「(学習して) を受け取ったとき」のコードブロックから始まっていました (図4-17)。

そのメッセージを出していたのはステージです。ステージのコードはいくつかのかたまりに分かれていますが、その中の1つが**図4-24**に示したコードです。これが全体の司令塔の役割を果たすコードであり、「メインループ」と呼ぶことにします。

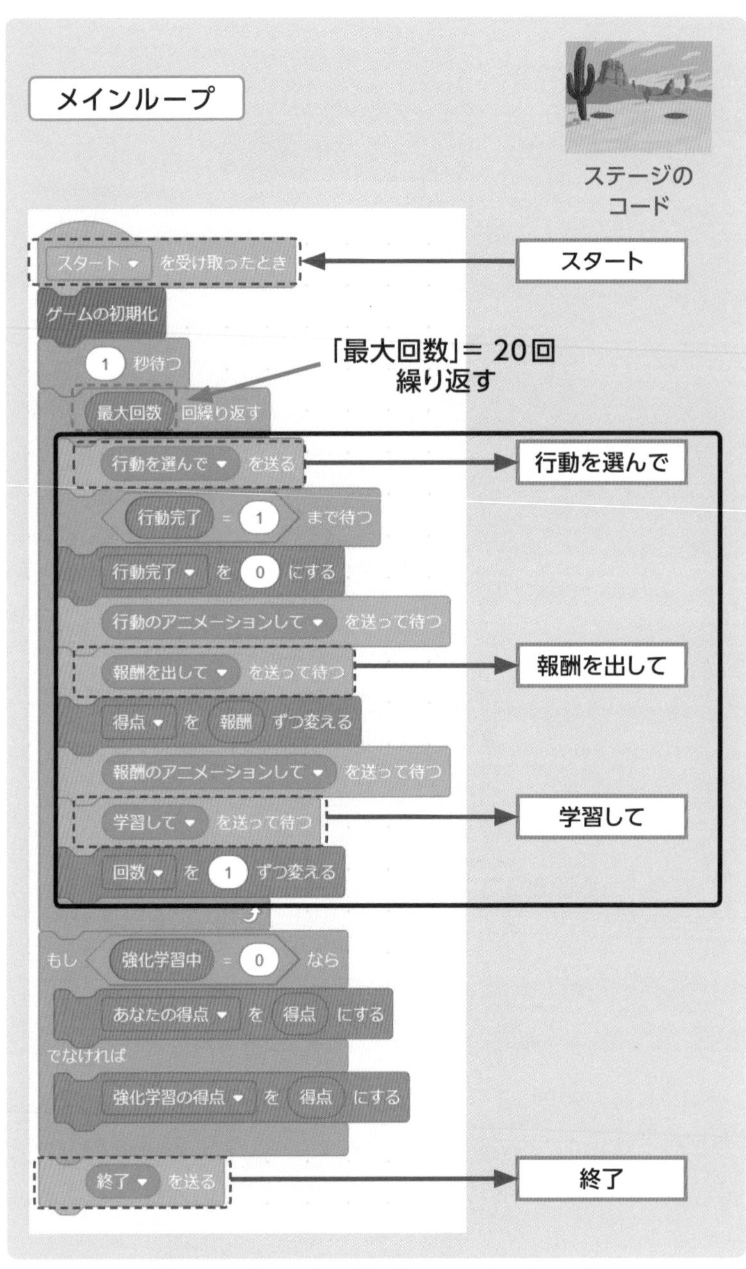

メインループ
ステージのコード
スタート を受け取ったとき
スタート
ゲームの初期化
1 秒待つ
「最大回数」= 20回
繰り返す
最大回数 回繰り返す
行動を選んで を送る
行動を選んで
行動完了 = 1 まで待つ
行動完了 を 0 にする
行動のアニメーションして を送って待つ
報酬を出して を送って待つ
報酬を出して
得点 を 報酬 ずつ変える
報酬のアニメーションして を送って待つ
学習して を送って待つ
学習して
回数 を 1 ずつ変える
もし 強化学習中 = 0 なら
あなたの得点 を 得点 にする
でなければ
強化学習の得点 を 得点 にする
終了 を送る
終了

図4-24●ステージにあるメインループ

メインループは、「最大回数」分を繰り返すループを含んでいます。「最大回数」は20がセットされており、行動を選ぶ回数に対応します。このループの中で、「行動を選んで」、「報酬を出して」、「学習して」というメッセージが出されます。

どのスプライトが何のメッセージを出して、それをどのスプライトが受け取っているのかを分かりやすく図示したものが**図2-25**です。「強化学習のプレイ開始」ボタンが押されると、「強化学習の初期化」が行われ、「スタート」というメッセージが出されます。それをきっかけにしてメインループが開始されます。

メインループの中で、「行動を選んで」というメッセージが出されると、「強化学習のプレイ開始」スプライトの「行動選択」のコードが、変数「行動」に1か2を入れ、行動が完了したことを伝える変数「行動完了」に1を入れます。次に、メインループは「報酬を出して」というメッセージを出すと、同じステージ内の「報酬を決める」用のコードが開始され、変数「報酬」に0か1を入れます。最後に、メインループが「学習して」というメッセージを出すと、「強化学習のプレイ開始」スプライトの「学習」のコードが開始され、学習によって「右の報酬確率」または「左の報酬確率」が変更されます。

この処理を20回繰り返したところでメインループは「終了」を出し、「終了表示」のスプライトが終了のアニメーションを表示して1つのゲームの流れが終わります。

実際のゲームでは、「あなたのプレイ開始」ボタンを押してあなたが先にプレイし、その次に「強化学習のプレイ開始」を押して強化学習がプレイをする、という全体的な処理の流れもあります。この処理の流れの図とすべてのコードは、付録Aに掲載しました。本格的に自分でコードを改変したいという人や、新しいゲームを作りたいという人はぜひ参考にしてください。

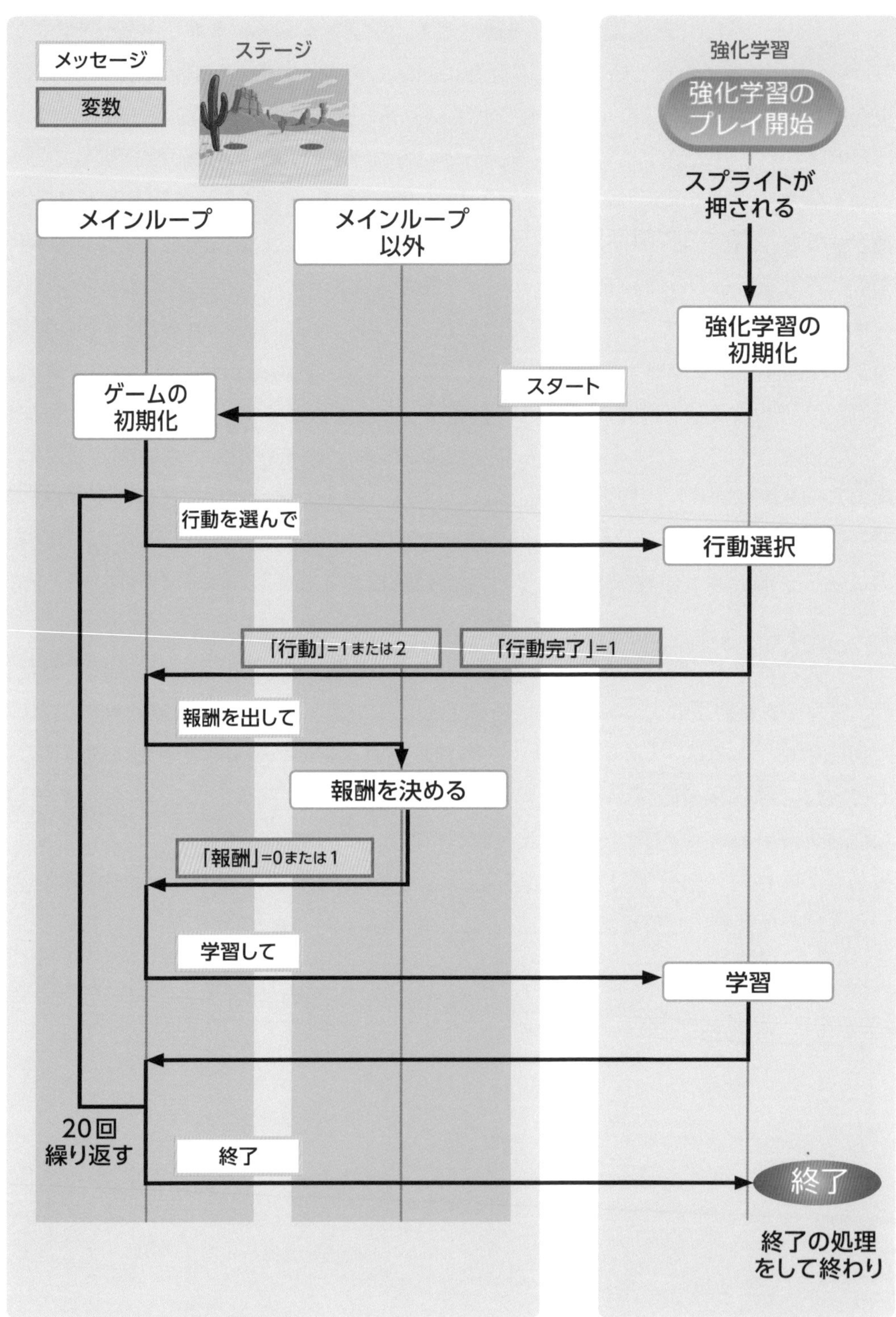

図4-25●「強化学習のプレイ開始」を押してから「終了」までの処理の流れ

5章

レベル2・月面でダイヤ集めゲーム

5章 レベル2・月面でダイヤ集めゲーム

ここからレベル２の強化学習の解説に入ります。レベル２では、行動の直後の報酬だけでなく次の行動後の報酬も考える問題になります。そして、それを解くアルゴリズムがL2-Q学習です。L2-Q学習は、Q学習の真髄とも言えるアイデアを取り入れたものになります。

5-1 月面でダイヤ集めゲームの遊び方

では、前章と同様、ゲームを体験するところから始めましょう。レベル２のゲームは「月面でダイヤ集めゲーム」です。アドレスとQRコードは以下になります。

https://scratch.mit.edu/projects/400074090/

このゲームは「砂漠でダイヤ集めゲーム」の拡張バージョンで、画面構成はほとんど同じですが左右を２回連続で選ぶという点が異なります。**図5-1**は開始画面です。ゲームの流れも砂漠でダイヤ集めゲームと同じように、まず、あなたからプレイします。

図5-1●「月面でダイヤ集めゲーム」のゲーム開始画面

「あなたのプレイ開始」を押すと、左右のボタンが表示されます（**図5-2**）。まず始めに左右のどちらかを押すとフランク君が選んだ方向に進んで穴を掘ります。再び左右どちらかのボタンを押すと、フランク君は今いる位置からさらに進んで穴を掘り、2回のダイヤ探しが終わります。この2回の行動をまとめて**1トライアル**[*1]と数えます。次はまたスタート地点に戻り、同じ2回連続の穴掘りを繰り返します。ゲームの目的は、20トライアルでできるだけ多くのダイヤを集めることです。

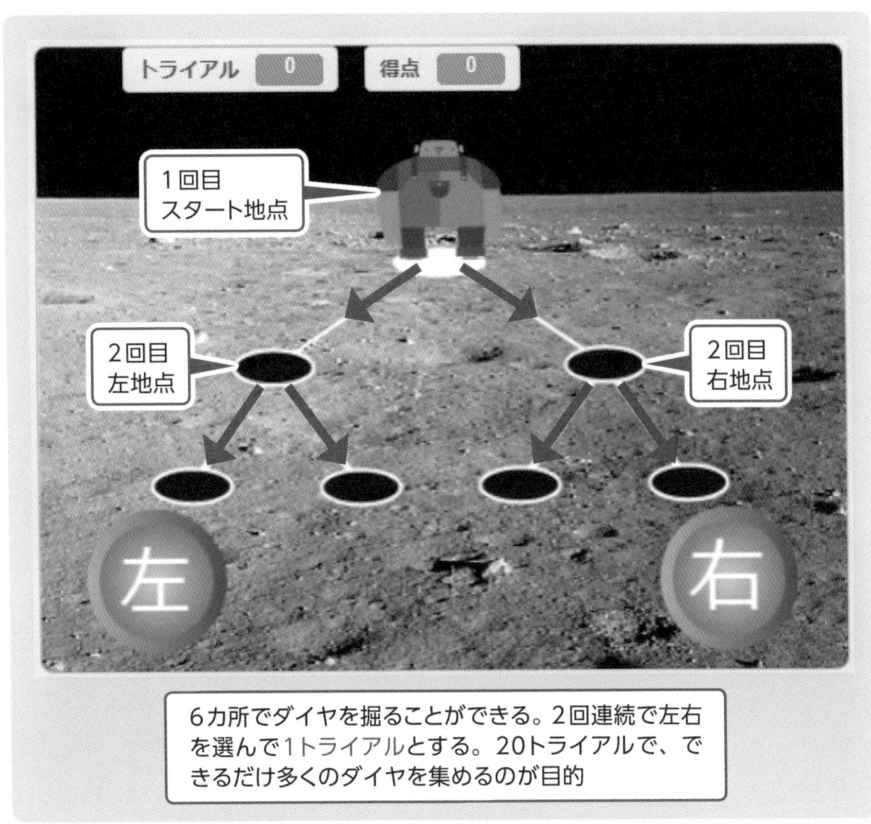
トライアル 0
得点 0
1回目
スタート地点
2回目
左地点
2回目
右地点
左
右
6カ所でダイヤを掘ることができる。2回連続で左右を選んで1トライアルとする。20トライアルで、できるだけ多くのダイヤを集めるのが目的

図5-2●「月面でダイヤ集めゲーム」の遊び方

[*1] 専門用語では「エピソード」と呼びますが、本書では直感的に分かりやすいように「トライアル」と呼ぶことにします。

このゲームは、6カ所の穴を選んでダイヤを集めるゲームと言えます。ダイヤの出現確率は穴によって異なりますので、どこの穴でダイヤが出やすいかを見極めることが大切です。ゲームのポイントは、1回目スタート地点での行動選択にあります。1回目の選択は、そのときの報酬だけではなく次に選べる穴も決めるからです。

20回のトライアルが終わると、あなたの得点（集めたダイヤの数）が表示され、「強化学習のプレイ開始」のボタンが現れますので、このボタンを押してL2-Q学習の振る舞いを観察しましょう。

最後に、あなたの得点と強化学習の得点が表示され、「もう一度勝負する」のボタンが現れます（**図5-3**）。これを押すと、ダイヤの確率がランダムに変わり、ゲームが再開されます。何度か試してみてコツをつかんでください。例えば、スタート地点で左を選んだときにダイヤがほとんど出なくても、その次に右を選んでダイヤが頻繁に出るのであれば、スタート地点で左を選ぶことは高得点につながると言えますね。

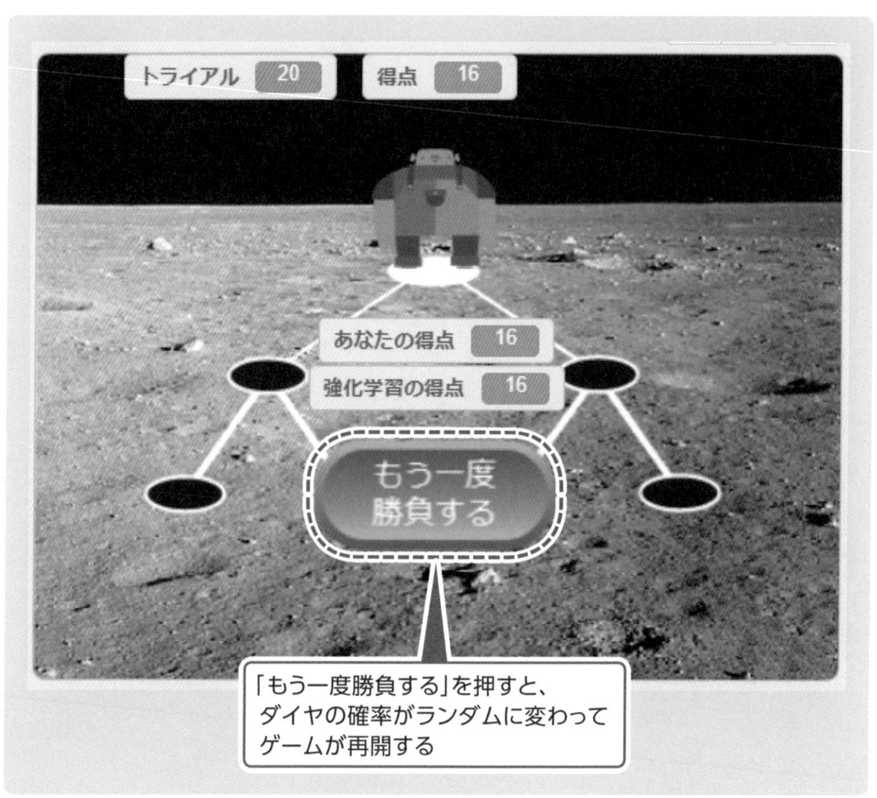

図5-3●「月面でダイヤ集めゲーム」の終了画面

5-2 「行動」と「報酬」に加えて「状態」

レベル1と異なり、レベル2はフランク君の立ち位置によって掘ることのできる穴が変わるので、立ち位置が重要な情報になります。フランク君の立ち位置を**状態**と呼ぶことにし、ゲーム開始時のフランク君の位置を状態1、左を選んだ後の位置を状態2、右を選んだ後の位置を状態3とします（**図5-4**の（A））。

プレイの流れを整理すると、まず状態を確認し、行動を選び、報酬をもらう、という状態→行動→報酬のサイクルを2回繰り返すと言えます（図5-4の（B））。スタートとなる状態を**開始状態**と呼ぶことにします。ここでは、状態1が開始状態になります。そして、状態2と状態3で行動を選んだあとは**最終状態**[*2]に移り、そこで1回のトライアルが終わります。最終状態にはマイナスの番号を与えます。最終状態の後は開始状態に戻り、次のトライアルとなります。

理論上、最終状態は他の状態と何らかの方法で区別する必要があるのですが、最終状態にマイナスの番号を与えるという規則は、本書でのオリジナルでありプログラムのしやすさを考慮したものです。また、最終状態を-1、-2、-3、-4と区別する理由は、ゲーム画面の表示に都合がよいからだけであり、理論上での必要はありません。

[*2] 専門用語では「ターミナル状態（terminal state）」と呼びますが、本書では意味が分かりやすいように「最終状態」と呼ぶことにします。

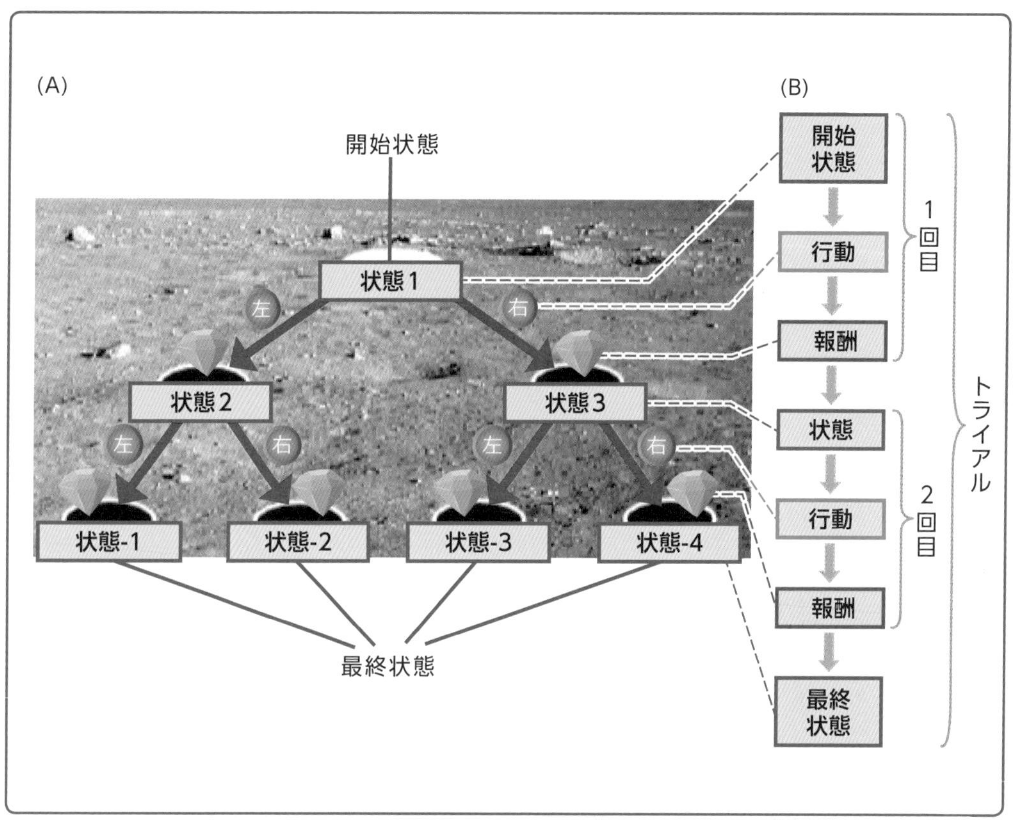

図5-4●強化学習の重要要素である「状態」、「行動」、「報酬」

5-3 L2-Q学習のアルゴリズム：状態2と3の場合

月面でダイヤ集めゲームをプレイするL2-Q学習は、3つの状態それぞれに対して左右の報酬予測をします。状態2と3は、L1-Q学習での方法がそのまま使えますが、状態1での報酬予測は新しい方法となります。そこで、まず本節で状態2と3での場合を先に考えてから、次節で状態1の場合を考えることにします。

そして、ここからは書き方を簡単にするために、報酬予測を「**Q**」と書くことにします[*3]。

例えば、状態2に対する左の報酬予測を

Q（2、左）

と表します。状態３に対する右の報酬予測は、

Q（3、右）

と表します。一般的に、

Q（状態、行動）

と表してもよいこととします。

状態2と状態3では、L1-Q学習と同じような方法を使いますが、状態2と3では別々の報酬予測の変数を使います（**図5-5**）。図5-5のQ（2、左）、Q（2、右）、Q（3、左）、Q（3、右）は別々の変数だと考えてください。

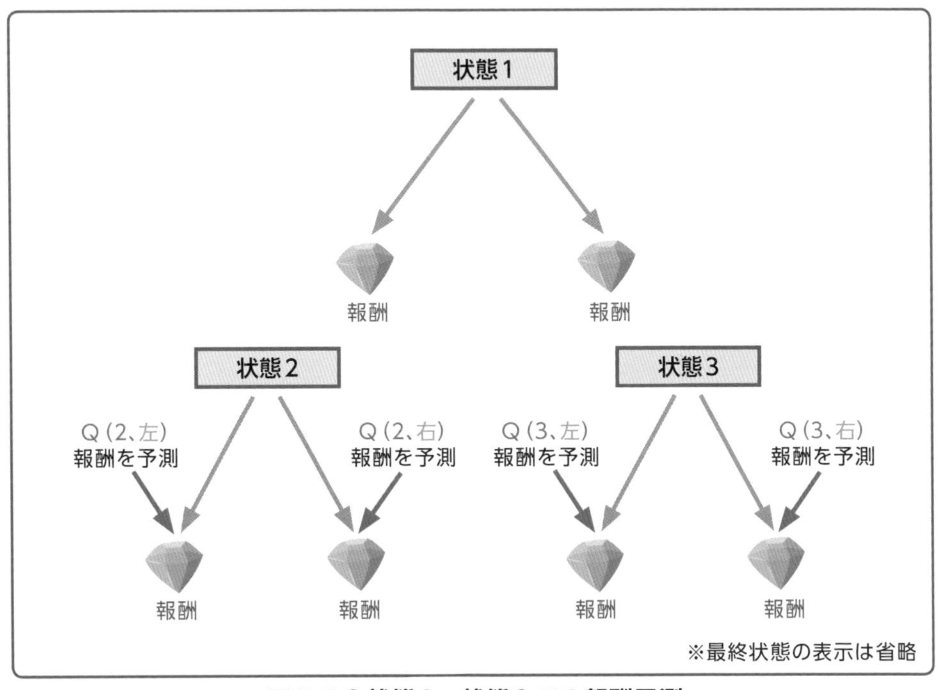

図5-5●状態２、状態３での報酬予測

[*3] 専門用語としても「Q」を使います。ただし本書で**報酬予測**と呼んでいる「Q（状態、行動）」は、専門用語では**行動価値**と呼びます。

例えば、状態2にいて左を選び報酬を得たとしたら、

Q（2、左）← (1 − 学習率) × Q（2、左）＋ 学習率 × 報酬

でQ（2、左）を修正します。状態3の場合でも、左右のどちらを選んでも修正には同じ形の式を使うので、状態2と状態3を単に「状態」と、右と左を単に「行動」とまとめて、

Q（状態、行動）← (1 − 学習率) × Q（状態、行動）＋ 学習率 × 報酬

と表すことができます。これを**学習則A**と呼ぶことにします（以降も出てくる学習則○○という命名は、すべてこの本だけでの言い方になります）。ここまでは、砂漠でダイヤ集めゲームと同じ学習則を、Qを使って書き直したということになります（**図5-6**）。

学習則A

状態2と状態3用

Q（状態、行動）←（1 − 学習率）× Q（状態、行動）＋ 学習率 × 報酬

図5-6●状態2と状態3用の学習則A

5-4 L2-Q学習のアルゴリズム：状態1の場合

さて、本題の状態1について考えます。状態1で行動を選ぶときには、直後にもらえる報酬だけでなく、次の状態でもらえる報酬も考えに入れます。

例えば**図5-7**で、状態1で左を選んだとき報酬の確率が0.2で、期待値が0.2しかなかったとしても（報酬の確率と期待値は同じだったことを思い出してください）、次の状態2で右を選ぶと0.9の確率で報酬がもらえるとしたら、2回選んでもらえる報酬の期待値の和は1.1となります（図5-7の（A））。

一方、図5-7の（B）のように状態1で右を選んだとき、報酬の期待値は0.3と左よりはよかったとしても、状態3では右左のどちらでも期待値が0.1だったら、どちらの場合も期待値の和は0.4です。

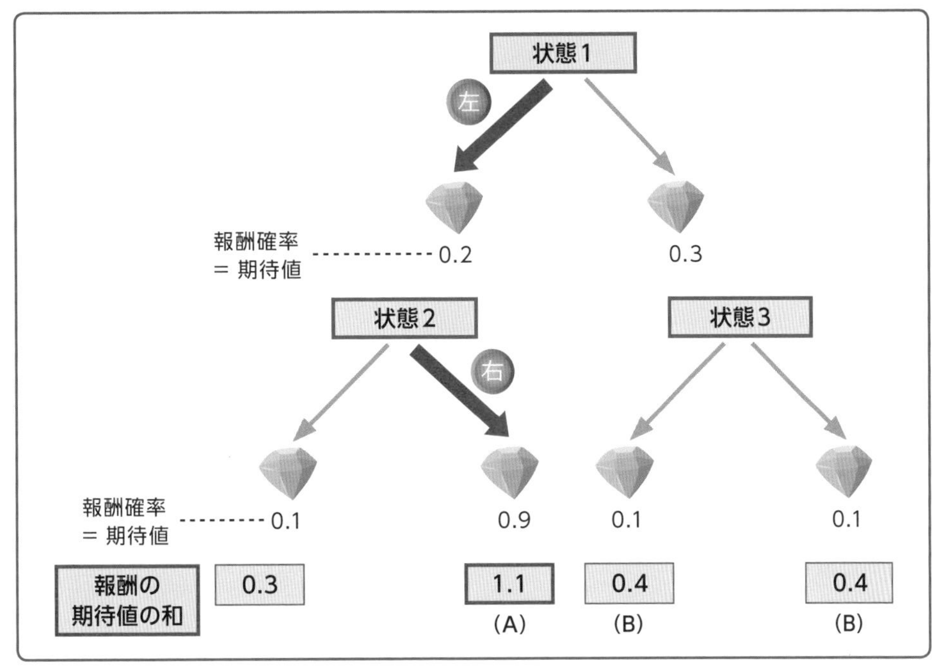

図5-7●状態1では左を選ぶ方がよい例

つまり、状態1では左を選んだ方が、右を選んだときよりも、総合的に多くの報酬をもらえることになります。このような考え方に基づいて、L2-Q学習では状態1での報酬予測を、

報酬 ＋ 次の報酬

と、最終状態までの報酬の和（の期待値）とします。この「最終状態までの報酬の和」を**報酬和**と呼ぶことにします。さて、「次の報酬」は今を基準にすると未来のことなので未知の値です。しかし、Q学習は各状態に対して報酬予測Qを持っていますので、それで代用することを考えます。次の状態での報酬予測QにはQ（次の状態、左）とQ（次の状態、右）の2つありますが、大きい方のQを使います（**図5-8**）。未来では

大きい方のQの行動を選ぶと想定できるからです。つまり、状態1で予測すべきものを、

報酬 ＋ 次の状態の大きい方のQ

とします。このように「次の報酬」を「次の状態の大きい方のQ」で置き換えるところが、Q学習の巧妙なポイントです。

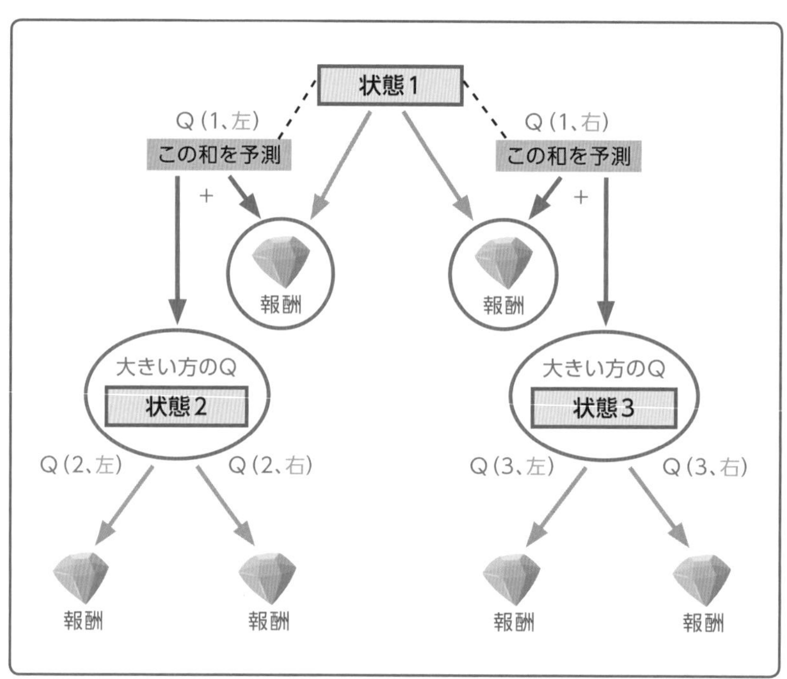

図5-8●状態1では、「報酬 ＋ 次の状態の大きい方のQ」を予測

この考えに基づいて、学習は、

Q（状態、行動）← (1 − 学習率) × Q（状態、行動）
＋ 学習率 × (報酬 ＋ 次の状態の大きい方のQ)

となります。これを**学習則B**とします（**図5-9**）。この学習を繰り返すことで、報酬予測Qは（報酬 ＋ 次の状態の大きい方のQ）の期待値に近づきます。

学習則B

状態1用

Q(状態、行動) ← (1 − 学習率) × Q(状態、行動)

+ 学習率 × (報酬 + 次の状態の大きい方のQ)

図5-9●状態1用の学習則B

5-5 2回より多く行動を選ぶ場合

月面でダイヤ集めゲームでは1つのトライアルで行動を選ぶのは2回でしたが、2回より多くの行動を選ぶ、より一般的な場合の説明をします。

例えば、**図5-10**のように状態4が状態3の下に追加されているとしましょう。この場合、最終状態の手前の状態(状態4)のQには学習則Aを使い、それ以外の状態(状態1と状態3)のQには学習則Bを使います。

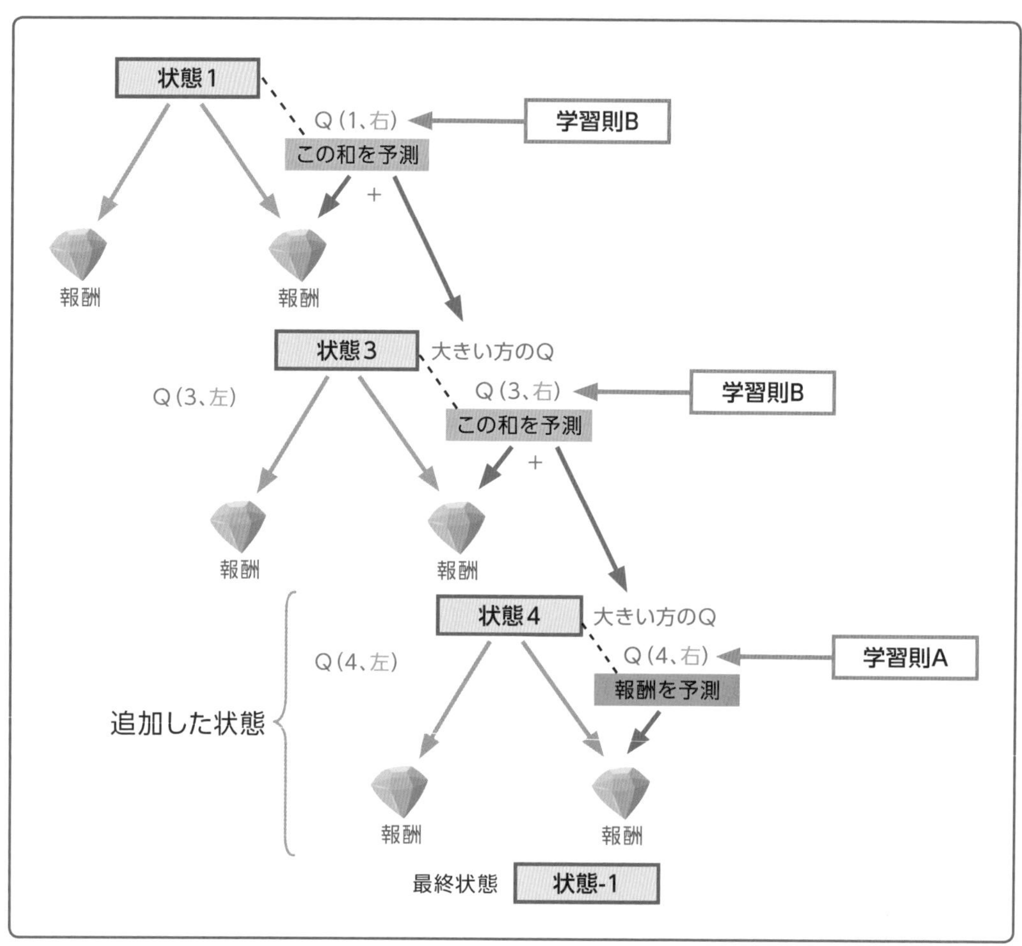

図5-10●状態4を追加した場合の報酬予測

なぜそれでよいかを確かめます。簡単にするため、すべての状態で左より右の方の報酬確率が高く、常に右を選ぶと仮定しましょう（**図5-11**）。

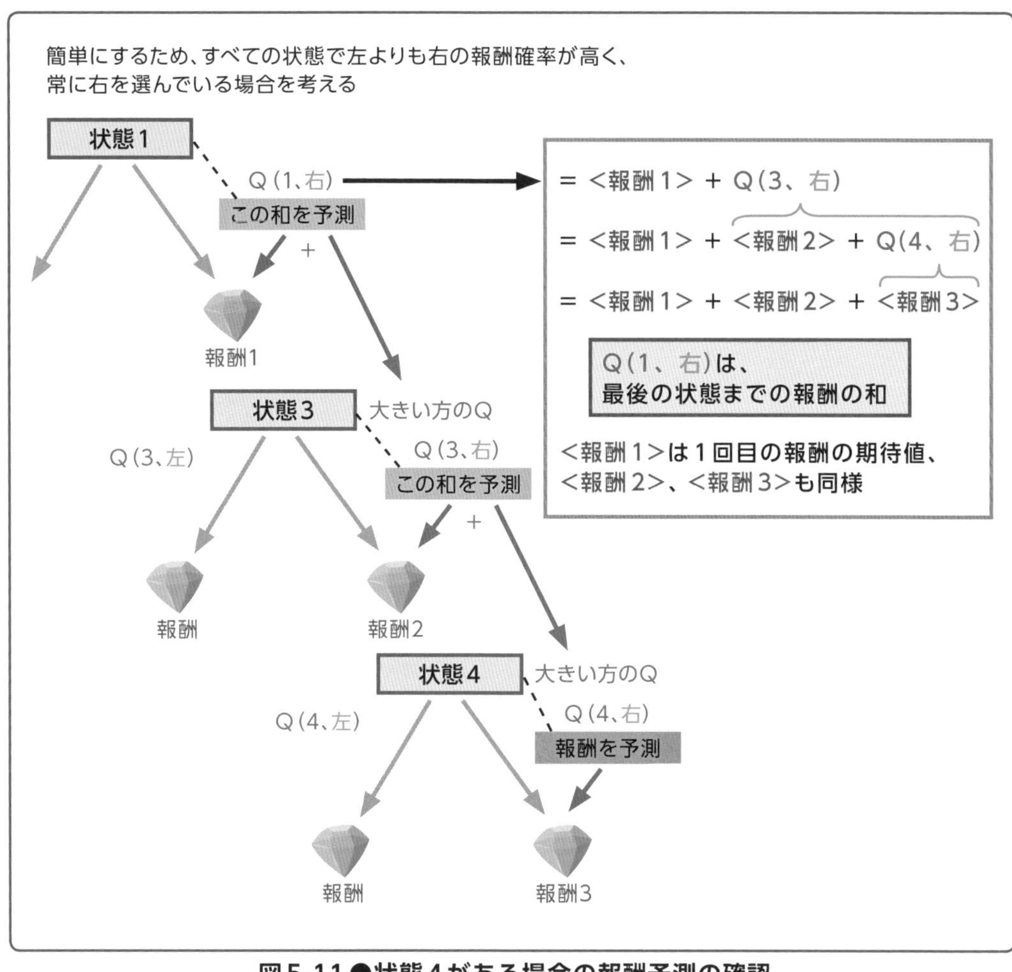

図5-11●状態4がある場合の報酬予測の確認

学習則Bによって状態1の報酬予測Q（1、右）は、

Q（1、右）＝＜報酬1＞＋Q（3、右）――――――――――――――――(1)

に収束します。ここで、“1回目の報酬の期待値”を簡単に＜報酬1＞と書きました。以下、このような書き方をしていきます。

この後ろの部分のQ（3、右）は学習則Bで、

Q（3、右）＝＜報酬2＞＋Q（4、右）――――――――――――――――(2)

となり、このQ（4、右）は学習則Aで、

Q（4、右）＝＜報酬3＞ ―――――――――――――――――――――――― (3)

となります。よって（3）を（2）に代入して、それを（1）に代入すると、

Q（1、右）＝＜報酬1＞＋＜報酬2＞＋＜報酬3＞

が得られます。つまり、学習則Aと学習則Bによって、状態1での報酬予測は最終状態までの報酬をちゃんと含むように学習するのです。

このようなしくみですので、何段になってもこのルールは同じです。最終状態の手前の状態にだけ学習則Aを使い、それ以外は学習則Bを使えばよいのです。このルールによって、各状態での報酬予測は、最終状態までに受け取る報酬の和（報酬和）の期待値に近づいていきます。

5-6 ScratchのL2-Q学習

それでは、Scratchで表されたL2-Q学習を見ていきます。前章と同様、強化学習のプログラムは「強化学習のプレイ開始」というスプライトに書かれています。その全コードを**図5-12**に示しました。L2-Q学習にかかわるコードは、（1）**強化学習の初期化**、（2）**行動選択**、（3）**学習**、の３つです。L1-Q学習と同じ構造です。順番に説明していきます。

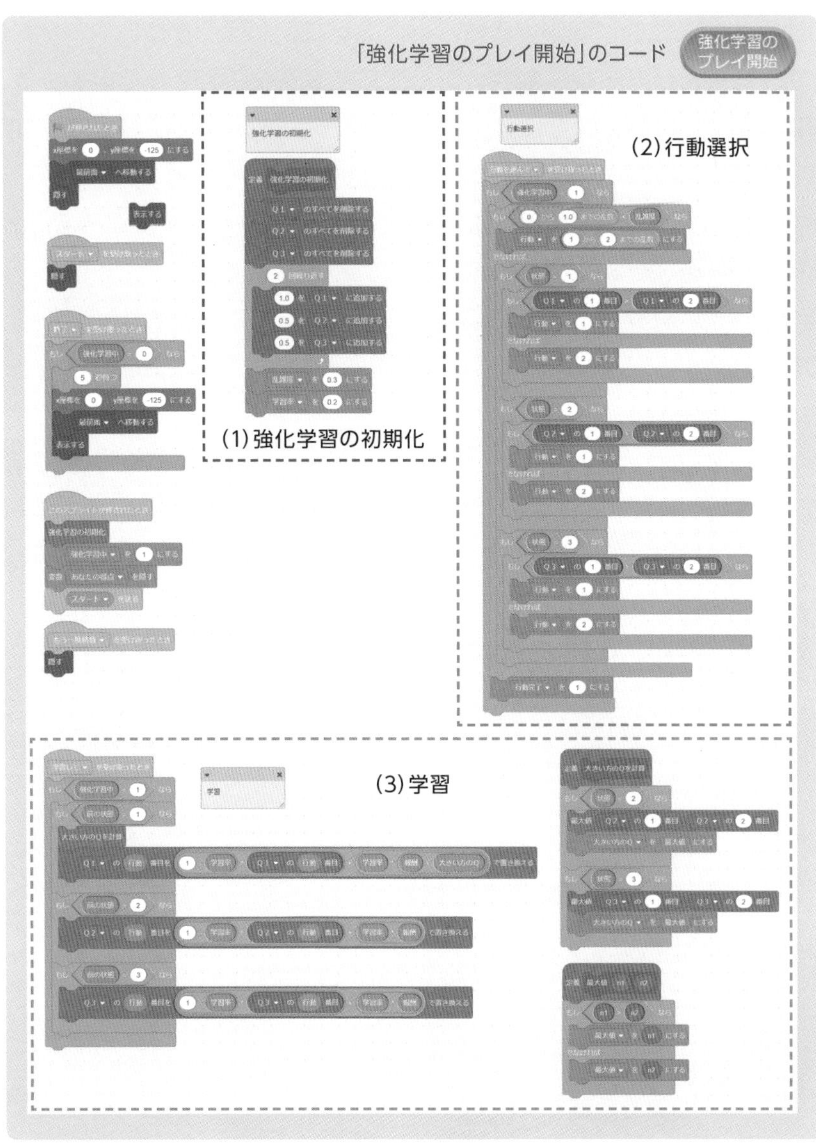

図5-12●L2-Q学習の全コード

5-6-1 強化学習の初期化

L2-Q学習では、報酬予測用の変数にリストを使っています。状態1用に「Q1」、状態2用に「Q2」、状態3用に「Q3」というリストを準備し、初期値としてQ1は1.0を、Q2とQ3には0.5を、右と左用に2つずつ入れています（**図5-13**）。

Qの初期値は、最終的に収束する値に近い方が収束が速くなります。ただし、報酬の確率はゲームのたびに変わりますから、収束する値も毎回変わります。そこで、報酬の確率は0から1の間の完全にランダムで決まると想定します。収束する値は、報酬の確率と同じになりますので、これも0から1のランダムな値になると考えられます。このような考えに基づいて、Q2とQ3の初期値はその中心の値である0.5、Q1の初期値は0.5を2回足した1.0としました。

L1-Q学習でも使ったパラメータ「乱雑度」と「学習率」には、それぞれ0.3、0.2を入れます。

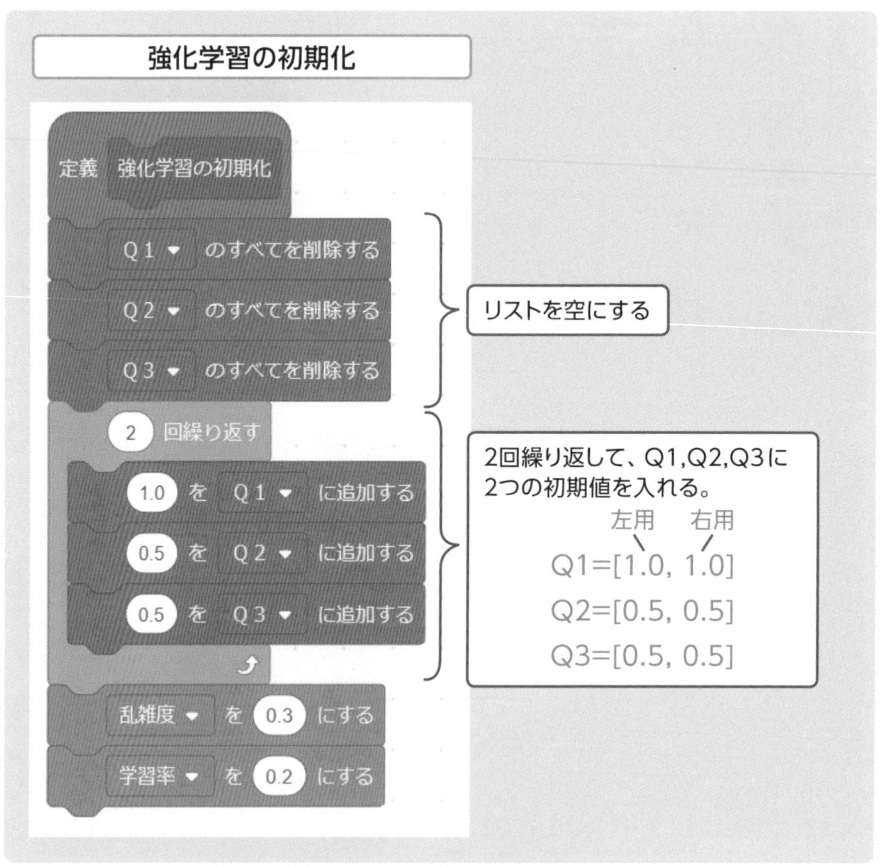

図5-13●L2-Q学習の初期化のコード

5-6-2 行動選択

行動選択の方法は、基本的にはL1-Q学習と同じですが、状態1、2、3に対して、報酬予測Q1、Q2、Q3を使い分ける必要があります。**図5-14**に、分解した行動選択のコードを示しました。

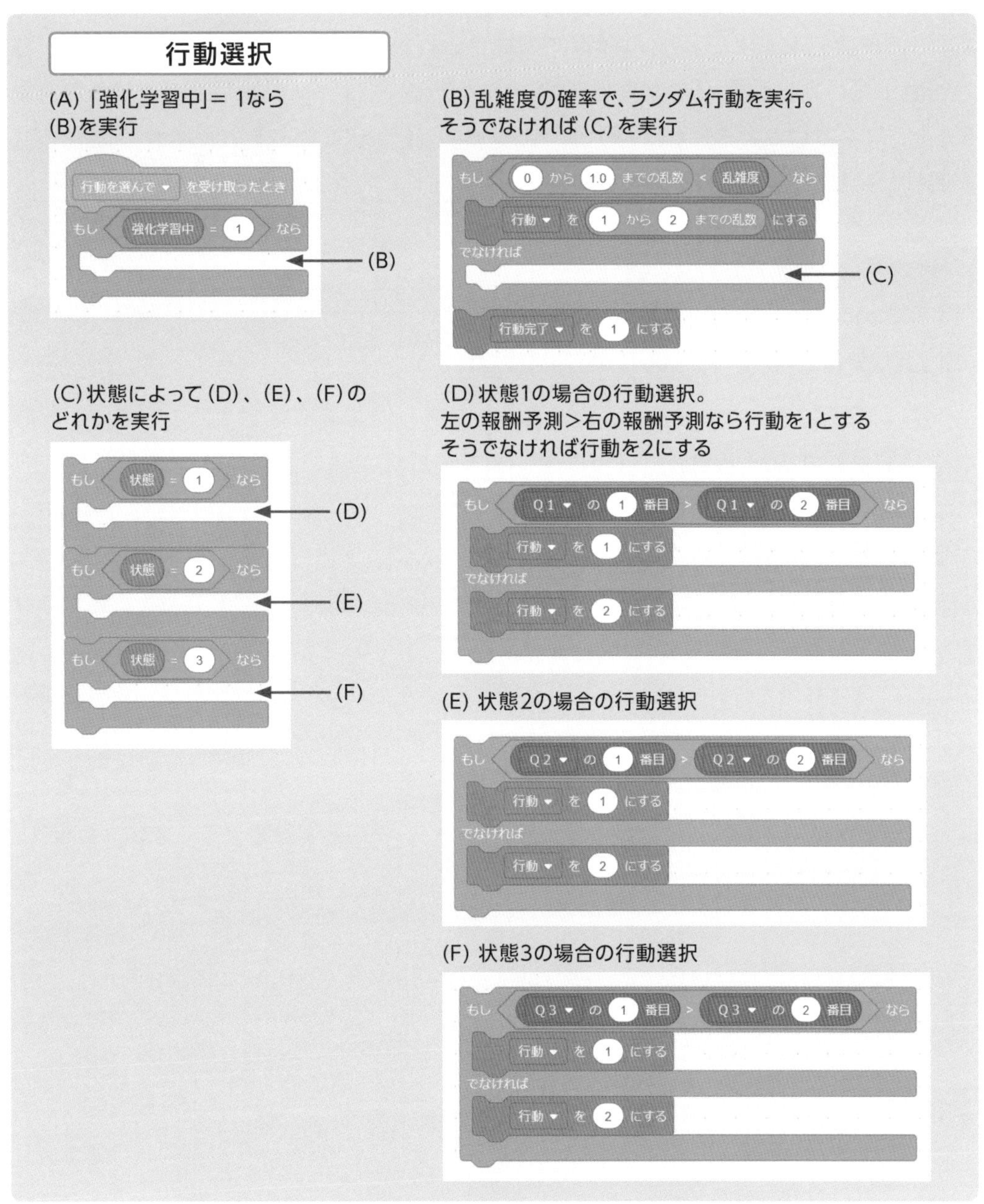

図5-14●L2-Q学習の行動選択のコード(分解したもの)

図5-14の（A）はL1-Q 学習と同様の場合分けで、メインは（B）になります。(B) は「乱雑度」の確率でランダム行動を実行し、それ以外では（C）の行動選択を実行します。(C）は、状態1、2、3で場合分けをし、それぞれに対して（D)、(E)、(F) のコードを実行します。(D）は状態1の場合の行動選択で、リストQ1の1番目（左の報酬予測）と2番目（右の報酬予測）の値を比較します。1番目が大きければ行動を1とし、2番目が大きければ行動を2とします。(E)、(F）はQ2、Q3を使う以外（D) と同じコードです。

5-6-3 学習

学習のタイミング

まず、状態1のQを学習させることを考えます。例えば、状態1で左を選んで報酬を受け取り、次の状態が2になったとします。このときに、状態1でのQ（1、左）の学習を行います（**図5-15**)。

そのときには、今の状態は2に移っていますので、1は「前の状態」となります。つまり、今から見て前の状態であるQ、つまり、Q（1、左）を学習させることになります。学習のタイミングを遅らせる理由は、Q（1、左）を学習させるためには、今の状態のQ（右用と左用の大きい方）を使う必要があり、そのためには、「今の状態」を知らないといけないからです。

それでは、もし、状態1で右を選んだとしたらどうでしょうか。今の状態は3に移り、前の状態が1となります。そしてこのときは、Q(1、右) を学習させることになります。

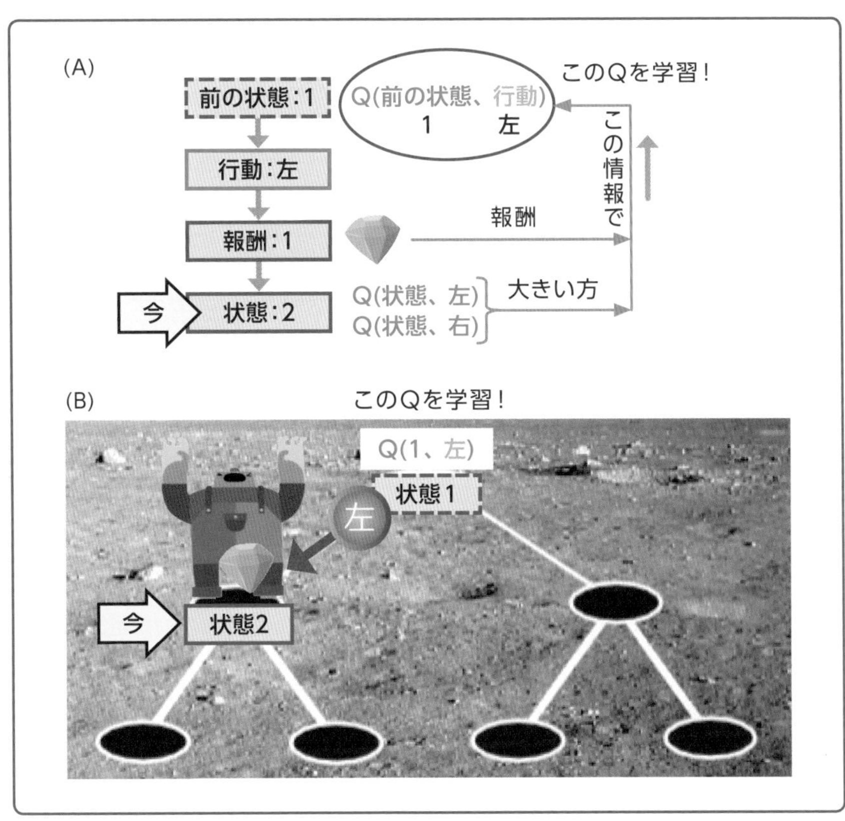

図5-15●状態1のQの学習は次の状態（2か3）で行う

そこで、学習則Bの「状態」を「前の状態」に、「次の状態」を「今の状態」に書き換えたものを**学習則B2**とします（**図5-16**）。前の状態が1のときに使う学習則ということになります。

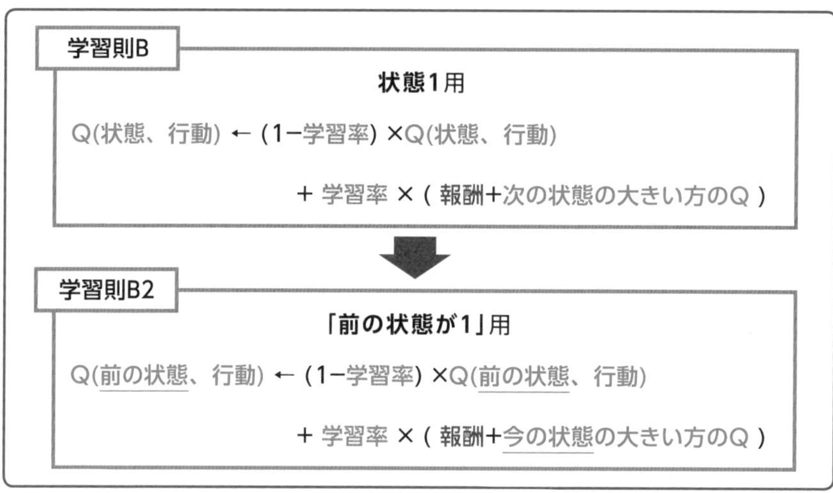

図5-16●「前の状態が1」用の学習則B2

次に、状態2や状態3でのQの学習をさせるタイミングを考えます。例えば、状態2にいて右を選び、最終状態-2に移ったとします（**図5-17**）。このときに、前の状態2でのQ、Q（2、右）を学習させます。状態2にいて左を選んだ場合には、最終状態-1に移ったときに、Q（2、左）を学習させます。

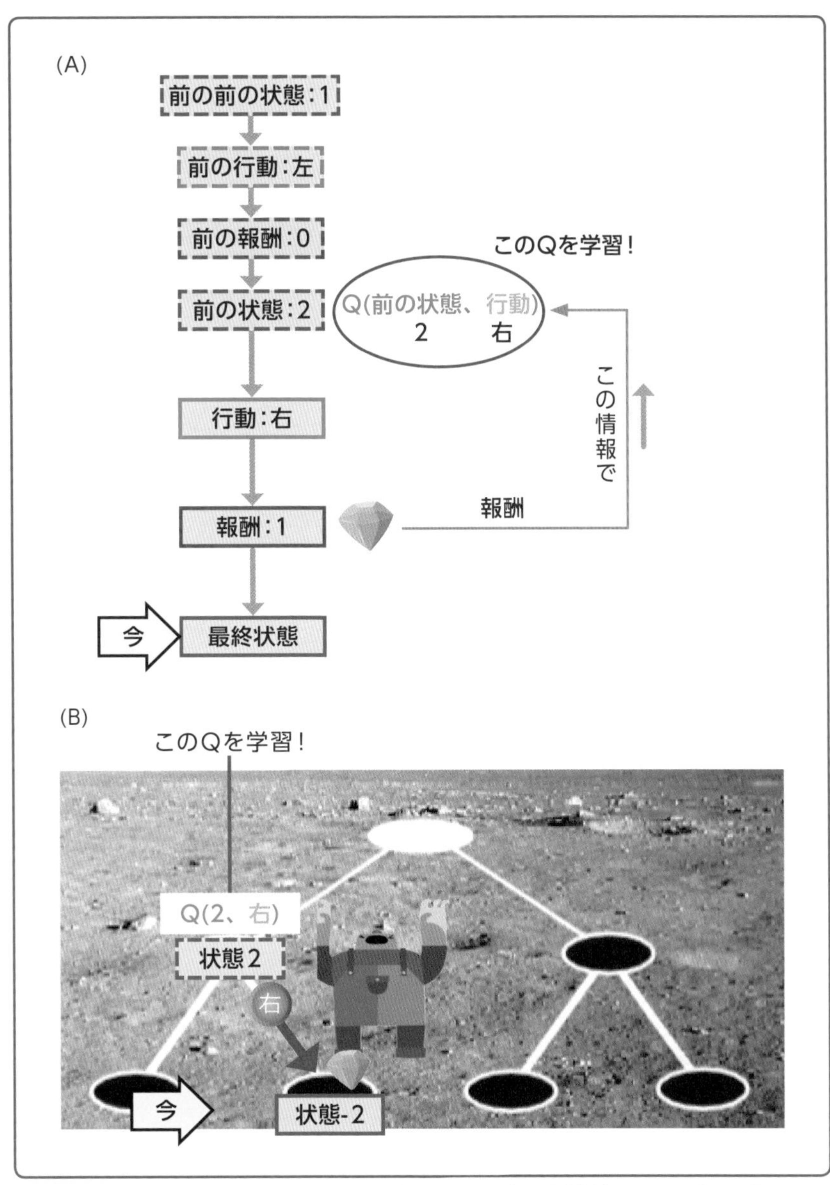

図5-17●状態2のQの学習は次の状態（最終状態-1か-2）で行う

状態2と状態3用の学習則Aについても、「状態」を「前の状態」に、「次の状態」を「今の状態」に書き換えたものを作り、それを**学習則A2**とします（**図5-18**）。前の状態が2または3のときに使う学習則ということになります。

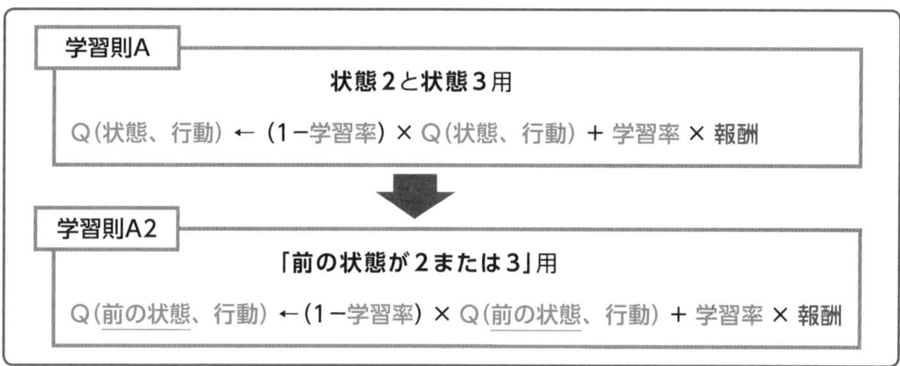

学習則A
状態2と状態3用
Q(状態、行動) ← (1−学習率) × Q(状態、行動) + 学習率 × 報酬
学習則A2
「前の状態が2または3」用
Q(前の状態、行動) ←(1−学習率) × Q(前の状態、行動) + 学習率 × 報酬

図5-18●「前の状態が2または3」用の学習則A2

Scratchのコード

それではScratchの学習のコードを見ていきましょう。分解したものを**図5-19**に示しました。学習則や学習させるQは、前の状態によって変わるので、(B) で前の状態での場合分けをしています。

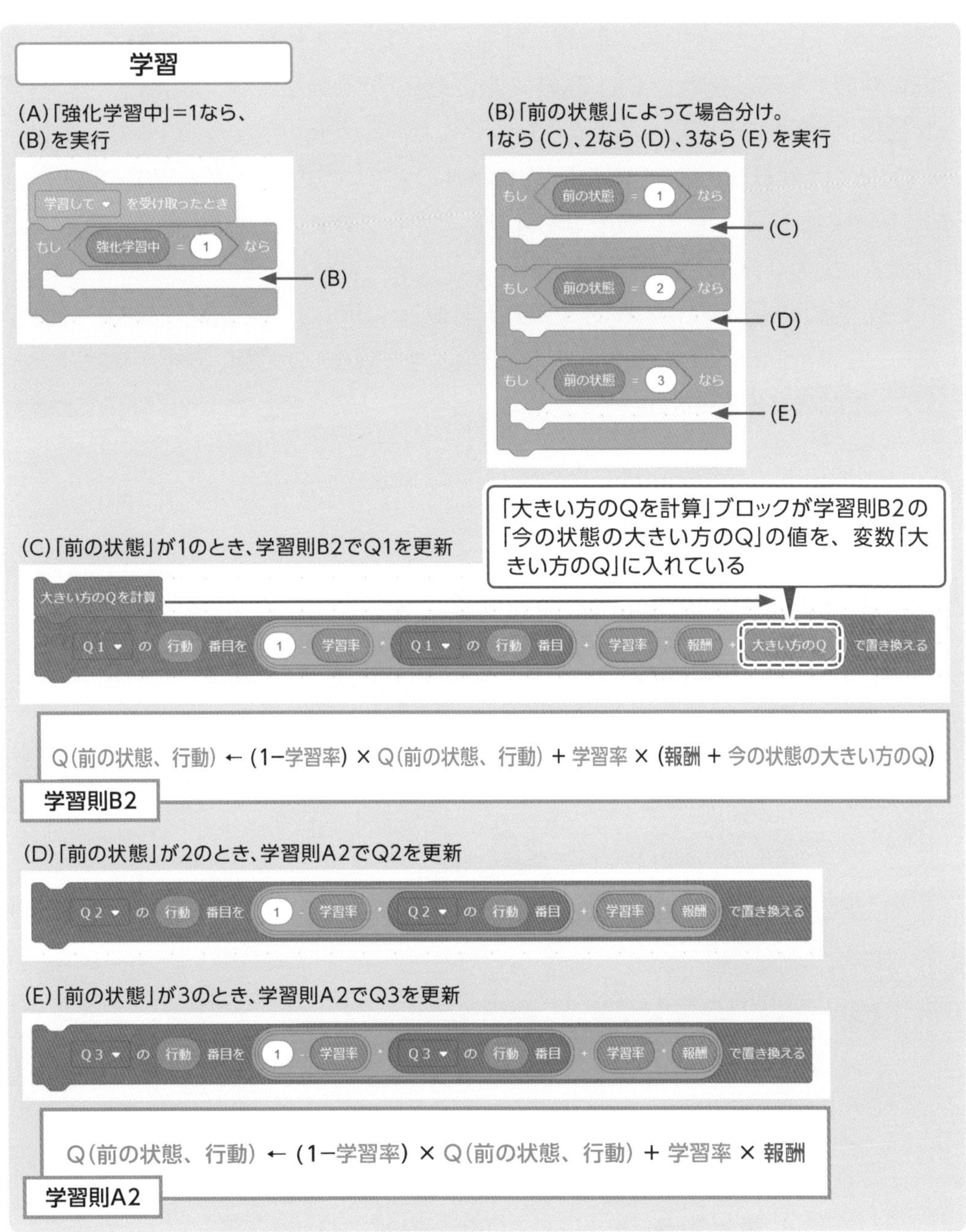
学習
(A)「強化学習中」=1なら、
(B)を実行
学習して を受け取ったとき
もし 強化学習中 = 1 なら
(B)
(B)「前の状態」によって場合分け。
1なら(C)、2なら(D)、3なら(E)を実行
もし 前の状態 = 1 なら
(C)
もし 前の状態 = 2 なら
(D)
もし 前の状態 = 3 なら
(E)
(C)「前の状態」が1のとき、学習則B2でQ1を更新
「大きい方のQを計算」ブロックが学習則B2の「今の状態の大きい方のQ」の値を、変数「大きい方のQ」に入れている
大きい方のQを計算
Q1 の 行動 番目を 1 - 学習率 * Q1 の 行動 番目 + 学習率 * 報酬 + 大きい方のQ で置き換える
Q(前の状態、行動) ← (1−学習率) × Q(前の状態、行動) + 学習率 × (報酬 + 今の状態の大きい方のQ)
学習則B2
(D)「前の状態」が2のとき、学習則A2でQ2を更新
Q2 の 行動 番目を 1 - 学習率 * Q2 の 行動 番目 + 学習率 * 報酬 で置き換える
(E)「前の状態」が3のとき、学習則A2でQ3を更新
Q3 の 行動 番目を 1 - 学習率 * Q3 の 行動 番目 + 学習率 * 報酬 で置き換える
Q(前の状態、行動) ← (1−学習率) × Q(前の状態、行動) + 学習率 × 報酬
学習則A2

図5-19●L2-Q学習の学習のコード（分解したもの）

前の状態が1のときよりもシンプルな、前の状態が2または3のときから見ていきます。この場合には、それぞれ（D）と（E）でQ2、Q3を学習則A2で更新します。

Scratchのコードと学習則A2の内容が対応していることを確認してください。

前の状態が1のときは、(C) でQ1を学習則B2で更新します。Scratchのコードと学習則B2の対応を確認してください。ここで、Scratchのコードの中の「大きい方のQ」という変数は、学習則B2の「今の状態の大きい方のQ」のことです。このコードブロックの直前の「大きい方のQを計算」というブロックが、その値を計算し、変数「大きい方のQ」に入れています。

「大きい方のQを計算」のブロック定義を**図5-20**に示します。変数「状態」の内容を調べ、2のときにはQ2の大きい方を、3のときにはQ3の大きい方を、変数「大きい方のQ」に入れるというコードです。コード中に、「最大値」というブロック定義を使っています。

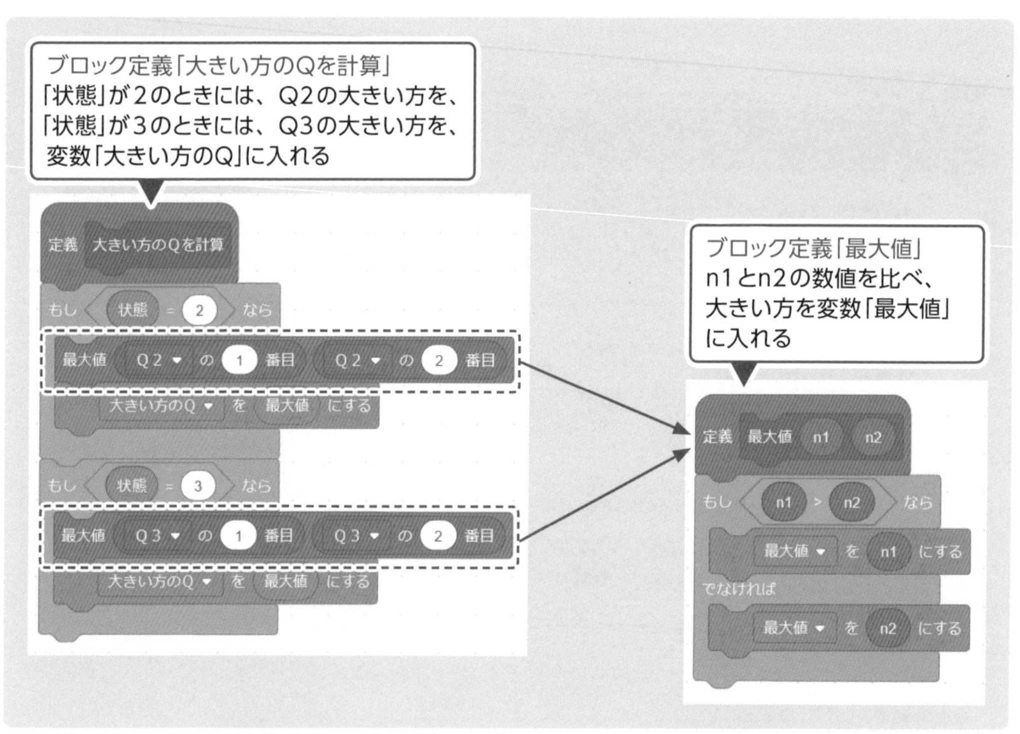

図5-20●「大きい方のQを計算」のブロック定義

「最大値」というブロックは、2つの変数を入れることができるタイプの定義されたブロックです。3章の「ダンシングマイケル」のときにはこのタイプのブロック定義は作りませんでしたが、「ブロックを作る」のウィンドウで、**図5-21**のように「引数を追加」をクリックすることで、数値や文字の入力ができるブロックを作ることができます。

このブロック定義で作った「最大値」コードブロックを実行すると、入力された2つの変数のうち大きい方が、あらかじめ作ってある変数「最大値」に入ります。

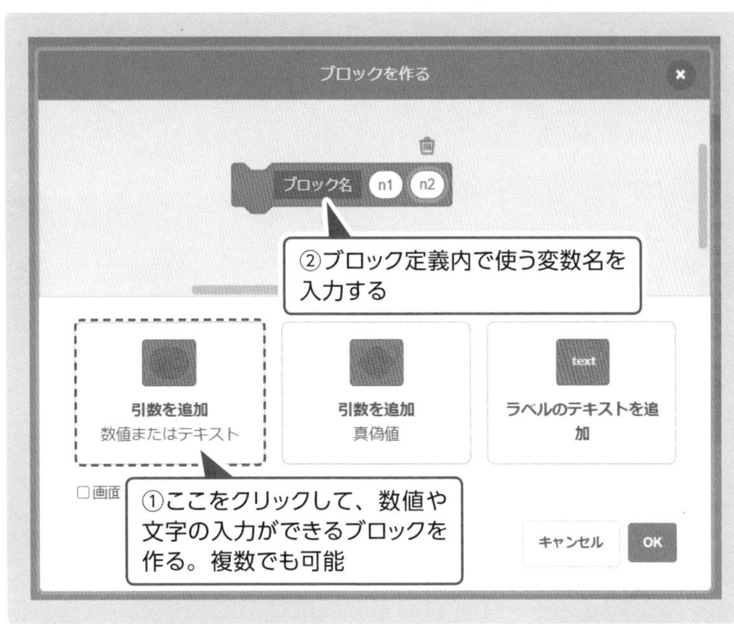

図5-21●数値や文字の入力ができるブロック定義の作り方

以上が、月面でダイヤ集めゲームをプレイするL2-Q学習の説明となります。

5-7 プログラムを改変するためのヒント

前章の砂漠でダイヤ集めゲームで紹介した改変ポイントは、月面でダイヤ集めゲームでもすべて試せます。報酬確率については、最適な選び方がはっきりわかるように、図5-7で表した報酬確率、または、その左右反転バージョンのどちらかにセットされるようにしています。これを、報酬確率を0から1までの完全なランダムとするならば、**図5-22**のような改変を施せばよいでしょう。

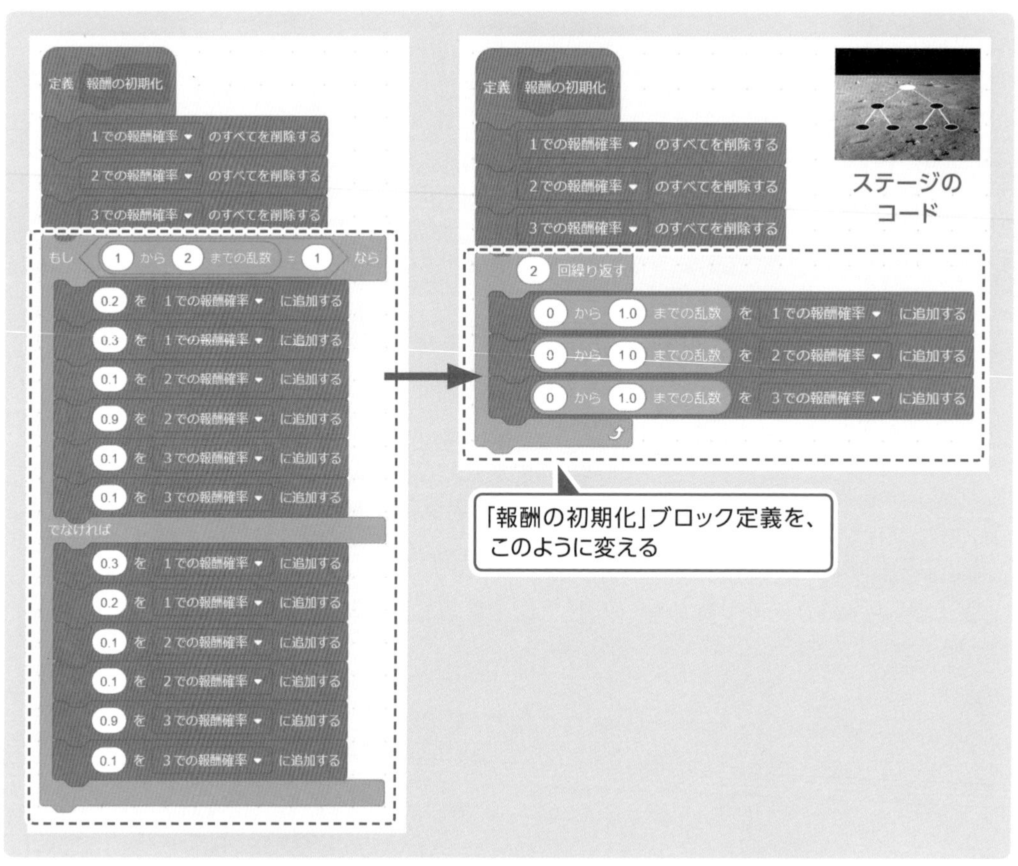

図5-22●報酬の確率を完全な乱数となるように改変する

5-8 メインループ

前章と同様、この節は強化学習の説明ではなく、全体のプログラムについての解説になります。**図5-23**に示したように、全体のゲーム進行を作っている「メインループ」が「ステージ」にあります。前章の砂漠でダイヤ集めゲームとプログラムの構造はほとんど同じなので、異なる部分だけを説明します。

メインループでは、前回にもあった「行動を選んで」、「報酬を出して」、「学習して」のメッセージに加えて、「状態を進めて」というメッセージを送るコードブロックが加わっています。月面でダイヤ集めゲームでは、状態の変化が加わったからです。

また、砂漠でダイヤ集めゲームでは20回のボタン選びで1回のゲームが終了しましたが、月面でダイヤ集めゲームでは20トライアルがゲームの単位ですので、トライアル数をカウントし、20回に達したらループを抜ける作りに変更してあります。

プログラムの流れを図式化したものが**図5-24**です。砂漠でダイヤ集めゲームでの処理の流れとほとんど同じですが、強化学習から「行動完了」を受け取った後に「状態を進めて」というメッセージを送る部分がメインループに追加されています。そのメッセージは、同じステージ内の「状態を決める」ためのコードが受け取り、状態を更新します。

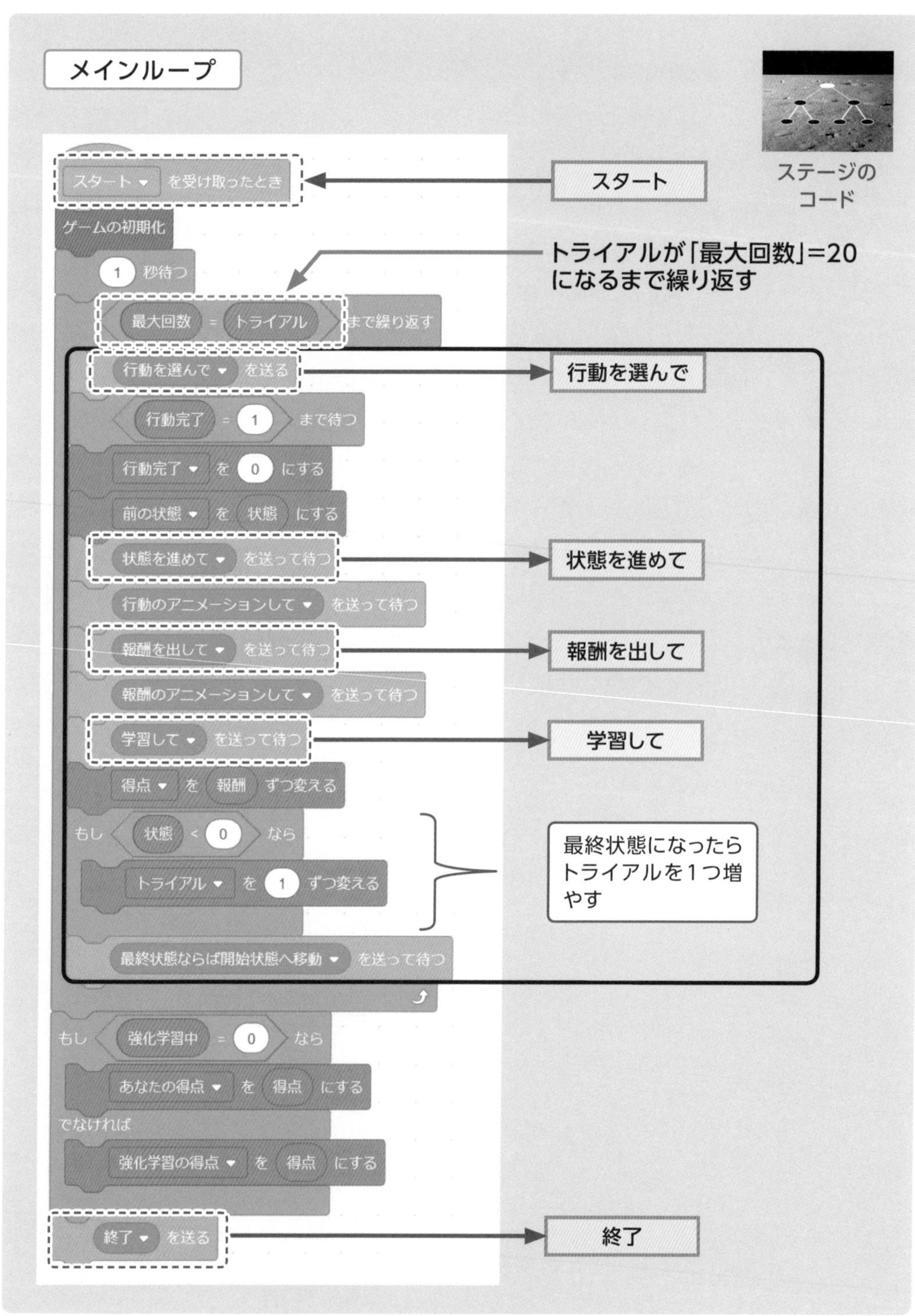
メインループ
ステージのコード
スタート ▾ を受け取ったとき
ゲームの初期化
1 秒待つ
最大回数 = トライアル まで繰り返す
行動を選んで ▾ を送る
行動完了 = 1 まで待つ
行動完了 ▾ を 0 にする
前の状態 ▾ を 状態 にする
状態を進めて ▾ を送って待つ
行動のアニメーションして ▾ を送って待つ
報酬を出して ▾ を送って待つ
報酬のアニメーションして ▾ を送って待つ
学習して ▾ を送って待つ
得点 ▾ を 報酬 ずつ変える
もし 状態 < 0 なら
トライアル ▾ を 1 ずつ変える
最終状態ならば開始状態へ移動 ▾ を送って待つ
もし 強化学習中 = 0 なら
あなたの得点 ▾ を 得点 にする
でなければ
強化学習の得点 ▾ を 得点 にする
終了 ▾ を送る
スタート
トライアルが「最大回数」=20
になるまで繰り返す
行動を選んで
状態を進めて
報酬を出して
学習して
最終状態になったら
トライアルを1つ増
やす
終了

図 5-23●ステージにあるメインループ

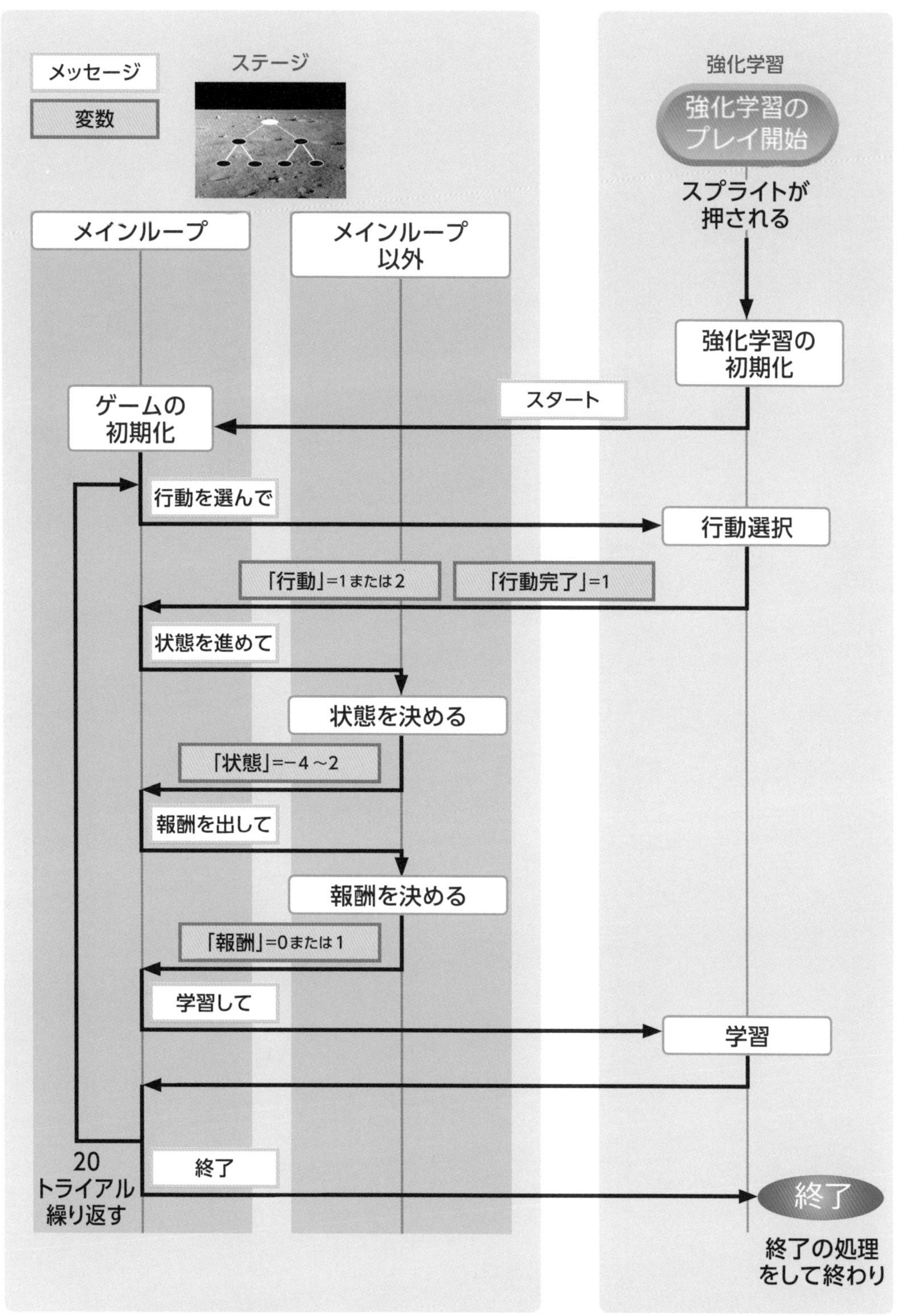

図5-24●「強化学習のプレイ開始」を押してから「終了」までの処理の流れ

6章

レベル3・お化けの飛行訓練ゲーム

6章 レベル3・お化けの飛行訓練ゲーム

この章では最後のレベル３として、終わりなく行動を選び続ける問題を紹介し、これを解くL3-Q学習のアルゴリズムを解説します。「割引率」という重要なパラメータが出てきます。Scratchプログラムは「お化けの飛行訓練ゲーム」を使います。

6-1 お化けの飛行訓練ゲームの遊び方

これまでの章と同様に、ゲームを体験するところから始めます。レベル３のゲームは「お化けの飛行訓練ゲーム」です。アドレスとQRコードは以下のとおりです。

https://scratch.mit.edu/projects/400073856/

図6-1 がゲームの開始画面です。「あなたのプレイ開始」を押してあなたの番からスタートします。ゲームを開始すると、下に４つのボタンが表示されます（**図6-2**）。

図6-1●「お化けの飛行訓練ゲーム」の開始画面

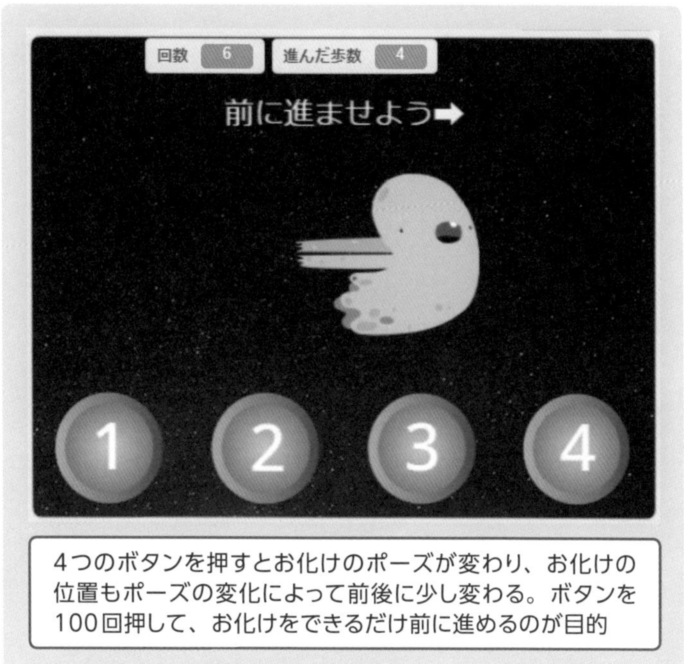
回数 6
進んだ歩数 4
前に進ませよう➡
1
2
3
4
4つのボタンを押すとお化けのポーズが変わり、お化けの位置もポーズの変化によって前後に少し変わる。ボタンを100回押して、お化けをできるだけ前に進めるのが目的

図6-2●「お化けの飛行訓練ゲーム」の遊び方

このゲームは、ボタンを押す順番を探すゲームです。①から④までのどれかのボタンを押すとお化けのポーズが変わり、少しだけ前（右の方向）か後ろ（左の方向）に移動します。どれだけ移動するかは、どのポーズからどのポーズに変わったか（つまり、何番のボタンから次に何番のボタンを押したか）で決まります。ボタンを100回押して、できるだけお化けを前に進めることがゲームの目的です。

あなたのプレイが終わったら、次は強化学習の番です。「強化学習のプレイ開始」を押して強化学習のプレイの様子を観察しましょう。アルゴリズムは、L3-Q学習と名づけたものです。このレベルになると、強化学習に勝つのはなかなか難しくなってきます。

強化学習のプレイが終了すると、あなたと強化学習の点数が示され、「もう一度勝負する」と「乱雑度0で強化学習を再プレイ」というボタンが表示されます（**図6-3**）。

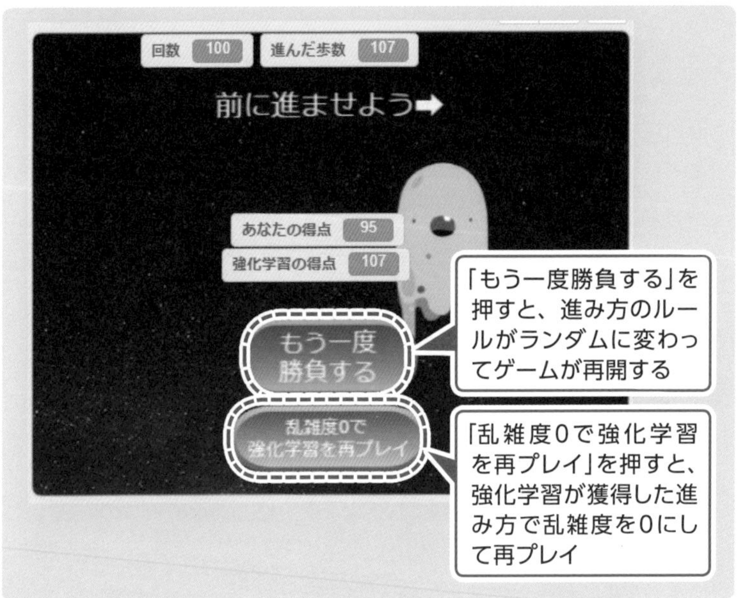

図6-3●「お化けの飛行訓練ゲーム」の終了画面

「もう一度勝負する」ボタンを押すと、お化けの進み方のルールがランダムに変わってゲームが再開します。しかし、次のゲームに移る前に、強化学習が発見したボタンの押し方の順番を確認したいと思う人もいるでしょう。強化学習のプレイ中は、学習で行動が変化していますし、乱雑度も入っていますので、そのパターンがはっきりと分かりません。

そのために、「乱雑度0で強化学習を再プレイ」というモードを作りました。このボタンを押すと、乱雑度と学習率を0にして強化学習のプレイを再開します。この設定によって、強化学習が探したボタンの押し方の順番がノイズなく繰り返されます。以上がゲームの概要です。

6-2 巡回する状態での最適な行動

このゲームでは、「状態」はポーズ、「行動」は次のポーズ（つまり次に押す数字のボタン）となります（**図6-4**）。どちらも4種類あります。そして、行動をとるたびに歩数という報酬を得ます。この設定では、一度行った状態に何度も訪れることができます。この点がレベル2の問題と異なる点です。この性質を**「巡回がある」**と呼ぶことにしましょう。このゲームでは最終状態がないので、ゲームが終わるまで4つの状態を延々と巡回することになります。

ポーズから別のポーズに移るそのパターン数は、

4 × 3 ＝ 12通り

です。ゲーム開始時か「もう一度勝負する」を押したときに、この12通りすべてに－3から＋3までの整数がランダムに割り当てられます（図6-4）。＋1は前に1歩、－1は後ろに1歩の意味です。ただし、同じポーズへの移動、つまり同じボタンを2回押す場合には、すべてに－1を割り当てています。同じボタンを押し続けて前に進めてしまうと、簡単すぎてつまらないからです。

このゲームでは歩数が報酬となります。これまでのレベル1、レベル2では報酬は0か1だけでしたが、ここでの報酬は－3から3までの整数となります。報酬が負の場合は、報酬和が減りますので、できるだけ避けた方がよいことになります。また、これまでのダイヤ集めゲームとは異なり、報酬に確率的な要素はありません。いったんゲームが始まると、あるポーズからあるポーズへの移動は同じ報酬（歩数）となります。

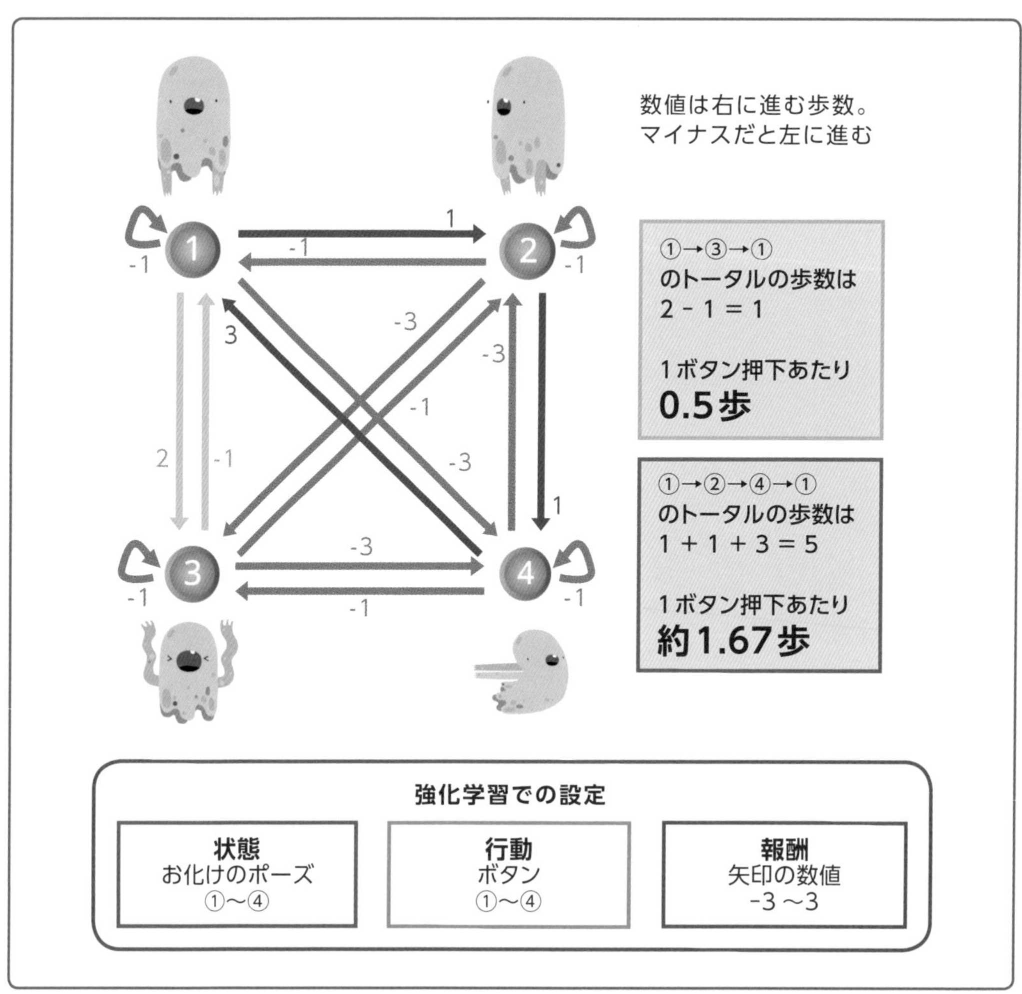

図6-4●お化けのポーズと歩数の関係の例（すべての歩数はゲーム開始時か「もう一度勝負する」を押したときにランダムに割り当てられる）

ボタンをどんな順番で押していくのがよいのか、図6-4の数値の場合で考えて見ましょう。

①がスタート地点です。まず、黄色い矢印で示したポーズ①→③→①→③……を繰り返すパターンを考えます。ポーズ①からポーズ③に変わるときは＋2、③から①に変わるときには－1です。このとき、③と①を交互に押すと2歩進んで1歩下がるので、1ボタン押下あたり0.5歩進むことになります。100回まで続ければ50歩進みます。

一方、青い矢印で示した①→②→④→①→②→④……のパターンはどうでしょうか。①から②は＋1、②から④では＋1、④から①では＋3と、トータルで＋5となります。

1ボタン押下あたり約1.67歩なので、100回続ければ167歩進めます（正確に言えば、②から押し始めるので100歩目が②となり166歩になります）。

④から①を押すと＋3と高い報酬を得られるので、そこを通るように手っ取り早く①と④のポーズを交互に繰り返すのはどうでしょうか。残念ながら①から④が－3なので、トータルでは1歩も進まないことになってしまいます。それ以外にも、ポーズの変え方は無数にありますが、この設定では①→②→④→①→②→④……が1番よいことになります。

ポイントは、①にいるときに②を選べるかということです。①から②を選ぶと報酬は＋1ですが、①から③を選ぶと報酬は＋2です。直後の報酬だけを考えると③を選びたくなってしまいますが、その後の報酬も考えて②を選ばなくてはなりません。

この例では、もう1つ次の行動まで考えれば①のときに②を選べそうです。①から②、次に④と選べば、報酬の和は2となりますが、①から③、次に①と選べば、報酬の和は1と小さくなるからです。しかし、報酬の割り振り方によっては2つ先、3つ先の行動まで考えないとどちらがよいかが分からない場合もありえます。一般的には、できるだけ遠くの未来の行動まで考慮することがよい行動を選ぶために必要です。

6-3 割引率

巡回がある場合には、今までの報酬予測の方法では困ったことが起こります。レベル1、レベル2での報酬予測は、最終状態までの報酬の和（報酬和）を予測しようとします（5章の5-5節「2回より多く行動を選ぶ場合」を参照）。しかし、このゲームには最終状態がなく、ずっと巡回を続けることになります。すると、終わりなく行動を続けるので報酬和が無限になってしまうということが起こります。

例えば、**図6-5**の黄色い矢印にしたがって、ポーズ①と③を選び続けるとしたら、

報酬和 ＝（2－1）＋（2－1）＋（2－1）＋……　（無限に続く）
＝ 1 ＋ 1 ＋ 1 ＋ ……
＝無限

となります。ポーズ①、②、④を選び続ける場合も、報酬和が無限になることは明白

です。報酬予測の目標値が無限になってしまうと、報酬予測は学習を繰り返すたびにどんどん増加し続け、何らかの値に収束することができません。

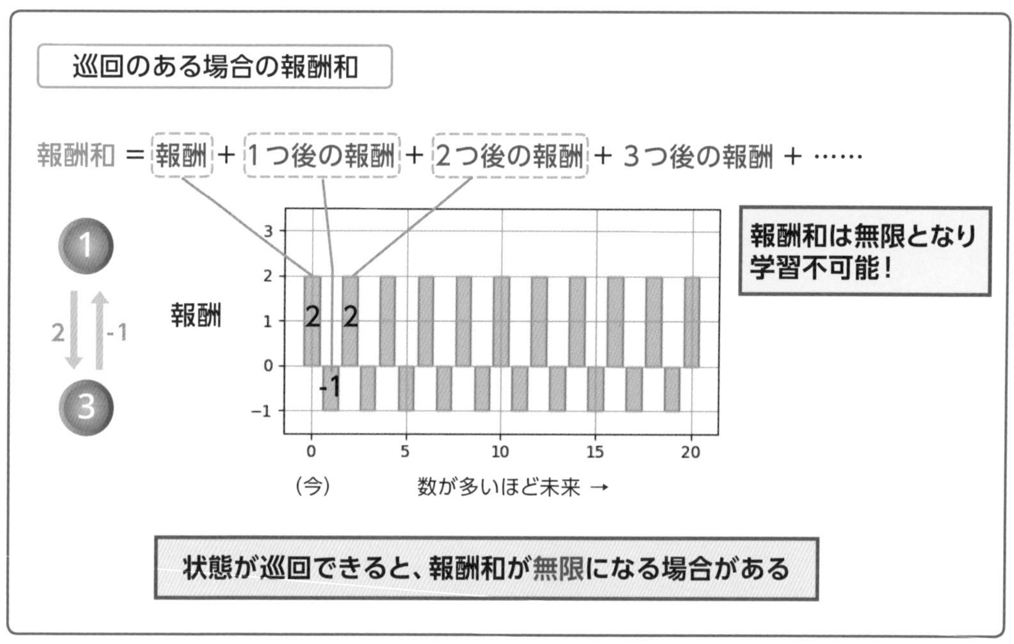

図6-5●状態が巡回できると報酬和が無限になる

このゲームの設定ではボタンを押す回数は100回と決めているので、実際には報酬和が無限になることはありません。それでも、報酬予測の目標値はボタン押下回数に関係のない値とすべきです。そこでL3-Q学習では、報酬和に変わって**割引報酬和**というものを考えます。未来に進む回数分だけ、1よりも少し小さい数値（例えば0.8）を報酬に掛けることで、遠くの未来の報酬を小さめに換算します。

$$2 + 0.8 \times (-1) + 0.8^2 \times (+2) + 0.8^3 \times (-1) + \cdots\cdots$$

といった具合です（**図6-6**）。このようにすることで、割引報酬和はどんな場合でも有限に収まります。今の①と③の例で、30回分まで計算すると3.329となりますが、100回分まで計算しても3.333とほとんど変わりません。これなら、無限に巡回を繰り返したとしても、報酬予測の目標値が有限なので学習を収束させることができます。

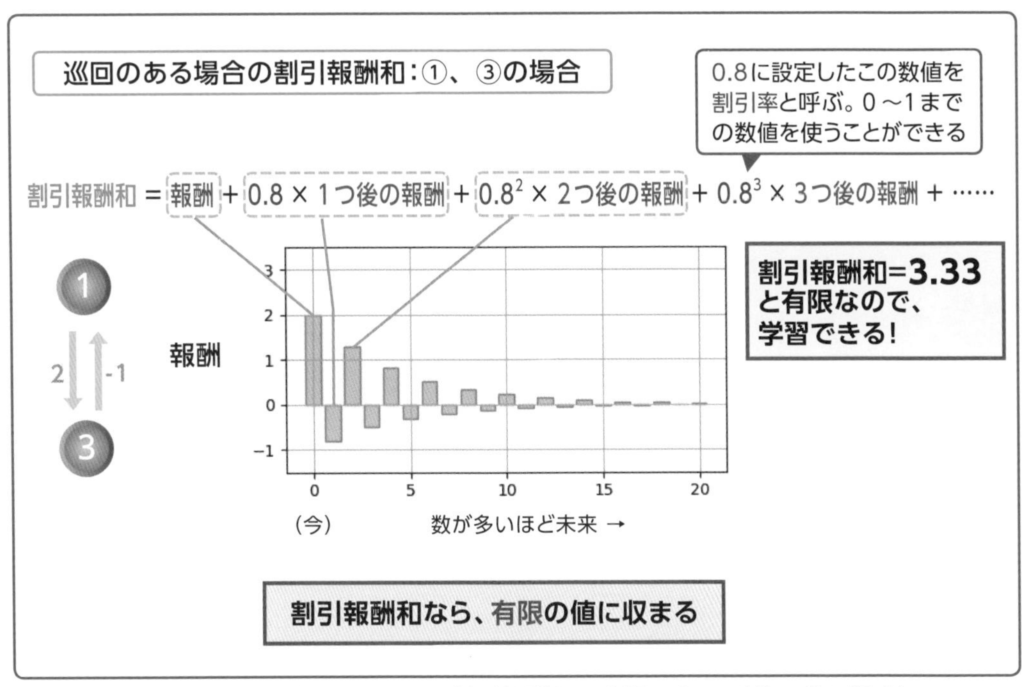

図6-6●状態を繰り返しても割引報酬和は有限になる（①、③の場合）

同じ計算を①、②、④の経路でやってみると、こちらは7.62という値に落ち着きます。①、③の経路は3.33でしたので、①、②、④のほうがよいという結論が割引報酬和によって導かれます（**図6-7**）。

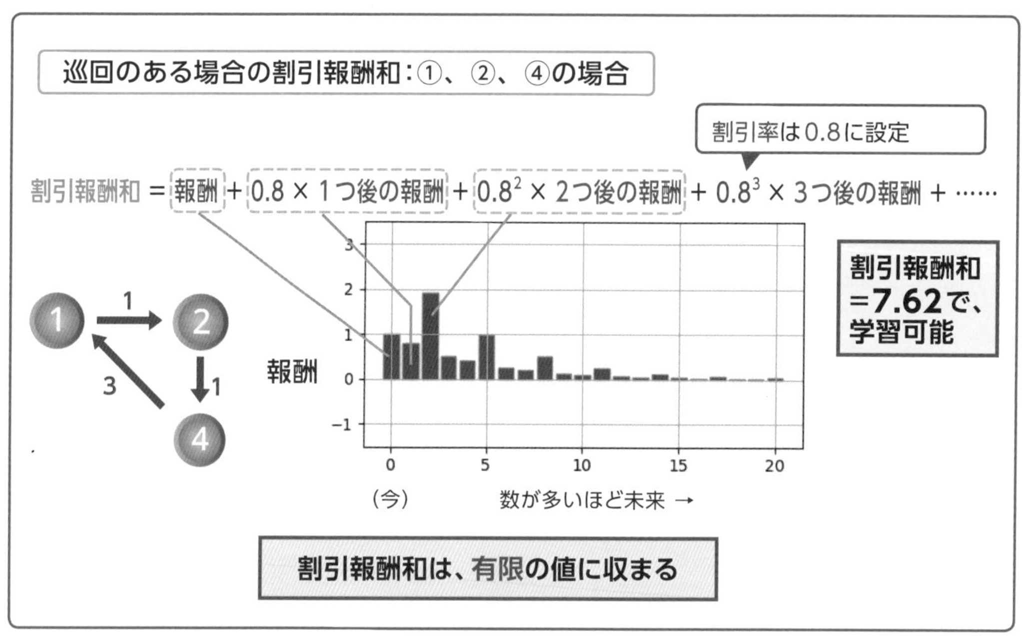

図6-7●状態を繰り返しても割引報酬和は有限になる（①、②、④の場合）

割引報酬和を目標値にするには、少しだけ学習則を変えればよいのですが、それは次節で解説します。ここではもう少し割引率について考えてみます。

割引率は、乱雑度や学習率と同様、プログラムを作る人がちょうどよい値に調節しなくてはならない0から1未満の値をとるパラメータです。割引率は1に近いほど、遠い未来の報酬も考えに入れることになります。逆に0に近付けると、直後の報酬をより重要視して考えることになります。割引率を完全に0とすると、割引報酬和は、直後の報酬を残して先の未来の報酬は0になりますので、直後の報酬しか考えなくなります。この場合、図6-4の例で状態①にいるときには、②（直後の報酬は1）ではなく③（直後の報酬は2）を選ぶ方がよいことになります。

では、割引率を仮に1としたらどうでしょうか。割引率を1にすると割引報酬和は報酬和と同じになりますので、無限の問題に逆戻りしてしまいます。それでは、学習率をほんの少しだけ小さく0.99999としたらどうでしょうか。この場合、割引報酬和は理論上有限になりますが、非常に大きな数になってしまいまので、学習を収束するために、膨大な数の更新が必要になってしまいます。このため、現実的にはもっと小さい値にした方がよいと言えます。

問題にもよりますが、割引率は0.9や0.98などの値がよく使われます。本プログラムでは、収束の速さを重視して0.8と小さめに設定しました。

6-4 L3-Q学習のアルゴリズム

では、L3-Q学習の説明をしましょう。L3-Q学習では、報酬和の代わりに割引報酬和を予測します。そのために、今までの学習則に1カ所変更を加えます（**図6-8**）。この学習則を、**学習則B'** と呼ぶことにします。

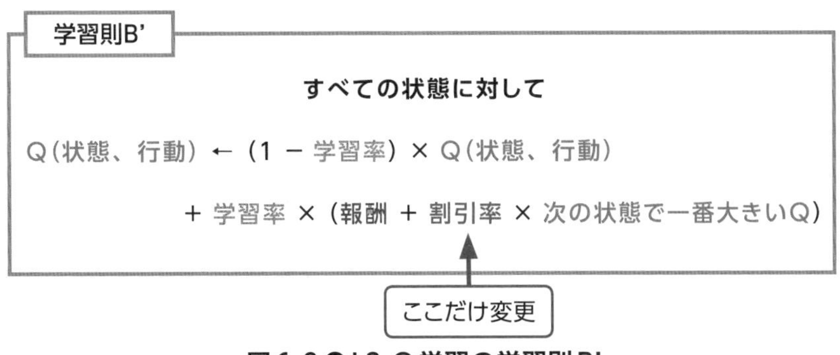

図6-8●L3-Q学習の学習則B'

このような更新をすることで、報酬予測は以下の割引報酬和に収束します。

$$Q（状態、行動）= \langle 報酬1 \rangle + 割引率 \times \langle 報酬2 \rangle + 割引率^2 \times \langle 報酬3 \rangle + 割引率^3 \times \langle 報酬4 \rangle + \cdots\cdots \quad （※）$$

これは、5-5節「2回より多く行動を選ぶ場合」と同じ計算をすることで、この結論を導くことができます。

簡単にするために、選べる行動は常に1つだけと考え、ある状態での報酬予測をQ1、次の状態での報酬予測をQ2と書くことにします。

学習則B'によって状態1の報酬予測Q1は、

$$Q1 = \langle 報酬1 \rangle + 割引率 \times Q2 \quad (1)$$

に収束します。この後ろの部分のQ2は、

Q2 ＝ ＜報酬2＞ ＋ 割引率 × Q3 ―――――――――――――――― (2)

に収束します。さらにQ3は、

Q3 ＝ ＜報酬3＞ ＋ 割引率 × Q4 ―――――――――――――――― (3)

となります。(3) を (2) に代入し、それを (1) に代入すると、

Q1 ＝ ＜報酬1＞ ＋ 割引率 × (＜報酬2＞ ＋ 割引率 × (＜報酬3＞
＋ 割引率 × Q4))

を得ます。整理すると、

Q1 ＝ ＜報酬1＞ ＋ 割引率 × ＜報酬2＞ ＋ 割引率^{2} × ＜報酬3＞
＋ 割引率^{3} × Q4

となります。この式は、割引報酬和（※）とほとんど同じ式ですね。最後の割引率^{3} × Q4だけ違いますが、割引率^{3}は割引率を３乗していて小さな値となっているので、割引率^{3} × Q4は全体からすればわずかな誤差となります。さらに、Q4もQ5で表し、Q5もQ6で表していけば、Q1は（※）の式にどんどん近くなることが分かります。

6-5 ScratchのL3-Q学習

それでは、L3-Q学習のScratchプログラムを解説していきます。スプライト「強化学習のプレイ開始」のコードを見てみましょう（**図6-9**）。これまでと同じように強化学習のアルゴリズムは、(1) **強化学習の初期化**、(2) **行動選択**、(3) **学習**、から構成されています。この順番にしたがって解説していきます。

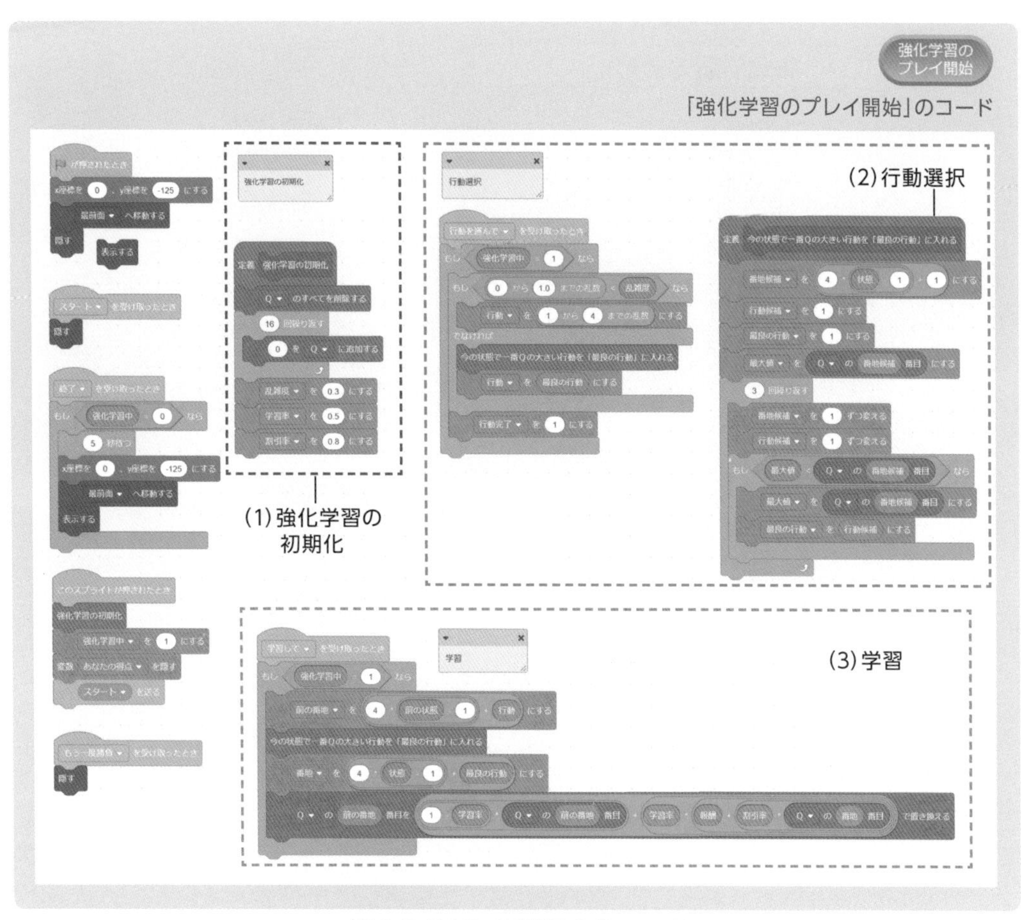

図6-9●L3-Q学習の全コード

6-5-1 強化学習の初期化

「強化学習の初期化」ブロック定義を見てみましょう（**図6-10**）。初めに、リスト「Q」に16個の0を入れて報酬予測の初期化を行っています。このゲームでは状態数4つに対して行動数が4つなので、報酬予測の変数Qは4×4＝16個必要になります。今回は、1つのリストにこの16個の数値をすべてまとめています。この方がプログラムを小さく作ることができるからです。

コードの後半では、強化学習で使うパラメータの変数「乱雑度」に0.3、「学習率」に0.5、「割引率」に0.8を入れています。お化けの飛行訓練ゲームでは、報酬が確率的ではないので学習率は高めに設定しました。

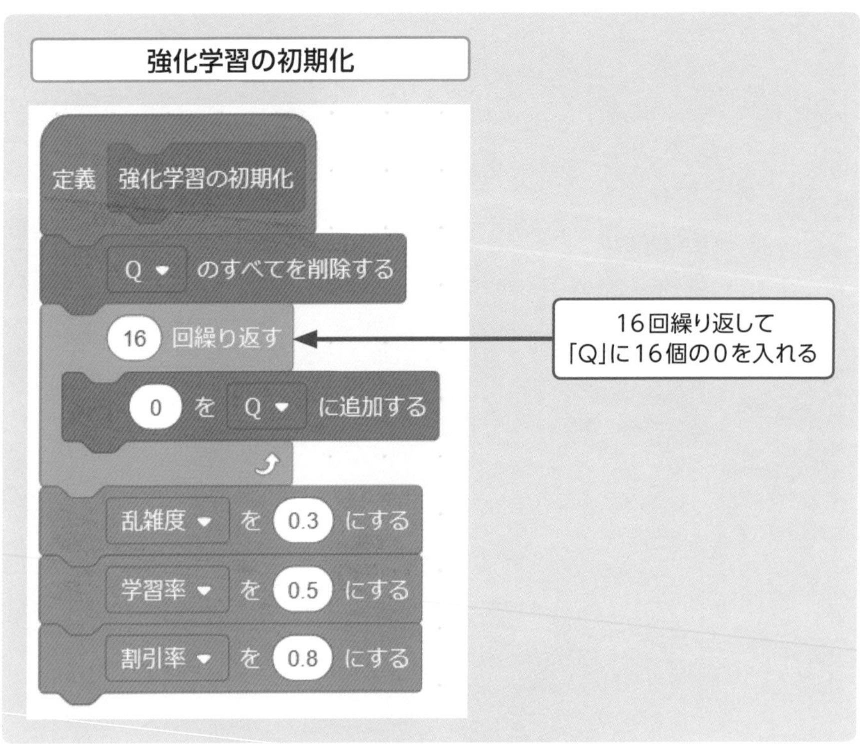

図6-10●L3-Q学習の初期化のコード

ここで、どのように1つのリストで16個の報酬予測を取り扱うかについて説明します。リストの何番目かは**番地**という言葉で表すことにします。**図6-11**に示すように、状態1の行動1の報酬予測は1番地、状態1の行動2の報酬予測は2番地というように、順番に割り当てます。

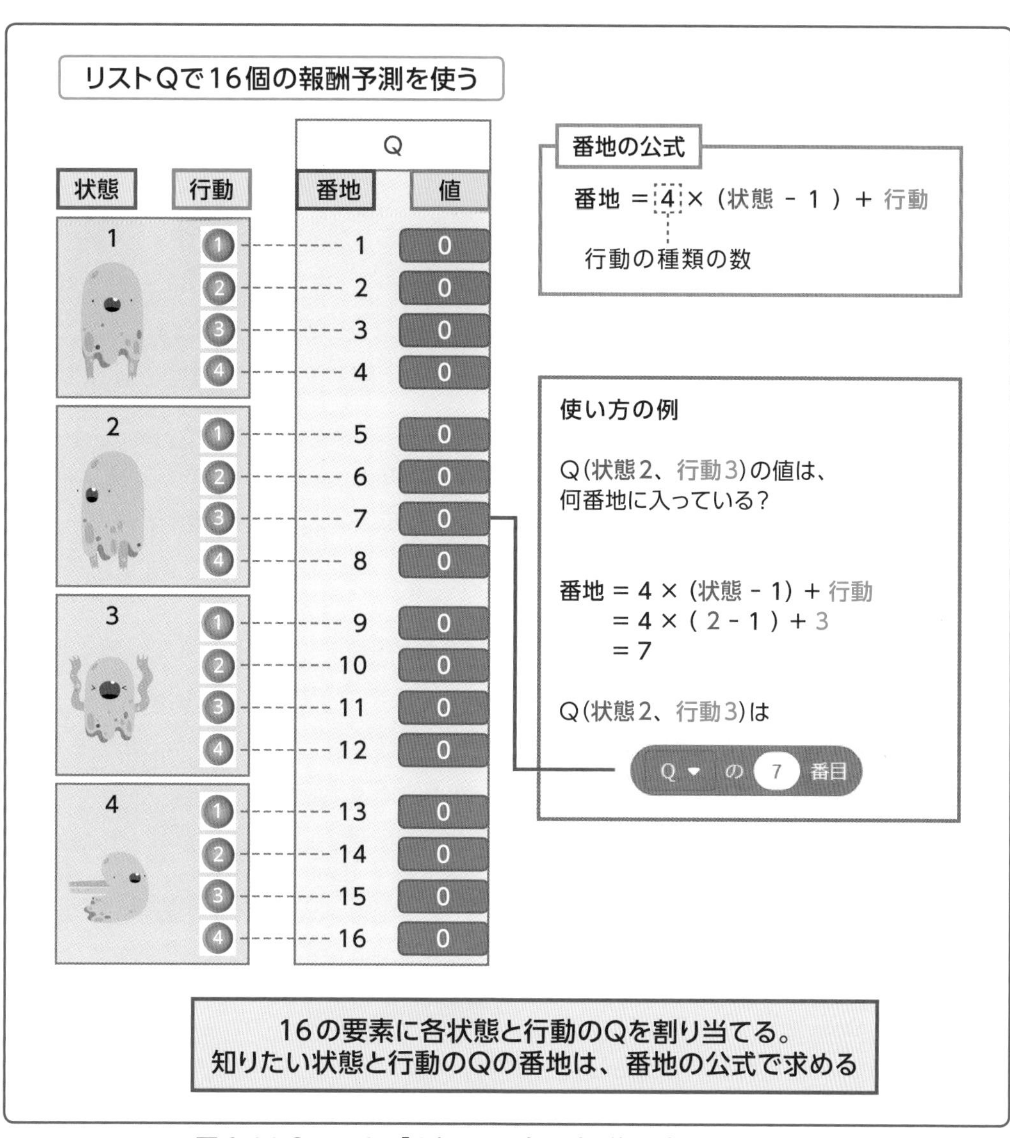

図6-11●リスト「Q」に16個の報酬予測を割り当てる

ある状態のある行動に対して、その報酬予測が格納されている番地を知りたいときには、

番地 ＝ 4 ×（状態－1）＋ 行動

という公式で算出します。例えば、状態2の行動3の番地は、

番地 ＝ 4 × （2－1） ＋ 3 ＝ 7

と、7であることが分かります。ちなみにこの公式の中の4という数字は、行動の種類の数からきています。

6-5-2 行動選択

行動選択のコードは、基本的にこれまでの考え方と同じです。乱雑度の確率でランダムに選び、それ以外のときに報酬予測が一番大きい行動を選びます（**図6-12**）。ただし、これまでは2つの報酬予測を比べて大きい方を選んでいましたが、今回は1つの状態に対して4つの行動の報酬予測がありますので、4つの中で報酬予測が一番大きい行動を選ぶことになります。

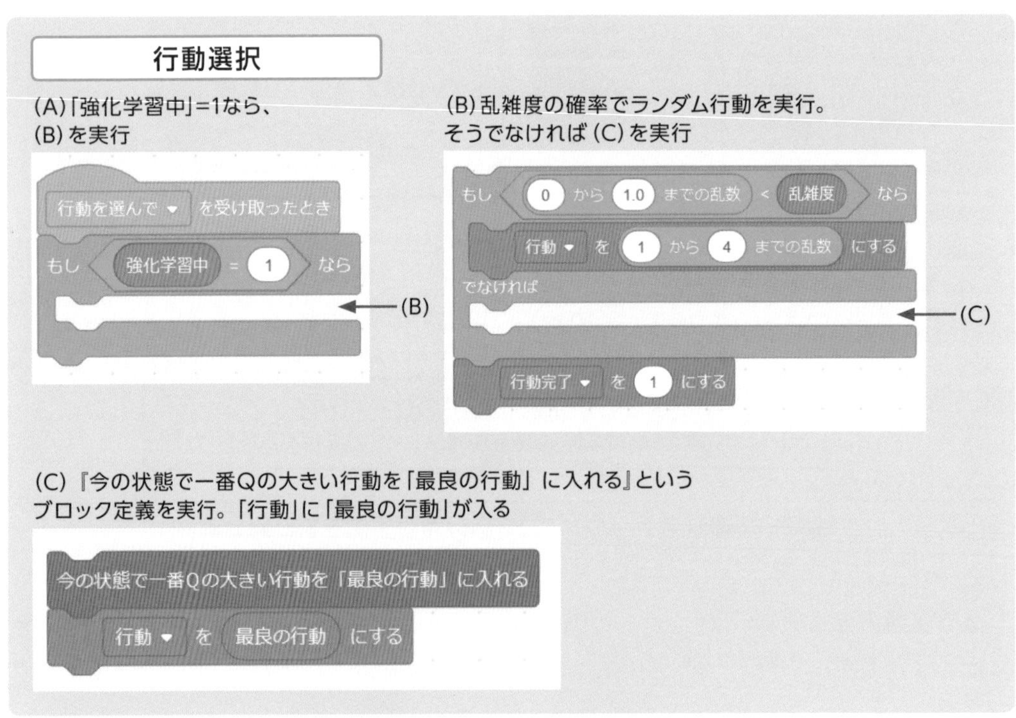

図6-12●L3-Q学習の行動選択のコード

図6-12の中には、長い名前の付いたブロック『今の状態で一番Qの大きい行動を「最良の行動」に入れる』があります。機能はその名前のとおりです。このブロックの定

義を**図6-13**に示しました。コードが少々複雑なので、ここでは働きだけを理解してもらうことにします。しくみに興味がある人は、実際のプログラムをじっくり調べてみてください。

このブロックは、変数「状態」の中を見て、その状態に関係した4つの「Q」の値を比べます。そして、一番大きな値を持つ行動の番号を、「最良の行動」という変数に入れます。まさに行動選択の機能をまとめたブロックと言えます。

このブロックは、行動選択だけでなく次項で説明する学習にも使われています。

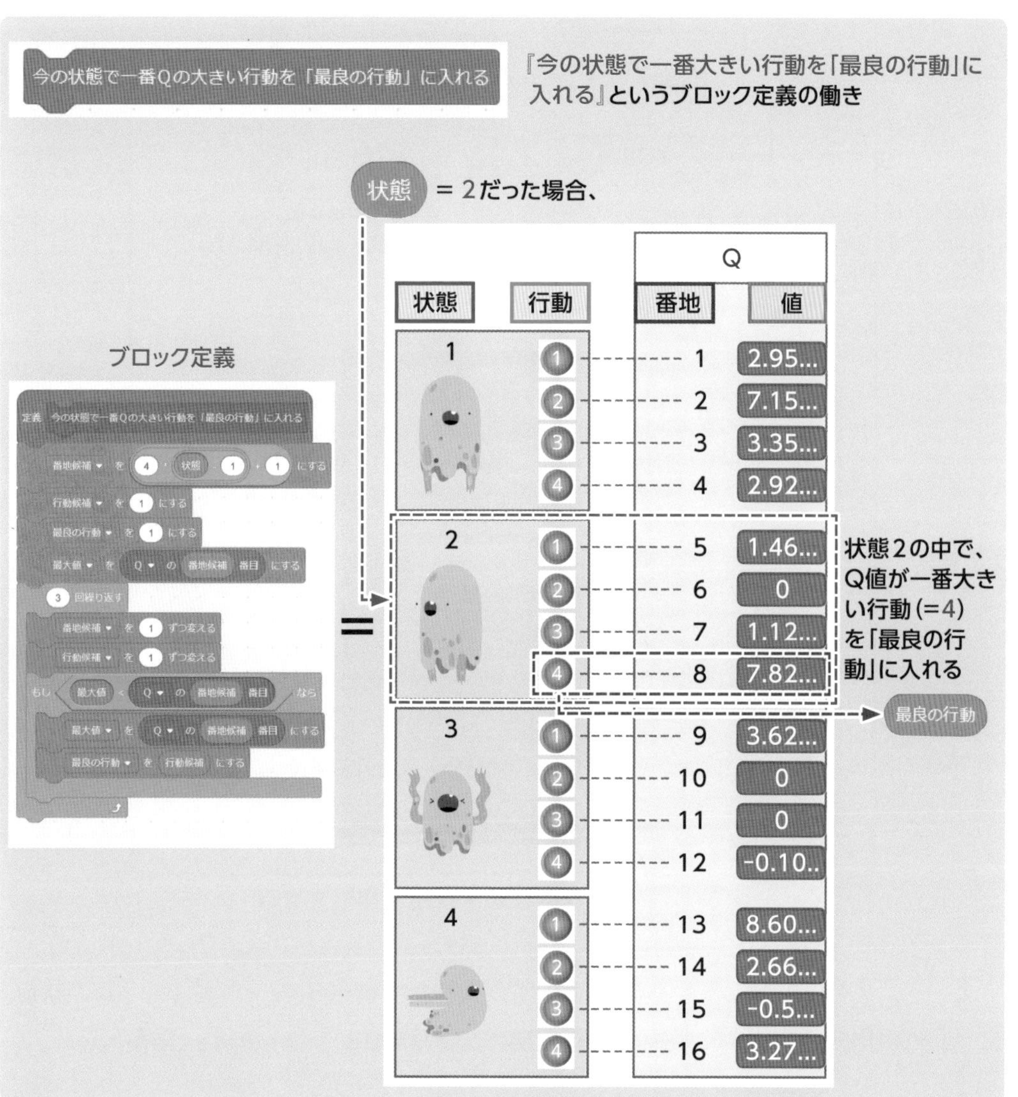

図6-13●『今の状態で一番大きい行動を「最良の行動」に入れる』というブロック定義

6-5-3 学習

実際に学習するタイミングは、月面でダイヤ集めゲームのときと同じです（**図6-14**）。１つ前の状態とそのとき選んだ行動に対応する報酬予測を学習させます。

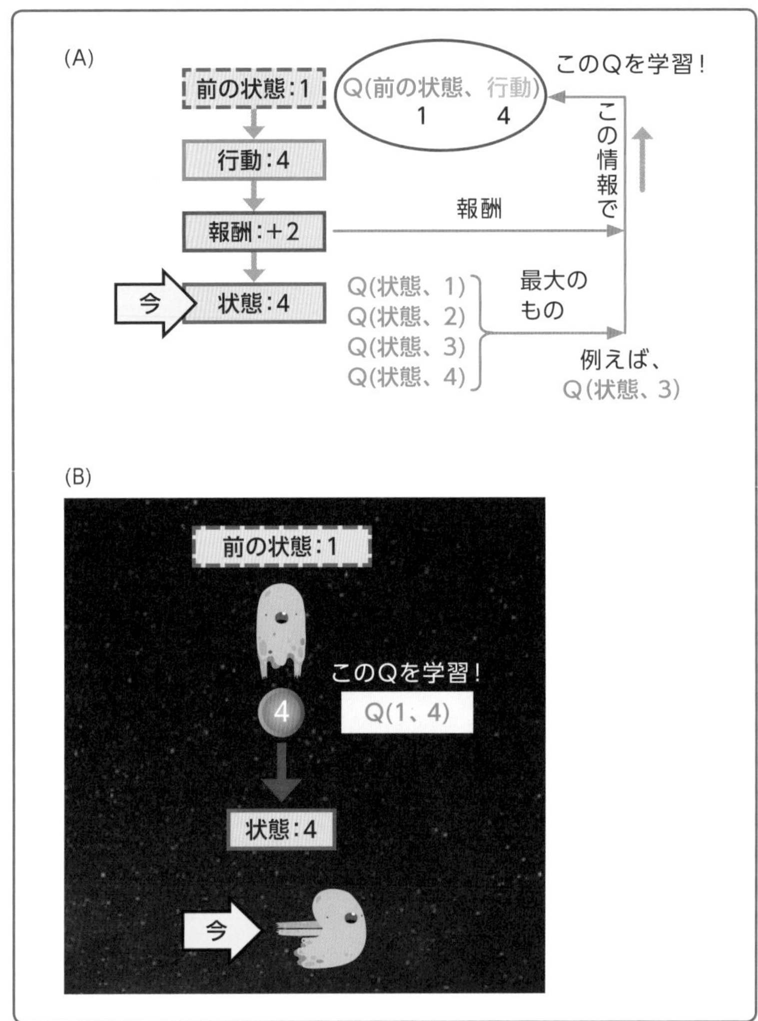

図6-14●前の状態に対するQを学習させる

よって、すでに紹介している割引率を組み入れた学習則B'の、「状態」を「前の状態」に、「次の状態」を「今の状態」に置き換えた**学習則B2'**を作ります（**図6-15**）。

学習則B'

すべての状態に対して

Q（状態、行動）←（1 − 学習率）× Q（状態、行動）

+ 学習率 ×（報酬 + 割引率 × 次の状態で一番大きいQ）

学習則B2'

すべての前の状態に対して

Q（前の状態、行動）←（1 − 学習率）× Q（前の状態、行動）

+ 学習率 ×（報酬 + 割引率 × 今の状態で一番大きいQ）

図6-15●L3-Q学習の学習則B2'

この学習則をScratchのブロックで表したものが、**図6-16**です。まず、「前の番地」にQ（前の状態、行動）の番地を入れ、「番地」に「今の状態で1番大きいQ」の番地を入れています。こうすることで、Q（前の状態、行動）をQ（前の番地）として表し、「今の状態で一番大きいQ」をQ（番地）で表すことができます。

(B)の最後のブロックで、学習則B2'をScratchで計算しています。L3-Q学習では、すべての報酬予測を1つのリスト「Q」に収めたために、学習のコードがとてもスッキリしています。L2-Q学習では、場合分けが3つあったことを思い出してください。

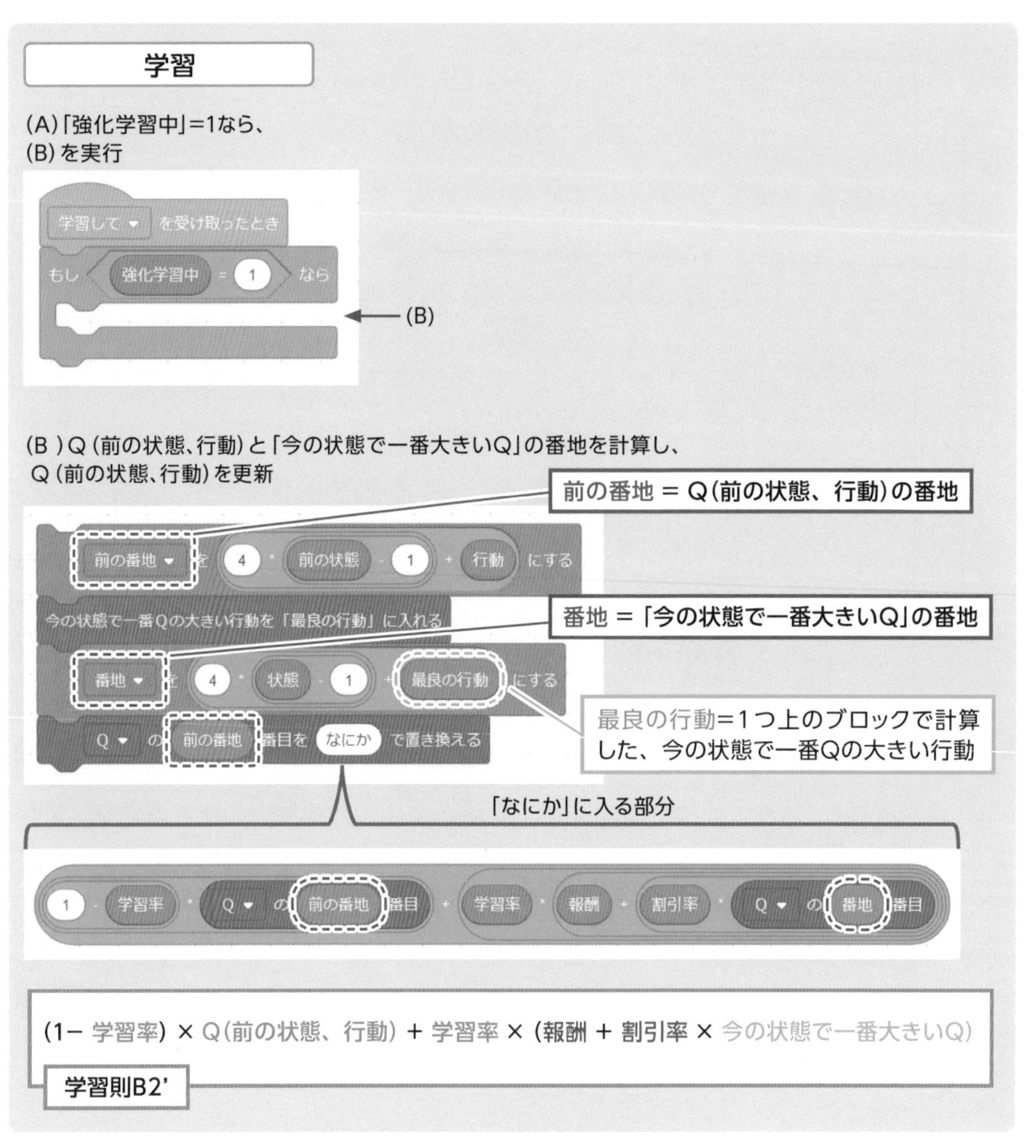

図6-16●L3-Q学習の学習のコード

6-6 プログラムを改変するためのヒント

４章の砂漠でダイヤ集めゲームで解説した事項がここでもすべて当てはまります。例えば、報酬予測Ｑを表示してみる、パラメータを変えて強化学習を動かしてみる、などです。パラメータは、学習率、乱雑度に加えて、割引率が加わっています。

進み方のルール（報酬）は、お化けの飛行訓練ゲームでは完全なランダムですが、これを自分で決めて、強化学習が最適な行動を探せるかどうかを実験してみるのもよいでしょう。報酬がランダムなままだと正解が分かりにくいからです。

例えば、正しい答えが分かっている図6-4の例のように報酬を設定するには、**図6-17**のようにします。このような設定で、強化学習が①、②、④の行動パターンを選べることを確認してください。ただし、強化学習の振る舞いが確率的であり、学習できる回数も限りがあることから、正しいパターンに行きつく前に100回の選択が終わってしまう可能性もあります。

より難しい報酬の設定することもできます。つまり１番よい行動パターンと２番目によい行動パターンの報酬の差が小さくなるような設定です。この場合には、強化学習は１番よい行動パターンを学習できないかもしれません。そのときには、割引率、学習率、乱雑度のパラメータや、最大回数を調節してみましょう。

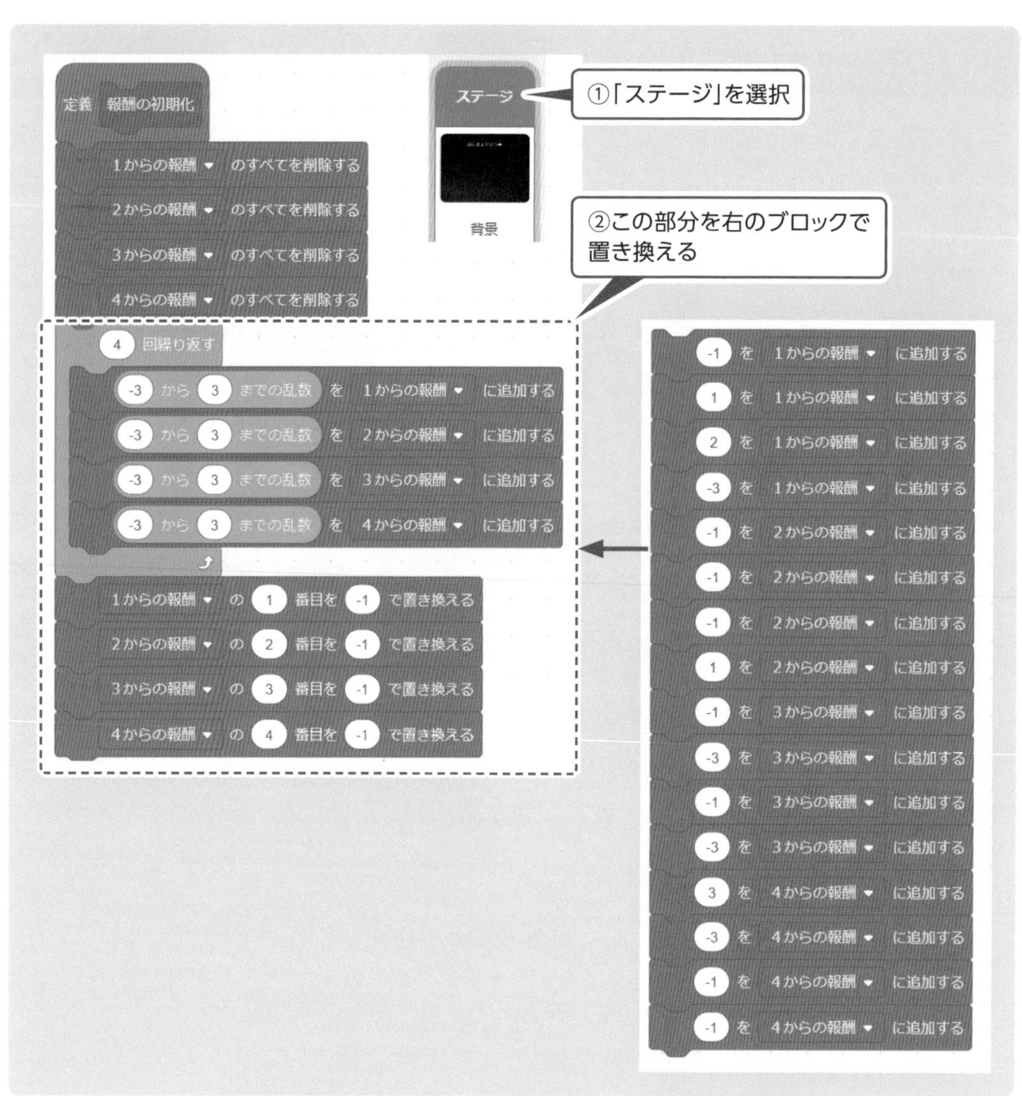

図6-17●進み方のルールを図6-4の例と同じにする

6-7 メインループ

これまでと同様、最後の節は強化学習の説明ではなく、全体のプログラムについての解説です。全体のゲーム進行を作っているメインループが「ステージ」にあります（**図6-18**）。前章の月面でダイヤ集めゲームとプログラムの構造はほとんど同じなので、異なる部分だけを説明します。

月面でダイヤ集めゲームでのメインループは、「行動を選んで」、「状態を進めて」、「報酬を出して」、「学習して」のメッセージを出していました。お化けの飛行訓練ゲームでは、状態を進めるという処理が『（状態）を（行動）にする』というたった1つのコードブロックで済んでしまうため、その処理はメインループの中に収めています。このため、「状態を進めて」というメッセージはありません。

また、お化けの飛行訓練ゲームでは、最終状態がないのでトライアルという区切りがありません。そのため、ループは単純に100回繰り返して終了としています。

「強化学習のプレイ開始」ボタンを押してからのプログラムの流れを図式化したものが**図6-19**です。月面でダイヤ集めゲームでの処理の流れとほとんど同じですが、先ほど説明したように「状態を決める」がメインループ内での処理となっている点と、ループが100回繰り返されるという点が異なります。

実際のゲームでは、「あなたのプレイ開始」をしてから「強化学習のプレイ開始」をするという全体的な処理の流れもあります。この処理の模式図とすべてのコードを付録Cに掲載しましたので、プログラムを本格的に改変したいという人、新しいゲームを作りたいという人はぜひ参考にしてください。

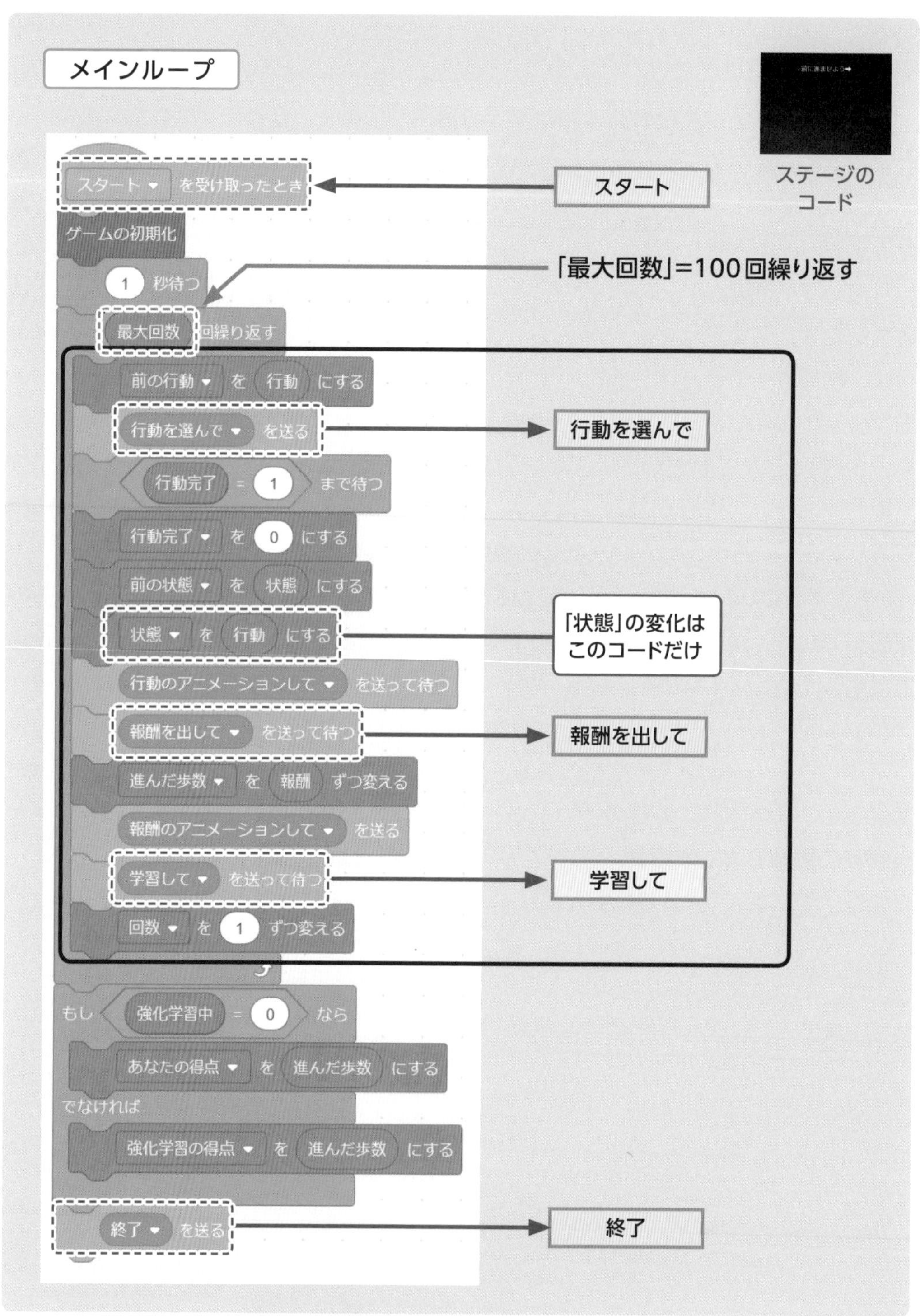

メインループ
スタート を受け取ったとき
ゲームの初期化
1 秒待つ
最大回数 回繰り返す
前の行動 を 行動 にする
行動を選んで を送る
行動完了 = 1 まで待つ
行動完了 を 0 にする
前の状態 を 状態 にする
状態 を 行動 にする
行動のアニメーションして を送って待つ
報酬を出して を送って待つ
進んだ歩数 を 報酬 ずつ変える
報酬のアニメーションして を送る
学習して を送って待つ
回数 を 1 ずつ変える
もし 強化学習中 = 0 なら
あなたの得点 を 進んだ歩数 にする
でなければ
強化学習の得点 を 進んだ歩数 にする
終了 を送る
スタート
「最大回数」=100回繰り返す
行動を選んで
「状態」の変化は
このコードだけ
報酬を出して
学習して
終了
ステージの
コード

図6-18●ステージにあるメインループ

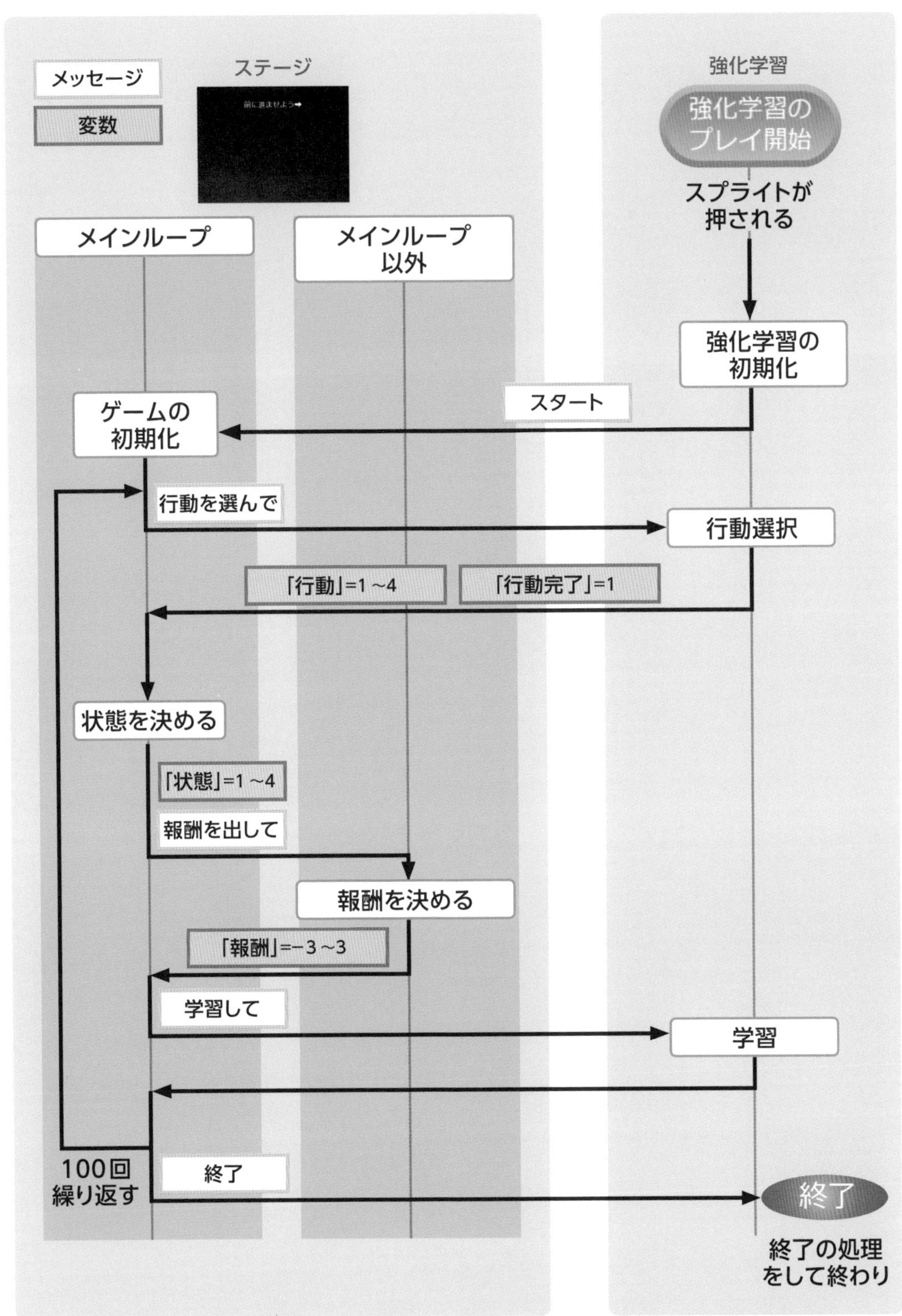

図6-19●「強化学習のプレイ開始」を押してから「終了」までの処理の流れ

7章

まとめ

7章 まとめ

ここまでは、強化学習をできるだけ容易に理解するために、問題をレベル1、2、3の3段階に分けて説明し、それぞれL1-Q学習、L2-Q学習、L3-Q学習のアルゴリズムを見てきました。ただし、これらは本書のオリジナルです。最後に一般的なQ学習のアルゴリズムを考えてみましょう。

レベル2の問題では最終状態があり、レベル3の問題では巡回がありました。ここでは、最終状態と巡回のどちらもある一般的な問題を考えます。そして、完成形のQ学習のアルゴリズムをまとめます。

ここまでは、できるだけ専門用語を避けて説明してきましたが、このままでは他の強化学習関連書籍を読むときに不便が生じる可能性があります。そこで、少々難しい表現になってしまうかもしれませんが、この章では専門用語も使いながら説明することにします。

7-1 エージェントと環境

専門用語では問題を解く主体、つまり、強化学習アルゴリズムを**エージェント**と呼びます。そして、エージェントの行動を受け、状態と報酬を返す主体、つまり、ここではゲームのプログラムになりますが、それを**環境**と呼びます。エージェントと環境は、「状態」、「行動」、「報酬」の情報を相互にやり取りします。

エージェントと環境の時間的な関係を**図7-1**に示しました。初めに、環境とエージェントは初期化を行います。環境は「状態」に**開始状態**をセットし、エージェントはパラメータと報酬予測の初期値をセットします。

ここからループが始まります。環境は、エージェントに今の状態を渡します。エージェントはそれを基に行動を決め、環境に渡します。環境は、今の状態と受け取った行動から状態を更新し、このときの報酬も決めます。そして、環境は報酬をエージェントに渡します。エージェントは、この報酬を基に学習を行います。この一連の処理が、ループで何度も繰り返されます。

環境が最終状態を出した場合には、これに続く行動と報酬のやり取りはスキップし、状態の更新の処理だけを行います。この場合、次の状態は開始状態となります。

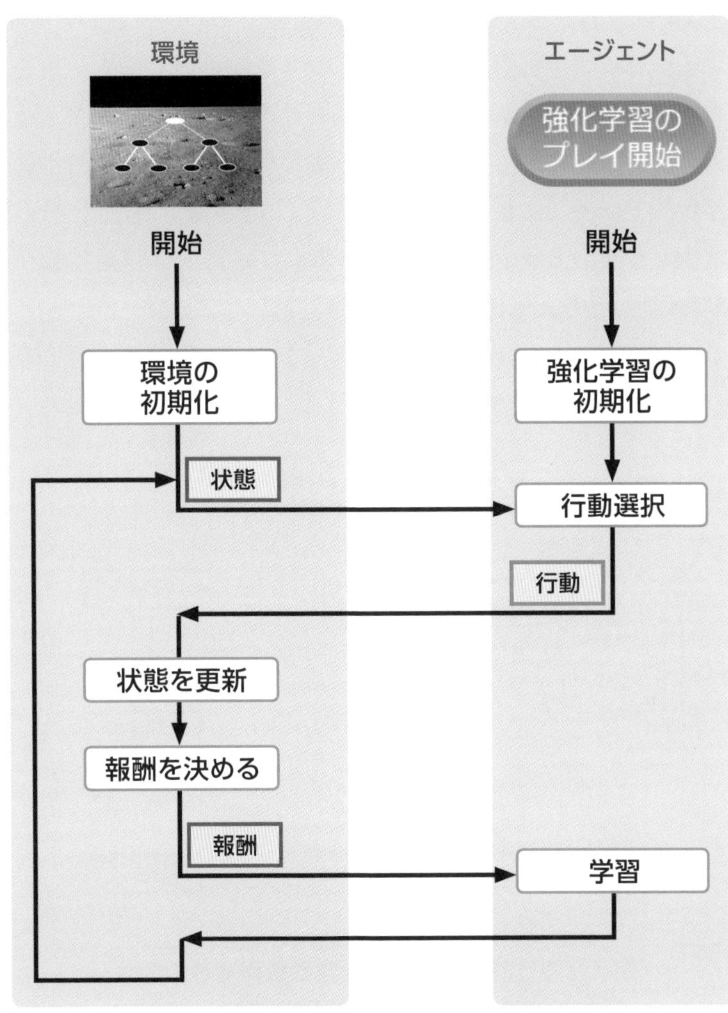

図7-1●環境とエージェントの相互の関係

次に状態の変化について説明します。**図7-2**に示したように、状態は行動によって変わります。これを状態が行動によって**遷移**する、という言い方をします。図7-2に示した状態遷移の例は、巡回できる状態と最終状態を含みますが、一般的には、巡回があってもなくても最終状態があってもなくても、問題ありません。

本書で紹介した3つのゲームでは**状態遷移**は確率的ではありませんでしたが、確率的な設定でも構いません。確率的な状態遷移というのは、例えば状態1で行動1をとったとき、状態2に遷移する確率は0.9、残りの0.1の確率で状態3に遷移する、といったものです。

エージェントは**開始状態**からスタートし、**最終状態**（専門的には、**ターミナル状態**と呼びます）となるまで状態、行動、報酬のサイクルを繰り返します。最終状態では行動の選択はしません。エージェントは最終状態と他の状態の区別ができるように、その情報も環境から受けとります。月面でダイヤ集めゲームでは、状態番号を負の数にすることで最終状態であることが分かるようにしていました。最終状態の後は、開始状態と定めた状態から次のトライアルを開始します。本書では開始状態から最終状態になるまでをトライアルと呼んでいましたが、専門的には**エピソード**と呼びます。

開始状態となる状態は、1つである必要はありません。例えば、0.7の確率で状態1から開始、0.3の確率で状態2から開始、のように決めても構いません。

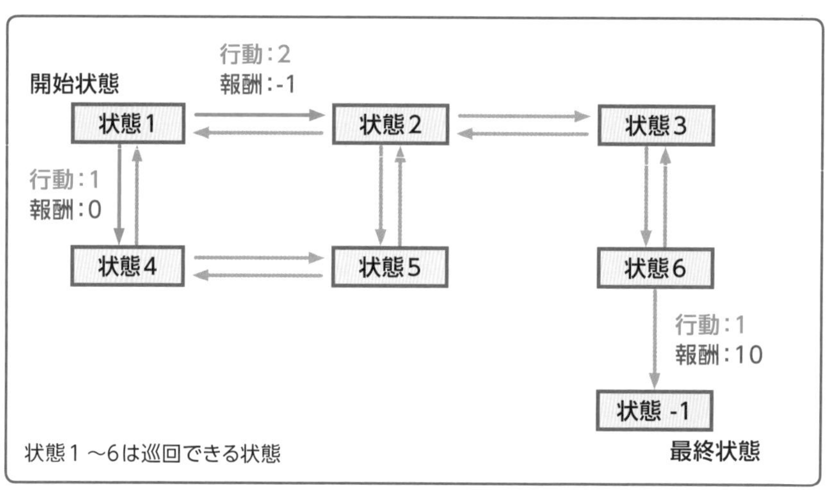

図7-2●巡回と最終状態を含む状態遷移の例

7-2 強化学習の目的

本書でのゲームの目的は、「限られた回数の中でできるだけ多くの報酬をとる」というものでした。このゲームをプレイするために作ったL1-Q学習、L2-Q学習、L3-Q学習も、その目的のためのアルゴリズムであり、あなたとよい勝負ができたと思います。

しかし、L1-Q学習、L2-Q学習、L3-Q学習は、この目的を完璧に達成しているわけではありません。学習率、乱雑度、割引率などのパラメータがあり、これらの値で強さが変わりますが、これらの値はプログラムを作る人が調節しなくてはならないからです。そして、プログラムを作る人がこのパラメータを網羅的に試して、最適な値を見つけることができたとしても、それが最も報酬を獲得できる方法であるという保証はありません。あくまでも、このアルゴリズムのパフォーマンスを最高にしたということにすぎないのです。

この「限られた回数の中でできるだけ多くの報酬をとる」という目的を目的Aと呼ぶことにしましょう（**図7-3**）。この目的Aは実はとても難しく、どんな問題に対してもパラメータなしで目標Aを達成できるアルゴリズムは存在しません。Q学習を含めて、強化学習のアルゴリズムは、目的Aに対してはそこそこの解のみを与えるものなのです。

しかし、もう少し現実的な目的を設定することもできます。それは「各状態に対して最適な行動を見つける」という目的です。これを目的Bと呼ぶことにしましょう（図7-3）。ここで、最適な行動とは「**割引報酬和**が最大となる行動」という意味です[*1]。

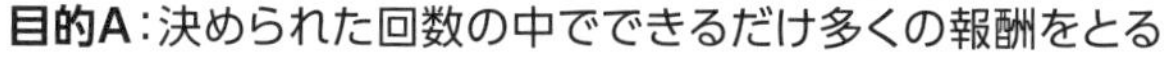

目的A：決められた回数の中でできるだけ多くの報酬をとる

目的B：各状態に対して**割引報酬和**が最大となる行動を見つける

割引報酬和 ＝ <報酬>
＋ 割引率 × <次の報酬>
＋ 割引率^2 × <次の次の報酬>
＋ ……

図7-3●強化学習の目的

この目的には回数の制限がありませんので、どんなに回数を繰り返しても、最終的に最適な行動が見つかればよしとします。Q学習は、ある条件[*2]を満たすように学習率を徐々に小さくしていくことで、この目的Bを達成できることが証明されています。

ゲームのAIプレーヤーを作るときなどは、相手と対戦しながら学習させる必要はありません。前もって時間をかけて学習させ、学習が完成したアルゴリズムで乱雑度を0にして、相手と対戦すればよいからです。お化けの飛行訓練ゲームの「乱雑度0で

[*1] それ以外に報酬和を回数で割った平均報酬という指標もありますが、ここでは説明を省略します。

[*2] 学習率を徐々に小さくしていくことを想定し、（1）学習率の無限回までの和が無限であること、（2）学習率の2乗の無限回までの総和が有限であること、という数学的な条件になります。詳しくはウィキペディア「Q学習」（https://ja.wikipedia.org/wiki/Q学習）などを参照してください。

強化学習を再プレイ」の状況と同じですね。このような応用であれば目的Bが達成できるアルゴリズムで十分です。また、得られた行動が最適ではなかったとしても、ある程度の報酬が見込める行動を出力できるのであれば、その応用はたくさんあるでしょう。

ちなみに目的Bの場合、**割引率**は、目的である割引報酬和を決めるパラメータであるので、問題設定側のパラメータということになります。

7-3 Q学習

それでは、L2-Q学習とL3-Q学習を統合したQ学習のアルゴリズムの説明です。ここでは、目的Bを想定し、アルゴリズムの目的は、割引報酬和が最大となる行動を各状態で選べるようにすることとします。そして、割引率は0.9などとすでに決まっているものとします。

7-3-1 初期化

報酬予測Qを、各状態の各行動に対して準備し、初期値をセットします。初期値自体も実はパラメータであり、初期値によって学習が収束するまでの回数や学習途中の行動選択の振る舞いも変わります。報酬予測Qは、専門的には**Q値**または**行動価値(action value)**と呼びます。

7-3-2 行動選択

今の状態のQの中で最大の値を持つ行動を選びます(**図7-4**)。ただし、**乱雑度**の確率でランダムな行動を選びます。乱雑度は行動の乱雑さを決める確率であり、プログラムを作る人が決める0から1までのパラメータです。0.1くらいの値がよく使われます。乱雑度という言い方は本書でのオリジナルであり、専門的には**ε(エプシロン)**と呼びます。そして、この行動選択の方法は、エプシロン - グリーディー法(ε - greedy法)と呼ばれています。「グリーディー」は「貪欲」という意味です。エプシロン - グリーディー法だけが行動選択の方法ではなく、ソフトマックス法と呼ばれる方法もよく使われます[*3]。

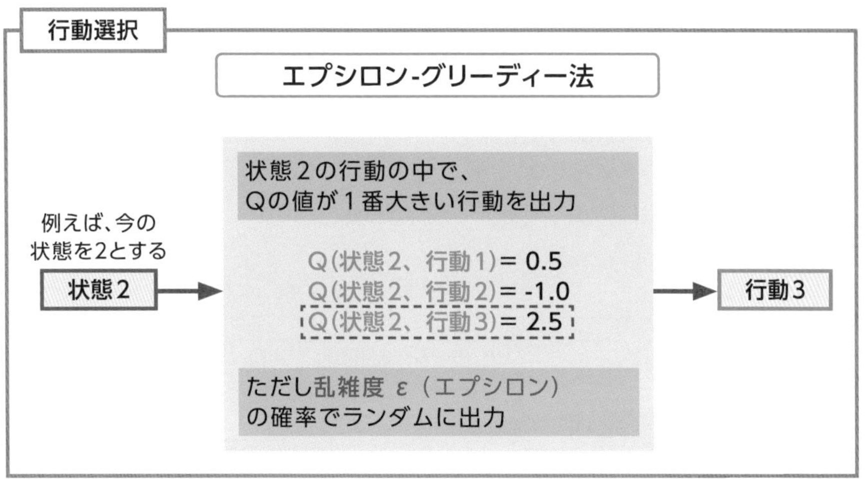

図7-4●行動選択、エプシロン-グリーディー法

7-3-3 学習

報酬予測Ｑを修正（更新とも表現します）することを学習と言います。今の状態にいるときに、前の状態で使った報酬予測Ｑを学習させます（**図7-5**）。

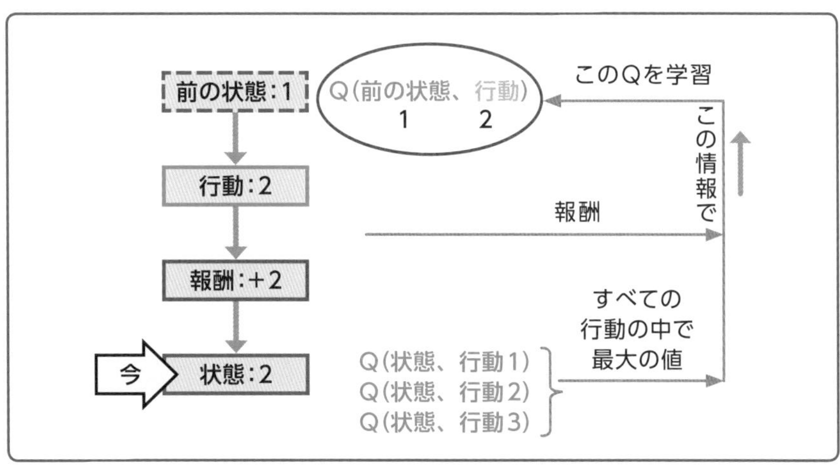

図7-5●学習のタイミング

[*3] 各行動の報酬予測の大きさにしたがって、すべての行動の選択確率を決める方法です。エプシロン - グリーディー法では、最も報酬予測が大きい行動のみ選択確率が高く、他の行動の選択確率はすべて同じになります。詳しくはウィキペディア「Ｑ学習」(https://ja.wikipedia.org/wiki/Q学習) などを参照してください。

Qを修正するための**学習則**を**図7-6**に示しました。L3-Q学習の学習則と同じですが、今が最終状態のときだけ「割引率 × 今の状態で一番大きいQ」を0にします。割引率は問題として決まっているパラメータですが、**学習率**は学習の収束の速さを決める0から1までの値をとるパラメータです。乱雑度と同様、プログラムを作る人が決める必要があります。

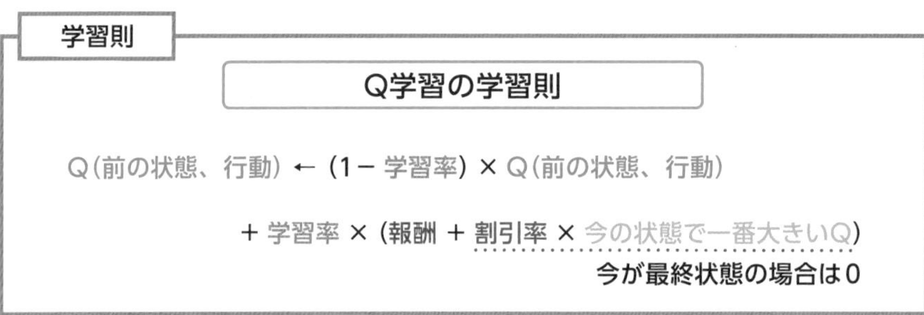

図7-6●Q学習の学習則

学習率は0.1くらいの値が使われますが、収束するまでの回数が増えても精度を高めたいのであれば、より小さい値に設定します。初めは大きめの値でスタートし、徐々に小さくしていく方法なども用いられます。状態の観察と行動を何度も何度も繰り返し、この学習を継続させることで、各状態と各行動の報酬予測Qは徐々に割引報酬和に収束します（**図7-7**）。

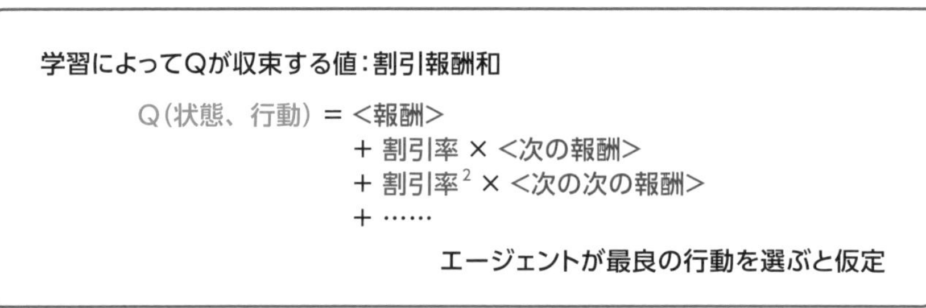

図7-7●Qが収束する値

すべての報酬予測Qが正しく収束すれば、各状態に対する最適な行動が導かれたことになります。各状態に対して報酬予測Qが最も大きい行動が最適な行動となります。

付録

付録

4、5、6章の「砂漠でダイヤ集めゲーム」、「月面でダイヤ集めゲーム」、「お化けの飛行訓練ゲーム」の処理の詳細とすべてのコードを掲載します。各プログラムのさらなる理解や改変、新しいゲーム作りなどの際の参考にしてください。なお、掲載しているコードは本書発行時のバージョン1(v01)です。

付録A 「砂漠でダイヤ集めゲーム」のコード

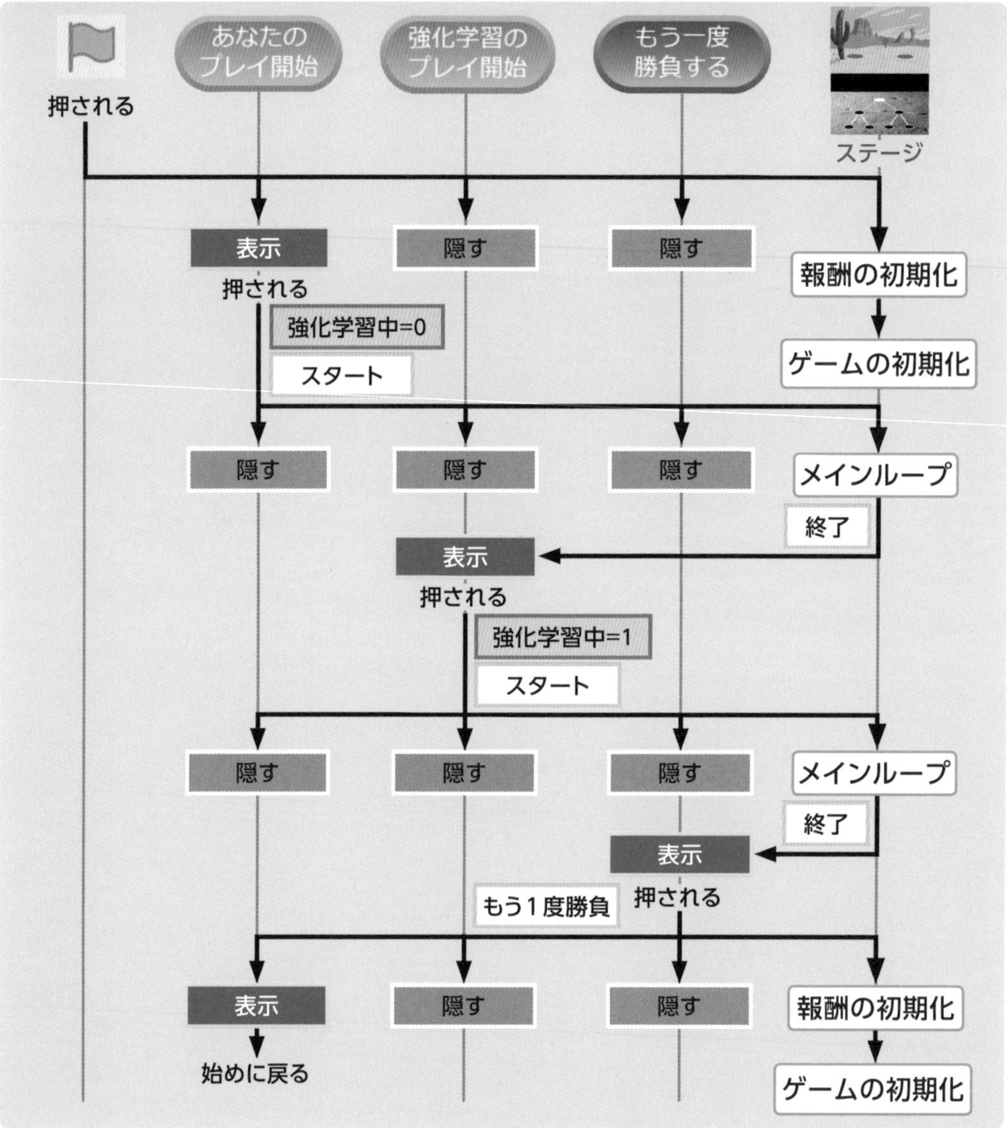

図A-1●「砂漠でダイヤ集めゲーム」と「月面でダイヤ集めゲーム」の処理の流れ（処理の流れは両ゲームとも同じ）

ステージ

名前	背景
Desert	

スプライト

名前	元の名前	コスチューム
あなたのプレイ開始	Button2	あなたのプレイ開始
強化学習のプレイ開始	Button2	強化学習のプレイ開始
左	Button1	左
右	Button1	右
もう一度勝負	Button2	もう一度勝負する
フランク君	Frank	frank-a  frank-c  frank-d 
ダイヤ	Crystal	
スタート表示	オリジナル	スタート
終了表示	オリジナル	終了

図 A-2●ステージとスプライト

付録

図A-3●変数とメッセージ

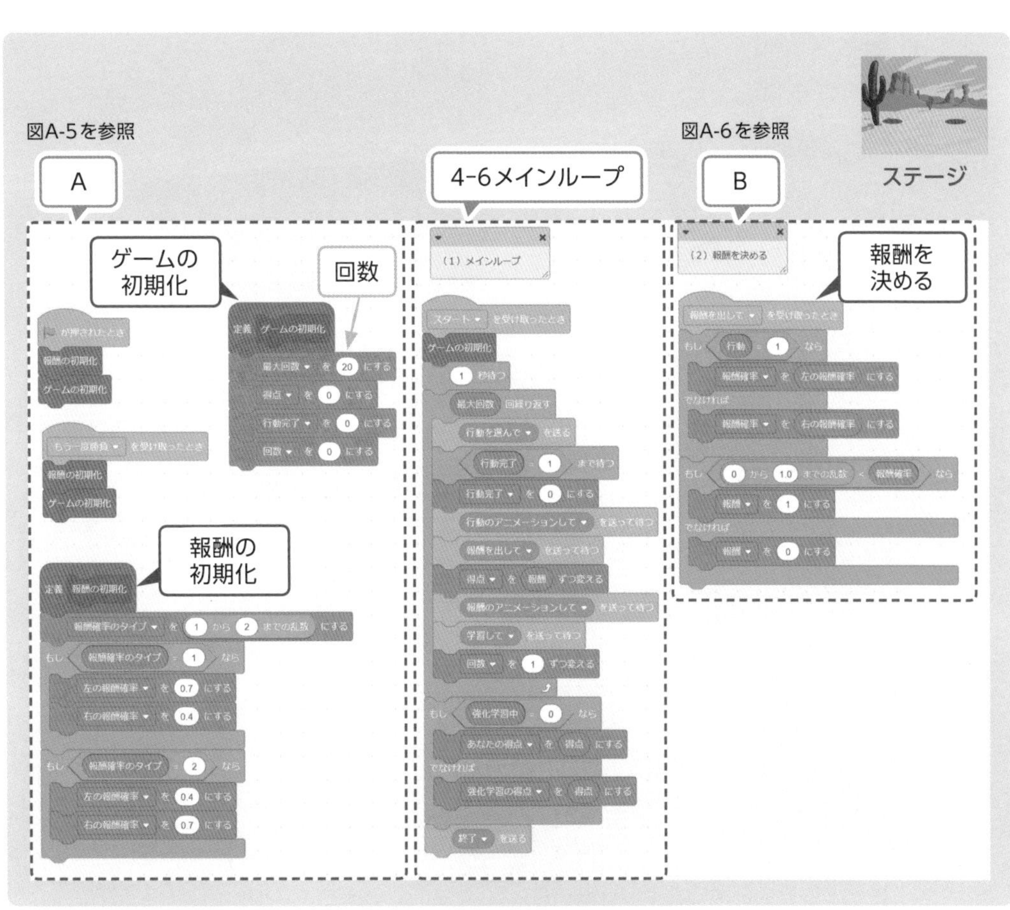

図A-4●ステージの全コード

付録

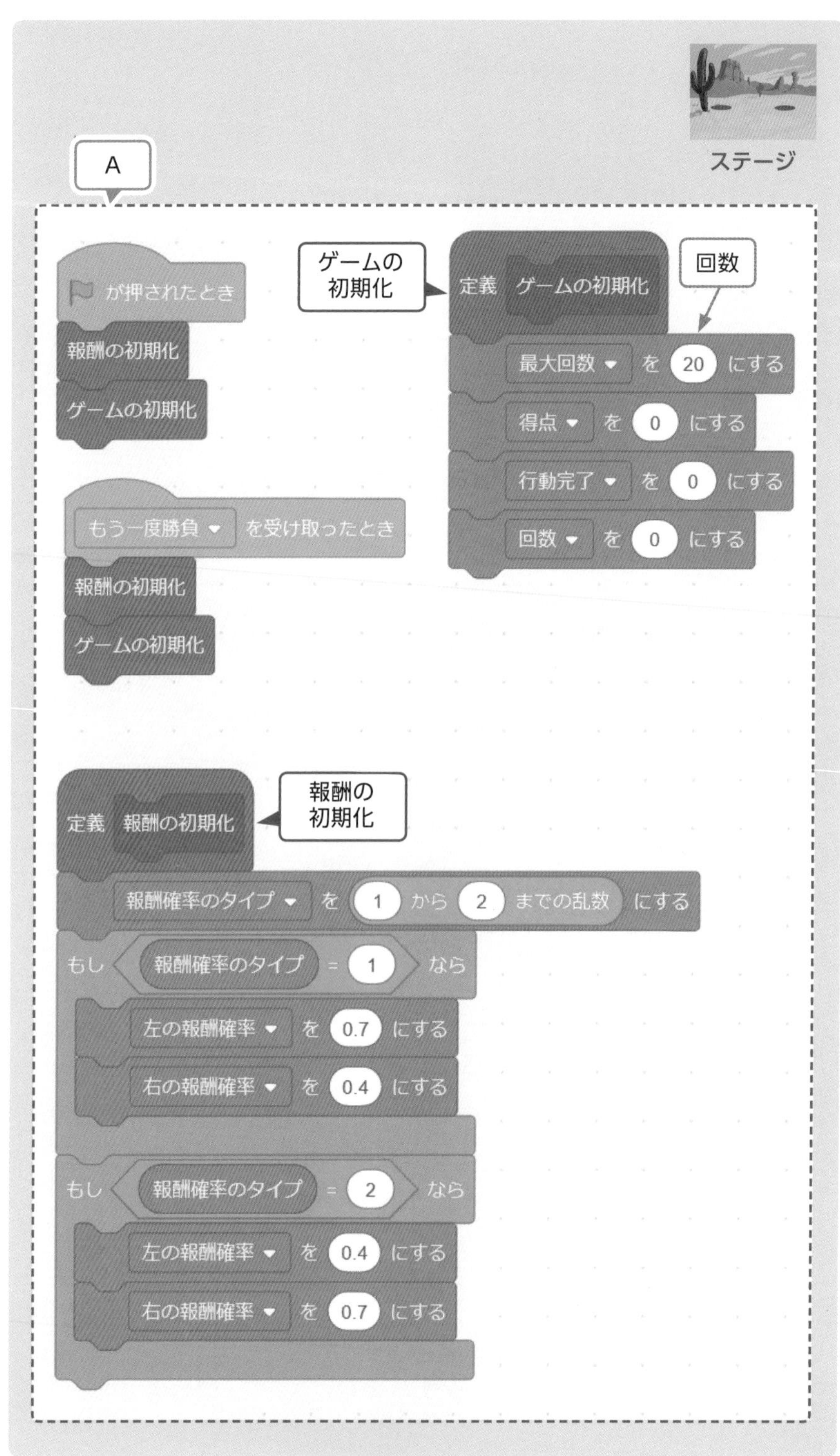
ステージ
A
が押されたとき
報酬の初期化
ゲームの初期化
ゲームの初期化
定義 ゲームの初期化
回数
最大回数 を 20 にする
得点 を 0 にする
行動完了 を 0 にする
回数 を 0 にする
もう一度勝負 を受け取ったとき
報酬の初期化
ゲームの初期化
定義 報酬の初期化
報酬の初期化
報酬確率のタイプ を 1 から 2 までの乱数 にする
もし 報酬確率のタイプ = 1 なら
左の報酬確率 を 0.7 にする
右の報酬確率 を 0.4 にする
もし 報酬確率のタイプ = 2 なら
左の報酬確率 を 0.4 にする
右の報酬確率 を 0.7 にする
図A-5●ステージのA

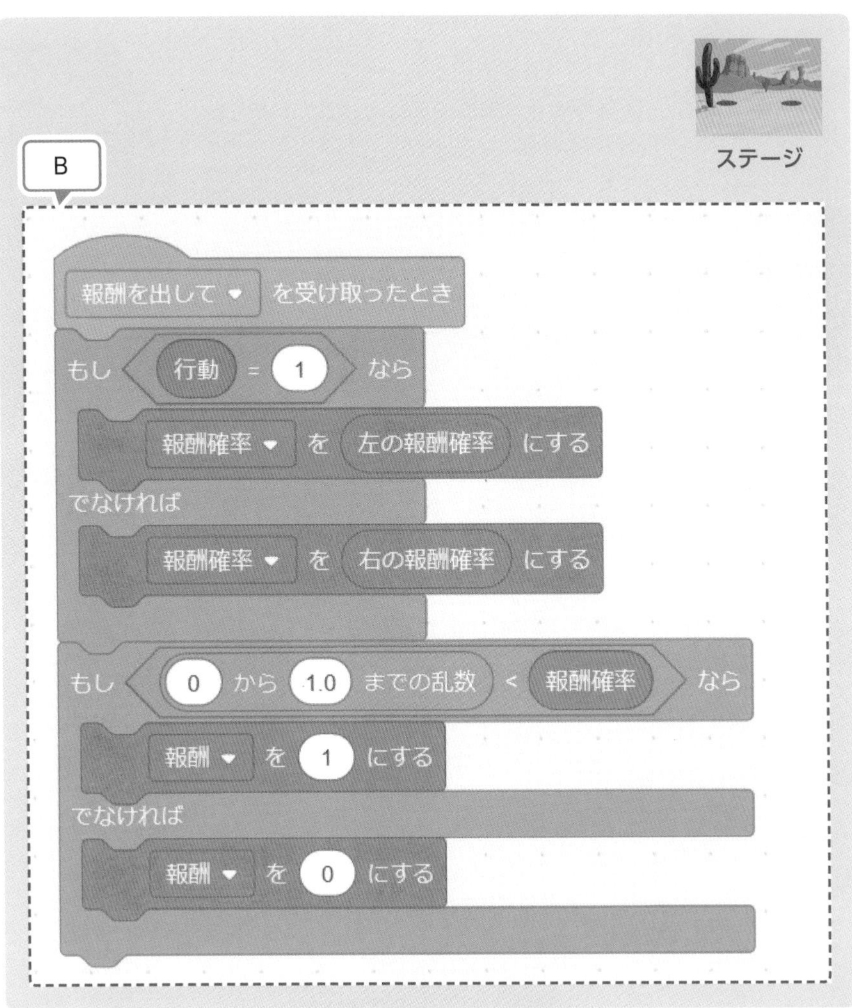

図 A-6 ●ステージの B

付録

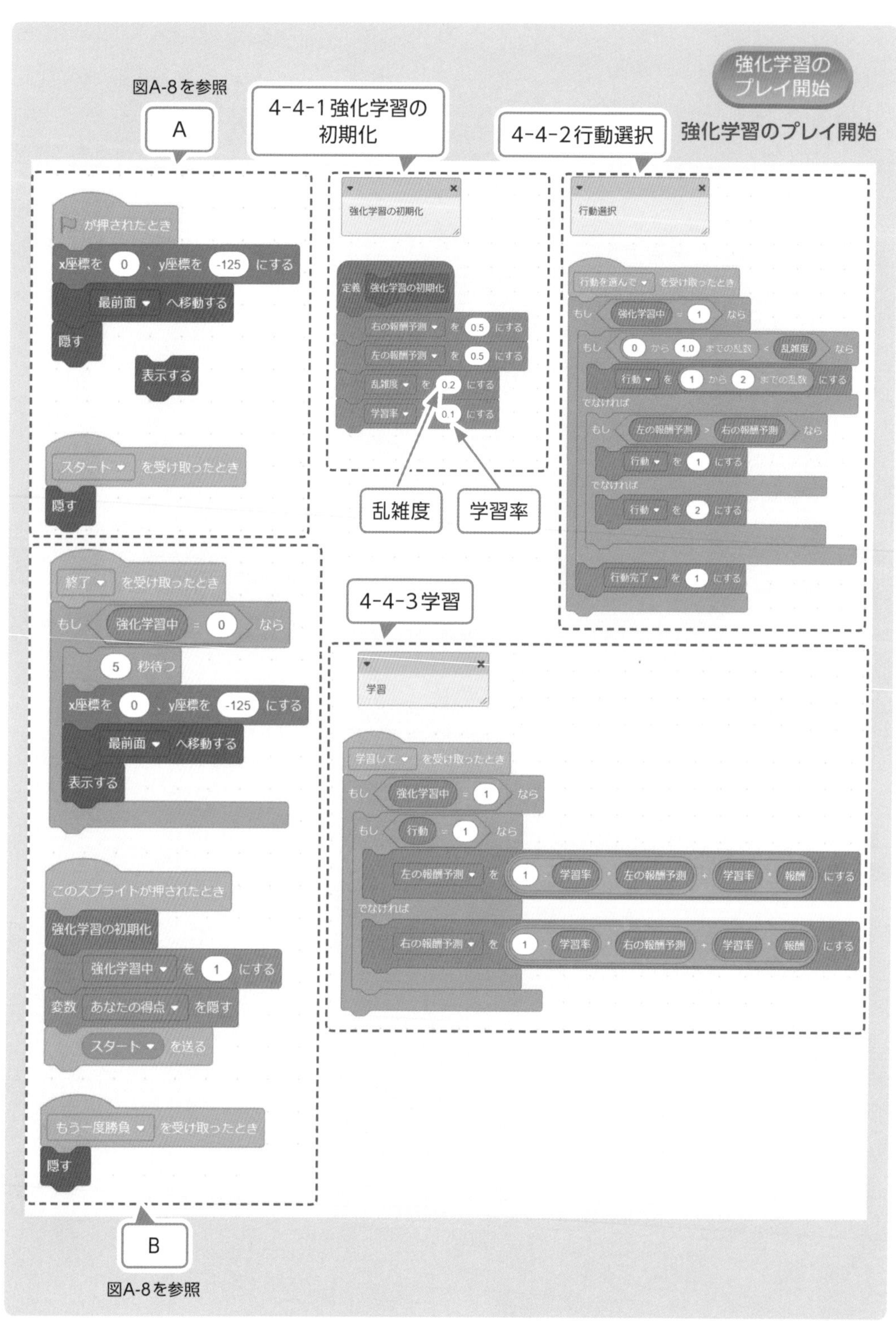

図A-7●「強化学習のプレイ開始」の全コード

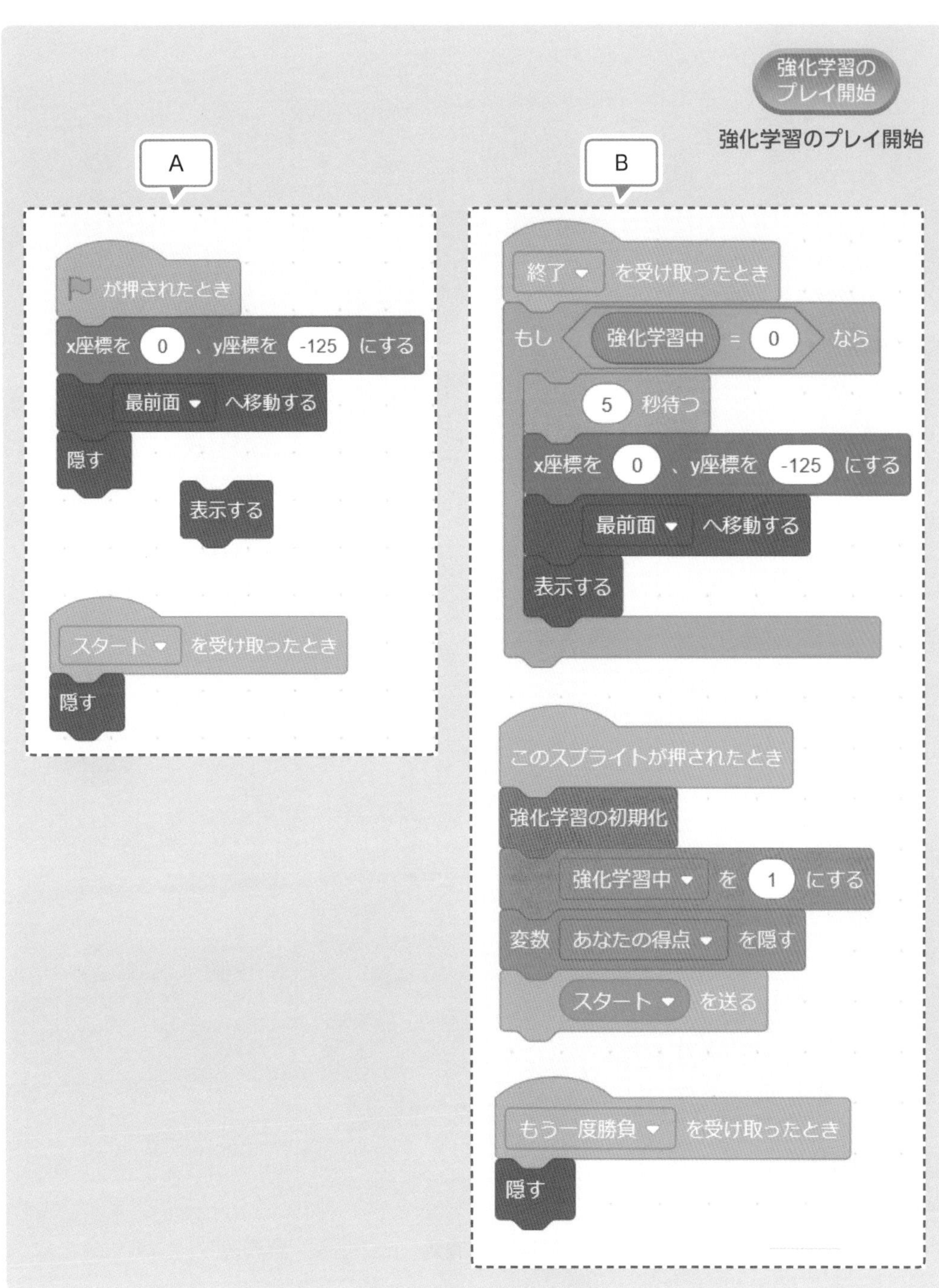

図A-8●「強化学習のプレイ開始」のAとB

付録

図 A-9●「あなたのプレイ開始」と「もう一度勝負」

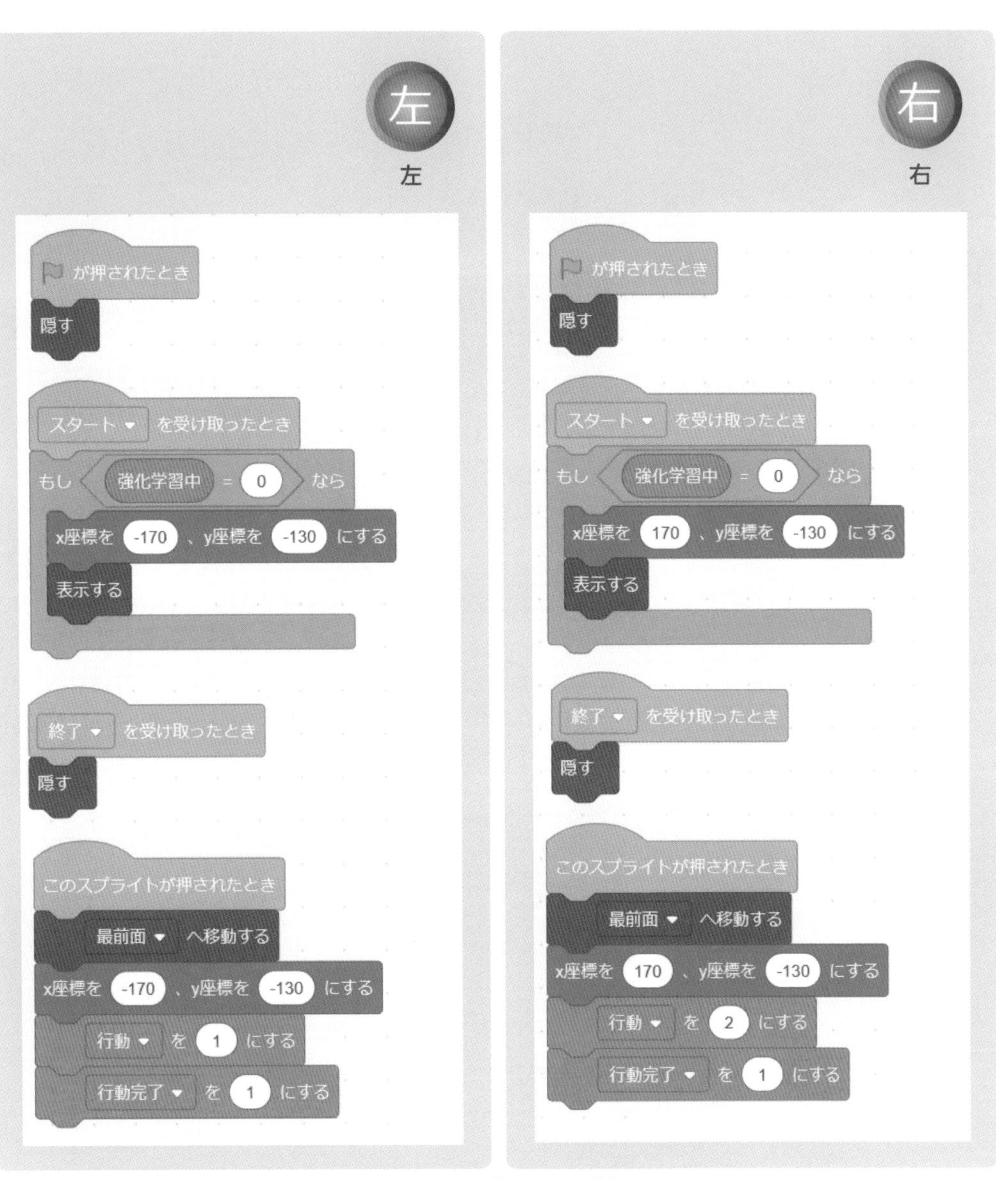

左
左
が押されたとき
隠す
スタート を受け取ったとき
もし 強化学習中 = 0 なら
x座標を -170 、y座標を -130 にする
表示する
終了 を受け取ったとき
隠す
このスプライトが押されたとき
最前面 へ移動する
x座標を -170 、y座標を -130 にする
行動 を 1 にする
行動完了 を 1 にする
右
右
が押されたとき
隠す
スタート を受け取ったとき
もし 強化学習中 = 0 なら
x座標を 170 、y座標を -130 にする
表示する
終了 を受け取ったとき
隠す
このスプライトが押されたとき
最前面 へ移動する
x座標を 170 、y座標を -130 にする
行動 を 2 にする
行動完了 を 1 にする

図A-10●「左」と「右」

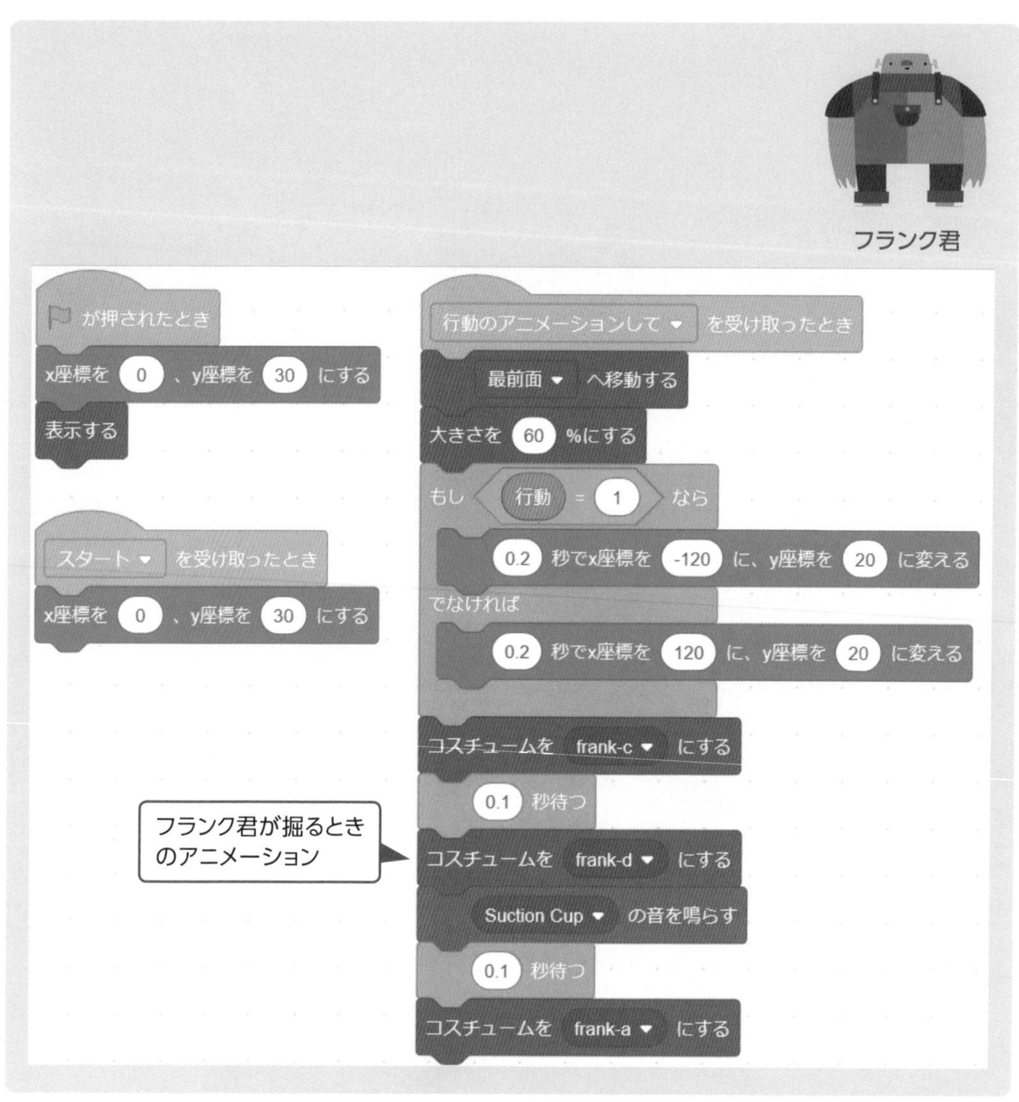

フランク君
が押されたとき
x座標を 0 、y座標を 30 にする
表示する
スタート を受け取ったとき
x座標を 0 、y座標を 30 にする
行動のアニメーションして を受け取ったとき
最前面 へ移動する
大きさを 60 %にする
もし 行動 = 1 なら
0.2 秒でx座標を -120 に、y座標を 20 に変える
でなければ
0.2 秒でx座標を 120 に、y座標を 20 に変える
コスチュームを frank-c にする
0.1 秒待つ
コスチュームを frank-d にする
Suction Cup の音を鳴らす
0.1 秒待つ
コスチュームを frank-a にする
フランク君が掘るときのアニメーション

図A-11●「フランク君」

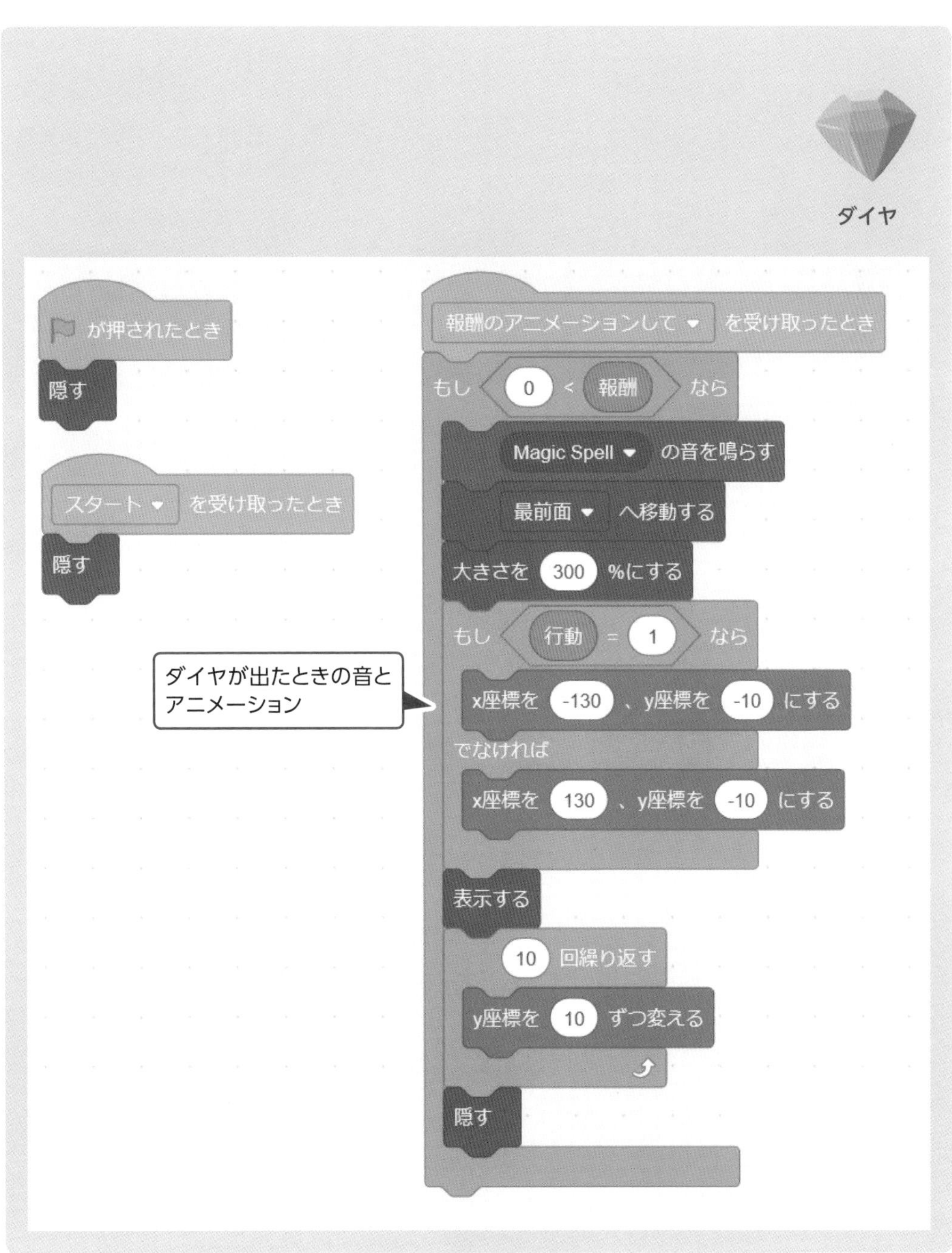
ダイヤ
が押されたとき
隠す
スタート
を受け取ったとき
隠す
報酬のアニメーションして
を受け取ったとき
もし
0
<
報酬
なら
Magic Spell
の音を鳴らす
最前面
へ移動する
大きさを
300
%にする
もし
行動
=
1
なら
x座標を
-130
、y座標を
-10
にする
でなければ
x座標を
130
、y座標を
-10
にする
表示する
10
回繰り返す
y座標を
10
ずつ変える
隠す
ダイヤが出たときの音とアニメーション

図A-12●「ダイヤ」

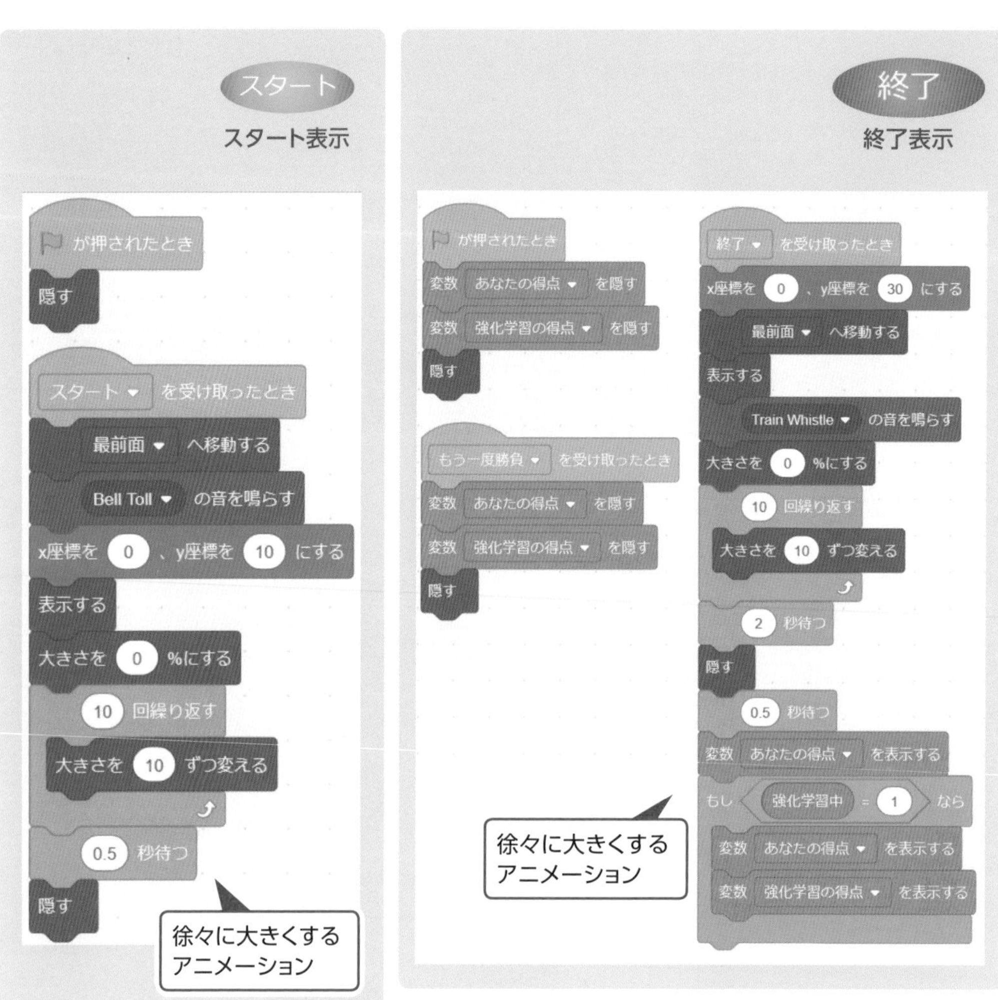

図A-13●「スタート表示」と「終了表示」

付録B 「月面でダイヤ集めゲーム」のコード

処理の流れは、「砂漠でダイヤ集めゲーム」と同じです。**図A-1**をご覧ください。

ステージ

名前	背景
Moon	

スプライト

名前	元の名前	コスチューム
あなたのプレイ開始	Button2	あなたの プレイ開始
強化学習のプレイ開始	Button2	強化学習の プレイ開始
左	Button1	左 コードは「砂漠」と同じ
右	Button1	右 コードは「砂漠」と同じ
もう一度勝負	Button2	もう一度 勝負する コードは「砂漠」と同じ
フランク君	Frank	frank-a frank-c frank-d
ダイヤ	Crystal	
スタート表示	オリジナル	スタート コードは「砂漠」と同じ
終了表示	オリジナル	終了 コードは「砂漠」と同じ

図B-1●ステージとスプライト

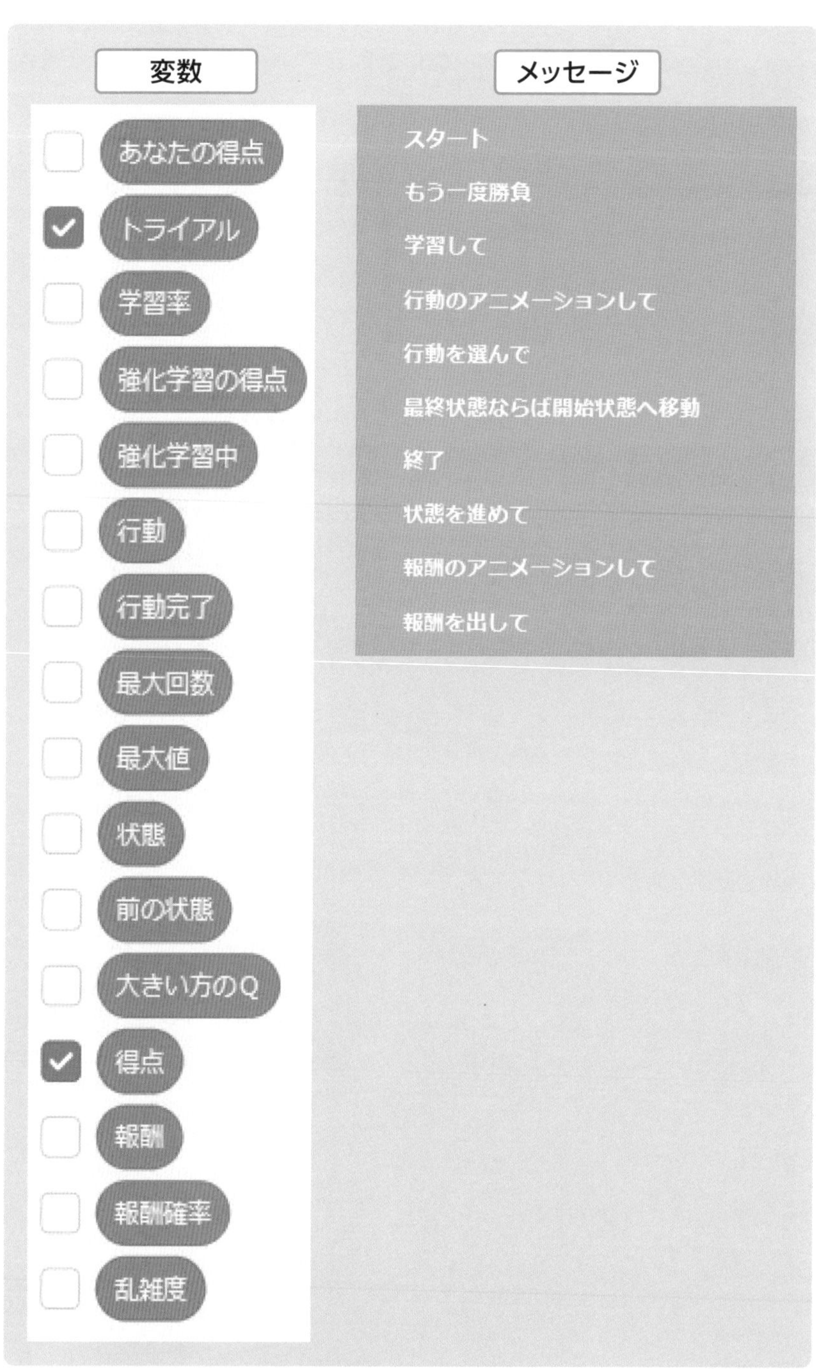

図B-2●変数とメッセージ

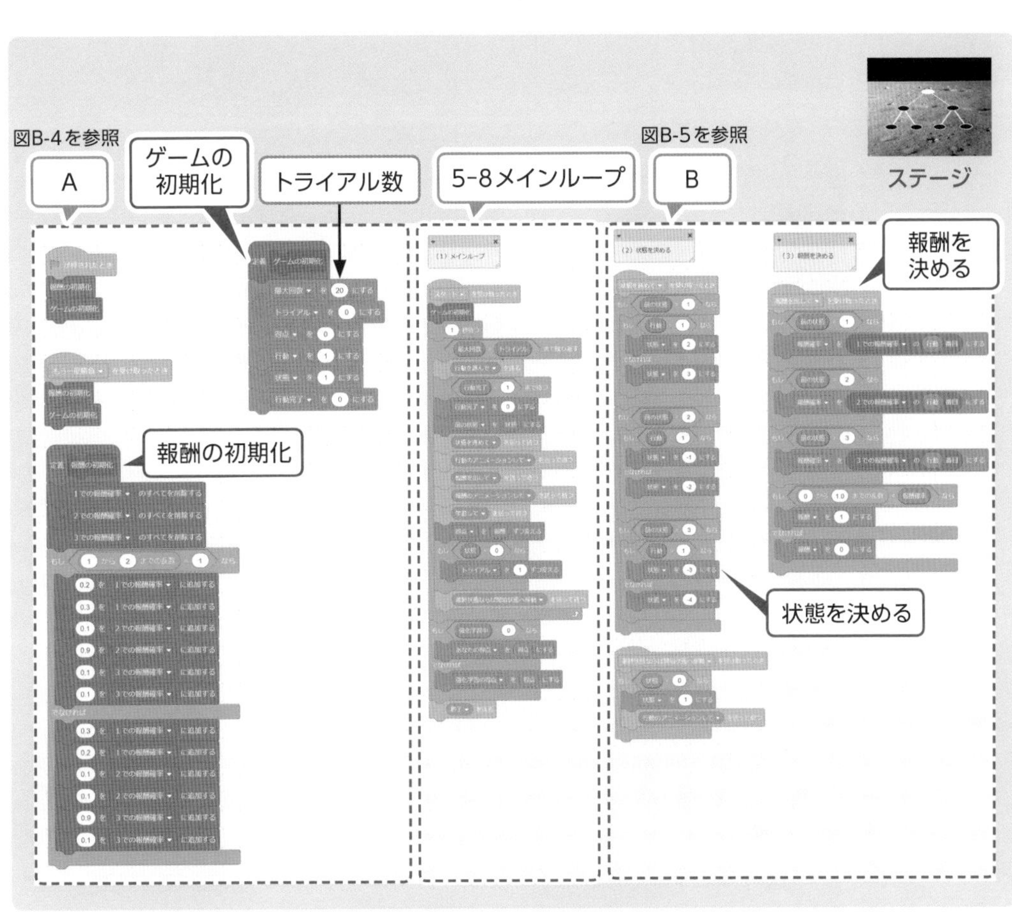

図B-3●ステージの全コード

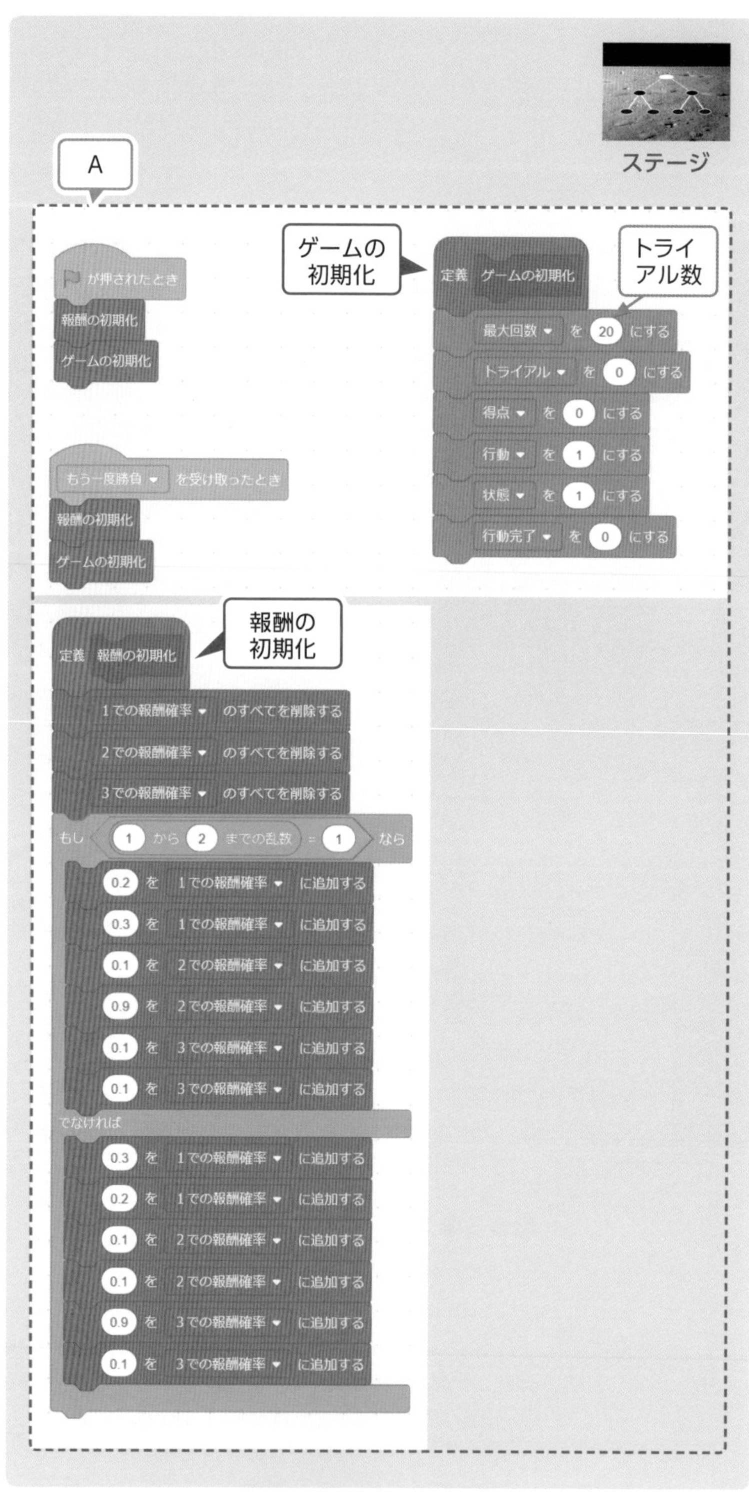
ステージ
A
が押されたとき
報酬の初期化
ゲームの初期化
もう一度勝負 を受け取ったとき
報酬の初期化
ゲームの初期化
ゲームの
初期化
定義 ゲームの初期化
トライ
アル数
最大回数 を 20 にする
トライアル を 0 にする
得点 を 0 にする
行動 を 1 にする
状態 を 1 にする
行動完了 を 0 にする
定義 報酬の初期化
報酬の
初期化
1での報酬確率 のすべてを削除する
2での報酬確率 のすべてを削除する
3での報酬確率 のすべてを削除する
もし 1 から 2 までの乱数 = 1 なら
0.2 を 1での報酬確率 に追加する
0.3 を 1での報酬確率 に追加する
0.1 を 2での報酬確率 に追加する
0.9 を 2での報酬確率 に追加する
0.1 を 3での報酬確率 に追加する
0.1 を 3での報酬確率 に追加する
でなければ
0.3 を 1での報酬確率 に追加する
0.2 を 1での報酬確率 に追加する
0.1 を 2での報酬確率 に追加する
0.1 を 2での報酬確率 に追加する
0.9 を 3での報酬確率 に追加する
0.1 を 3での報酬確率 に追加する

図B-4●ステージのA

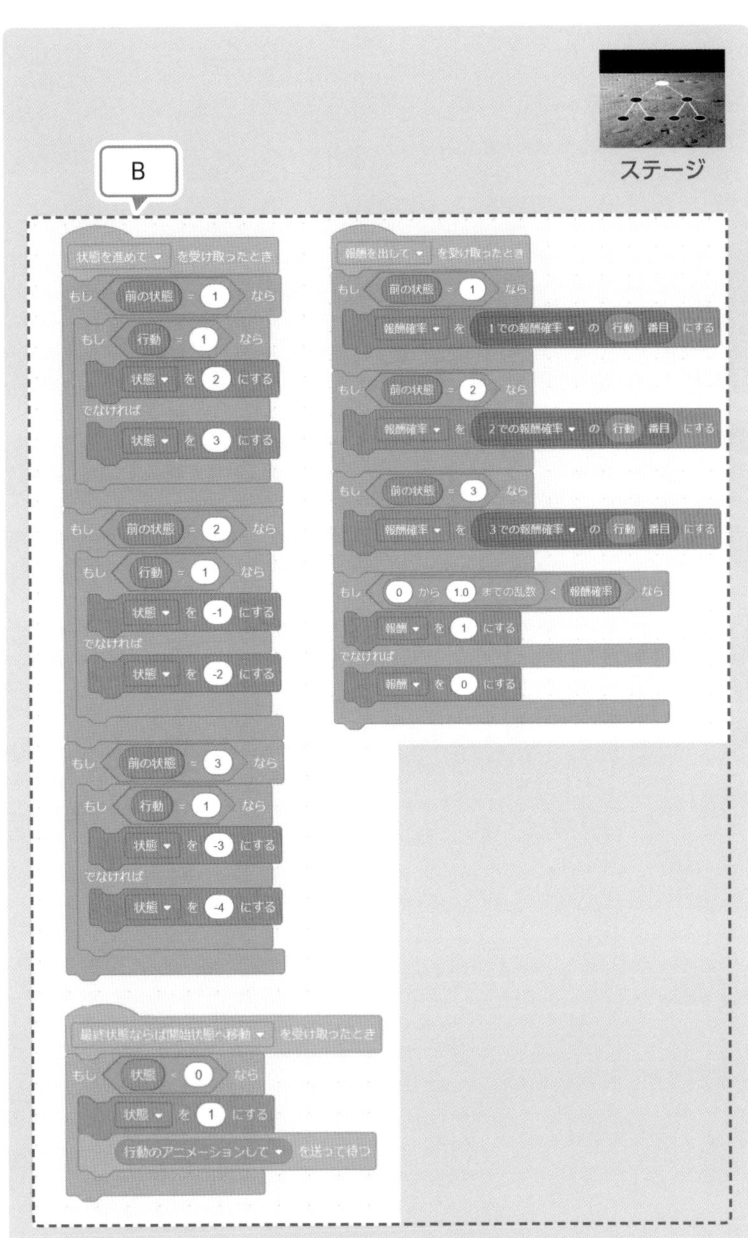

図B-5●ステージのB

付録

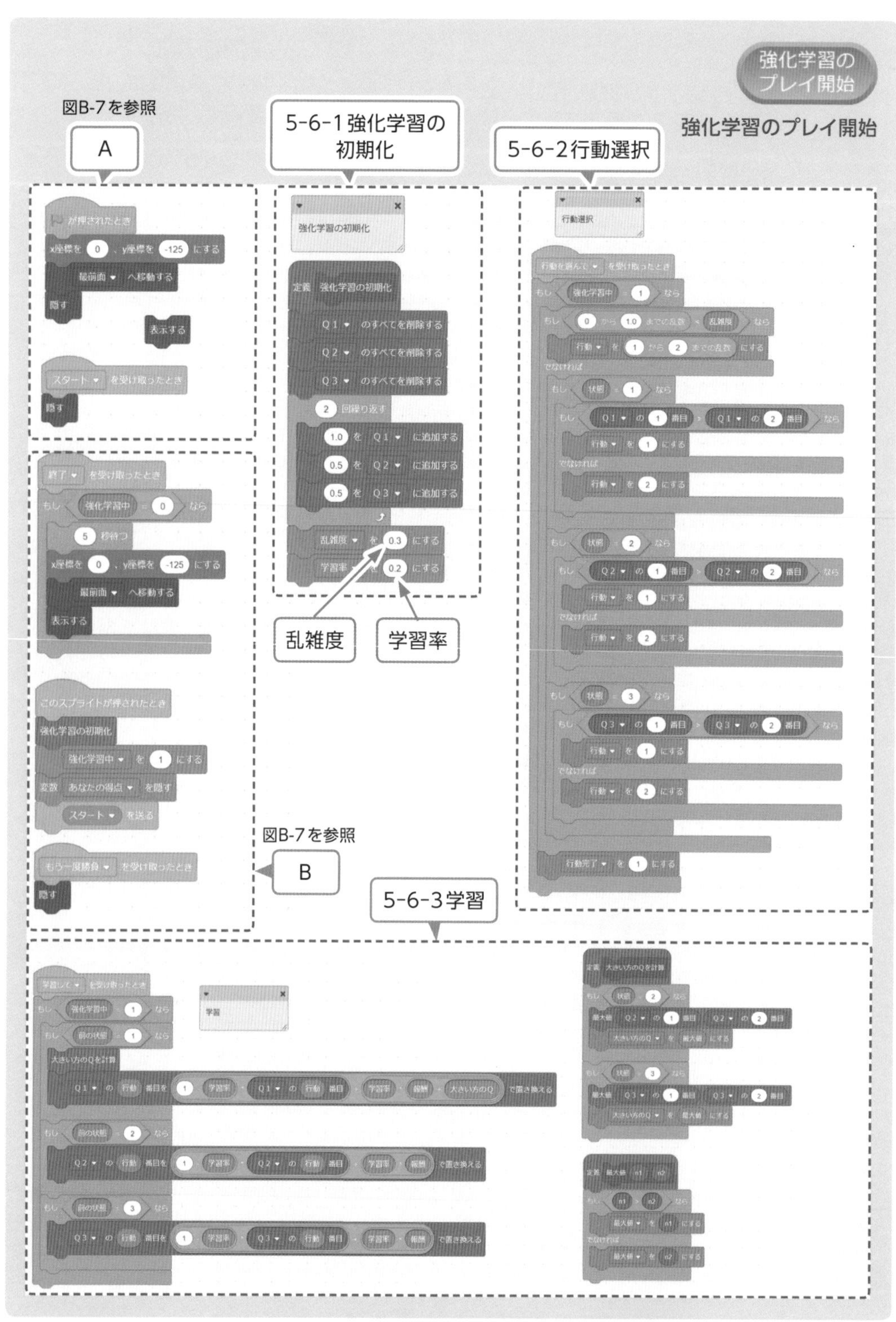

図B-6●「強化学習のプレイ開始」の全コード

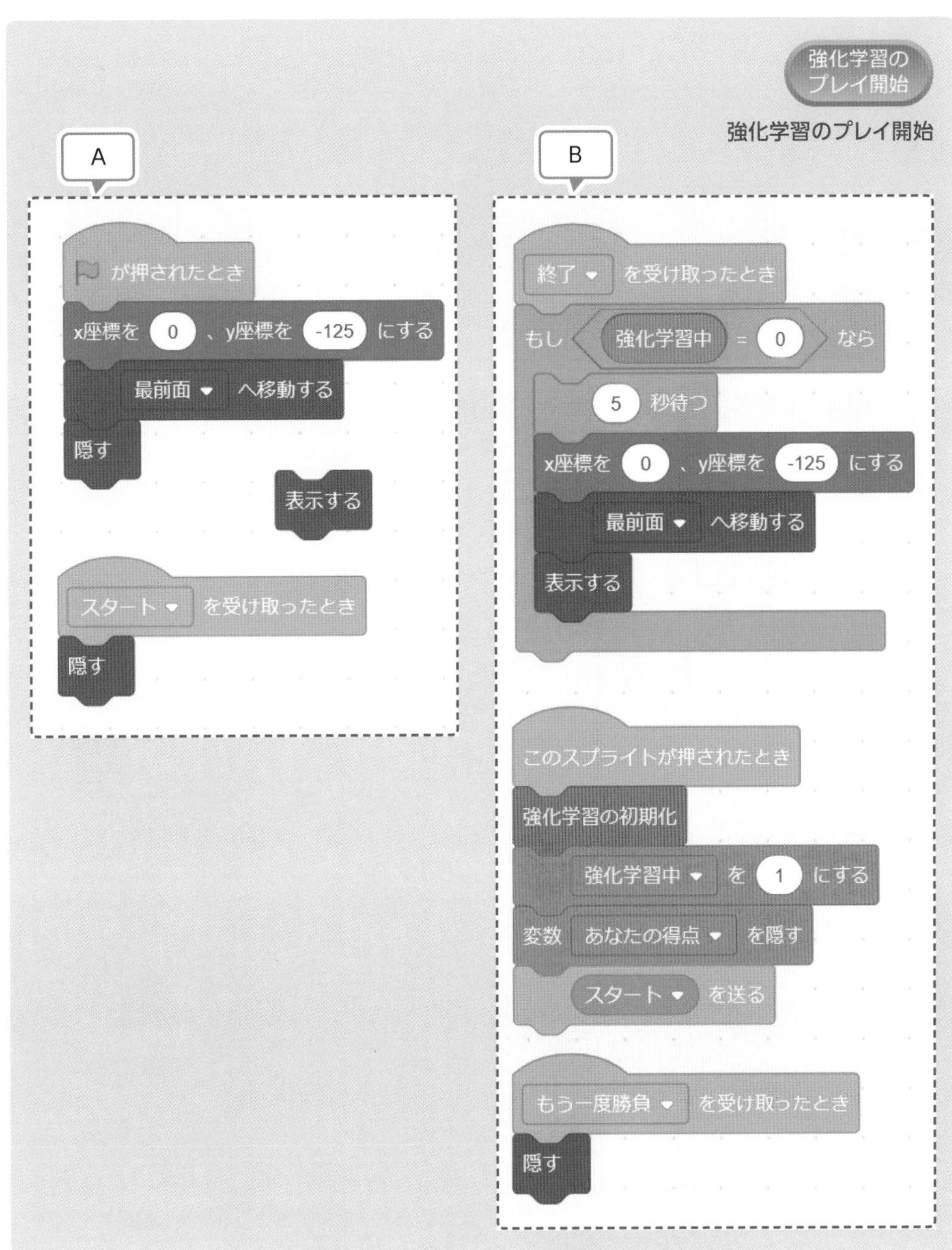

図B-7●「強化学習のプレイ開始」のAとB

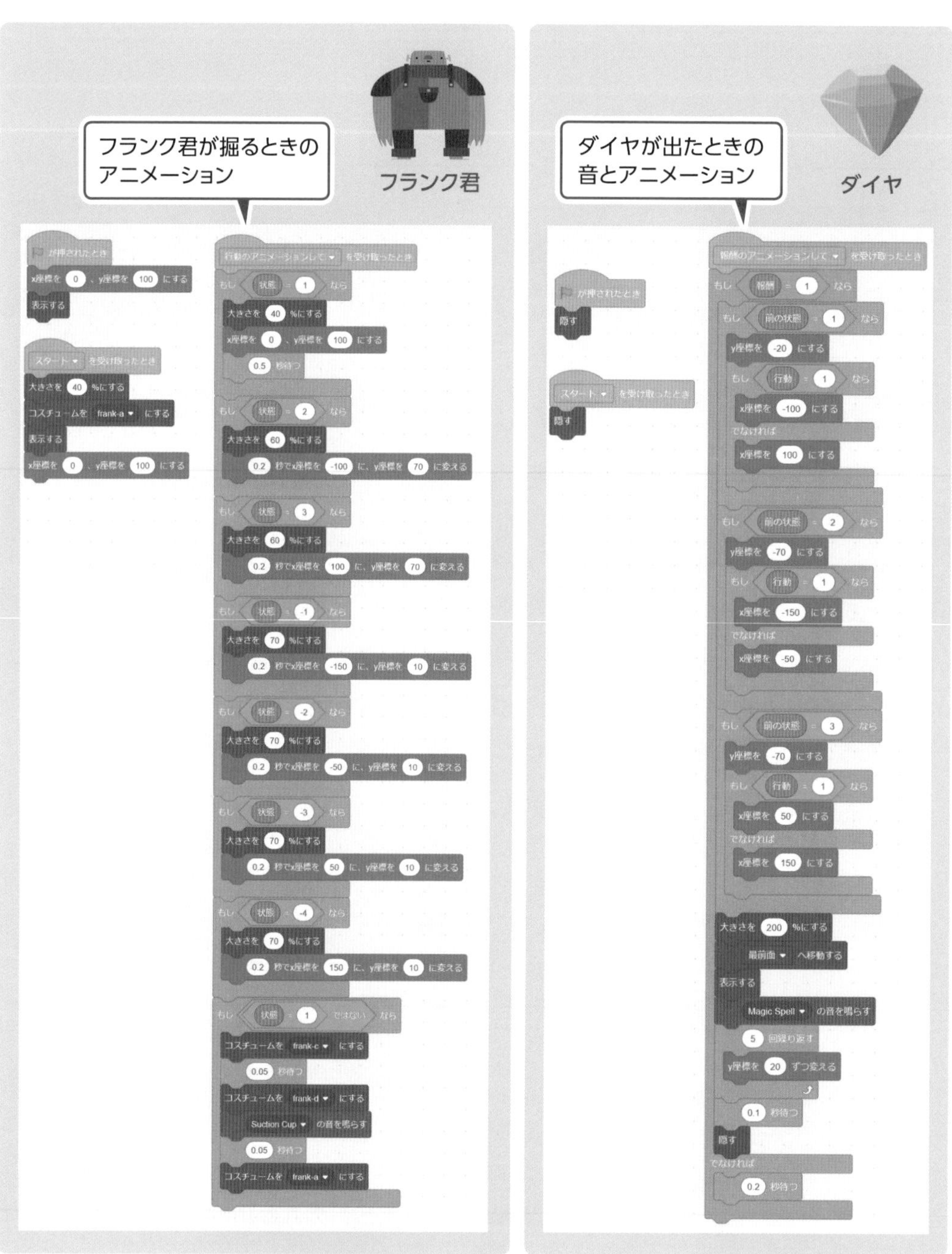

図B-8●「フランク君」と「ダイヤ」

付録C 「お化けの飛行訓練ゲーム」のコード

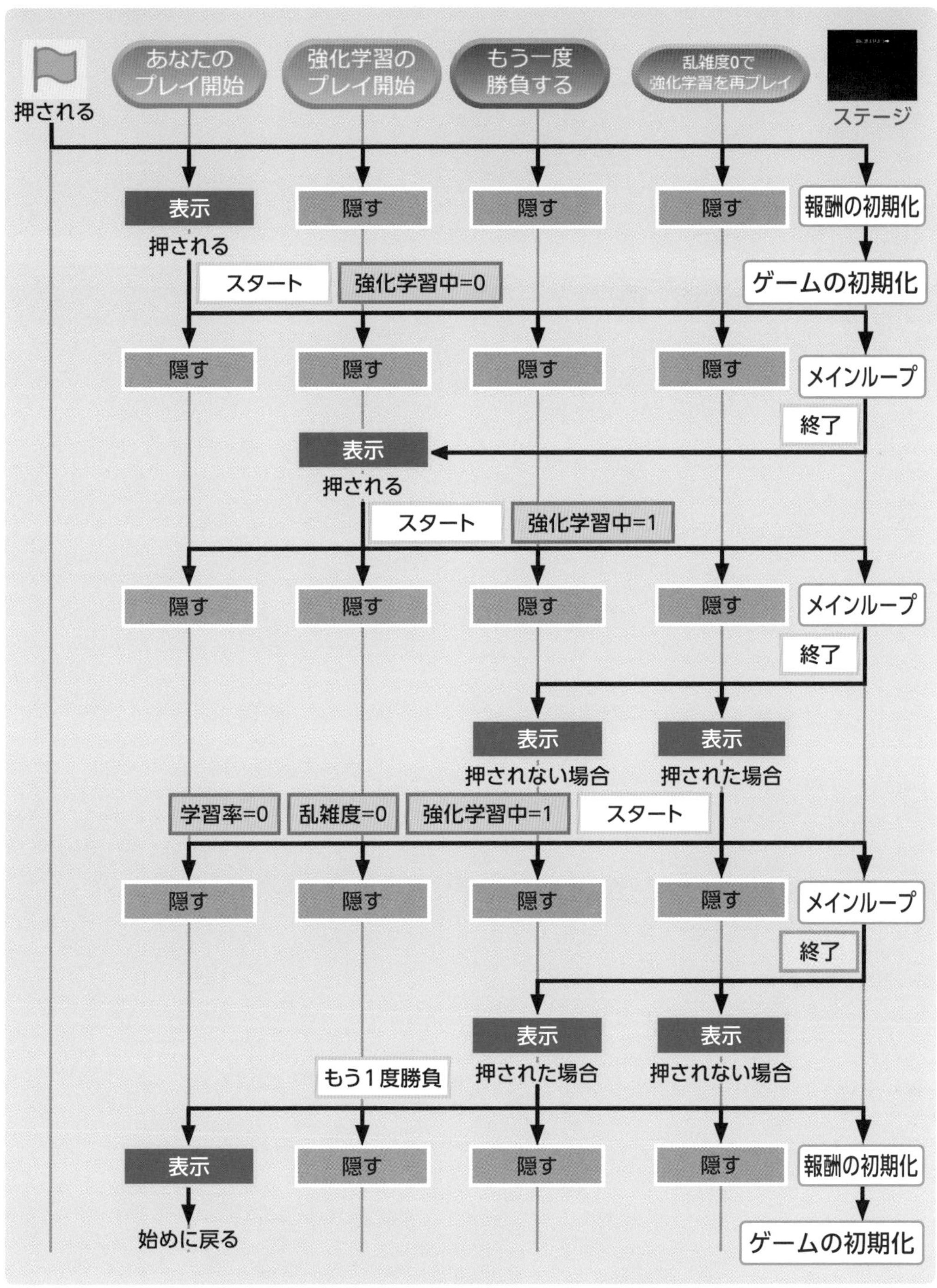

図C-1●「お化けの飛行訓練ゲーム」の処理の流れ

付録

ステージ

名前	背景
Stars	前に進ませよう➡

スプライト

名前	元の名前	コスチューム
あなたのプレイ開始	Button2	あなたのプレイ開始 / コードは「砂漠」と同じ
強化学習のプレイ開始	Button2	強化学習のプレイ開始
ポーズ1	Button1	button1: 1 / button2: 1
ポーズ2	Button1	2 / 2
ポーズ3	Button1	3 / 3
ポーズ4	Button1	4 / 4
もう一度勝負	Button2	もう一度勝負する
お化け	Ghost	 ghost-a / ghost-b / ghost-c / ghost-d
スタート表示	オリジナル	スタート / コードは「砂漠」と同じ
終了表示	オリジナル	終了 / コードは「砂漠」と同じ
再プレイ	Button2	乱雑度0で強化学習を再プレイ

図C-2●ステージとスプライト

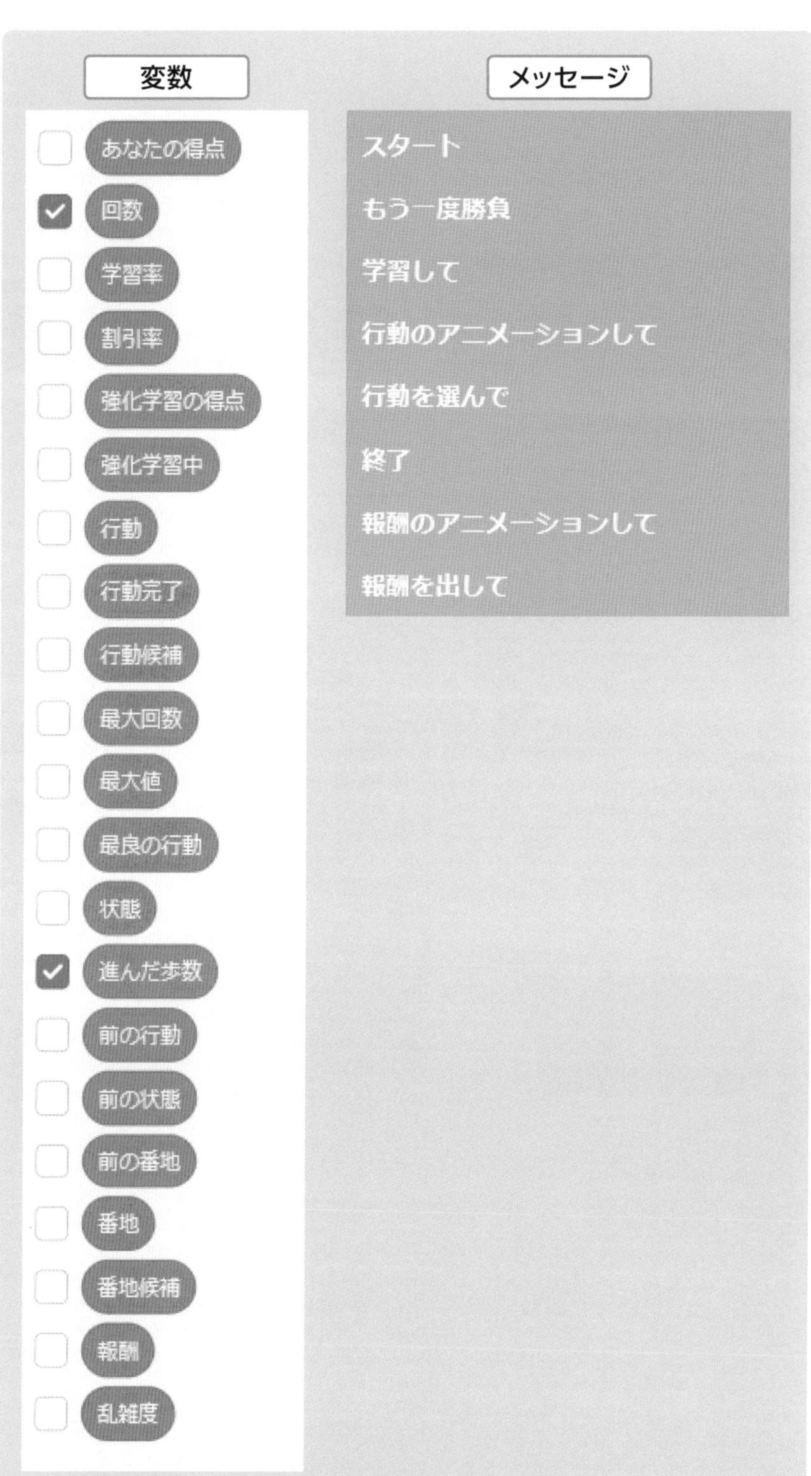

変数
メッセージ
あなたの得点
回数
学習率
割引率
強化学習の得点
強化学習中
行動
行動完了
行動候補
最大回数
最大値
最良の行動
状態
進んだ歩数
前の行動
前の状態
前の番地
番地
番地候補
報酬
乱雑度
スタート
もう一度勝負
学習して
行動のアニメーションして
行動を選んで
終了
報酬のアニメーションして
報酬を出して

図C-3●変数とメッセージ

付録

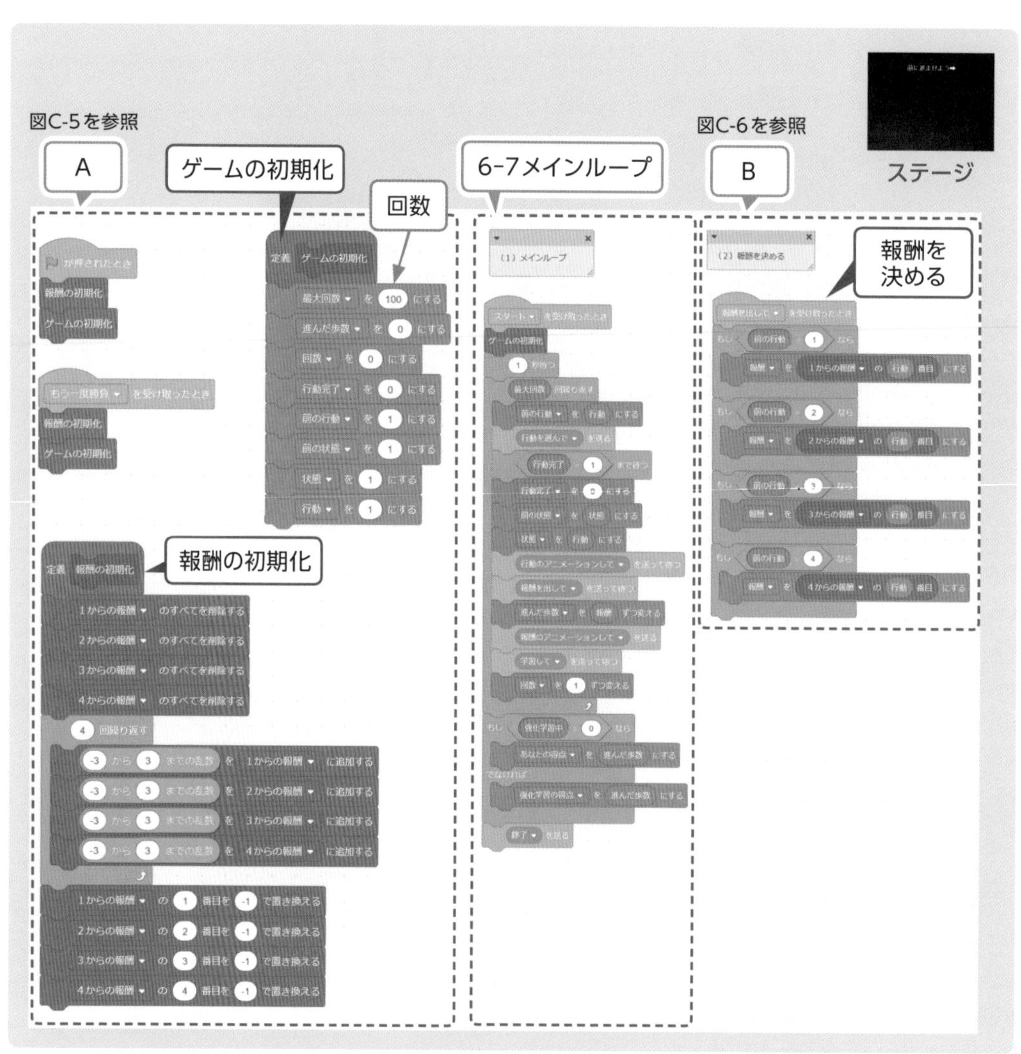

図C-4●ステージの全コード

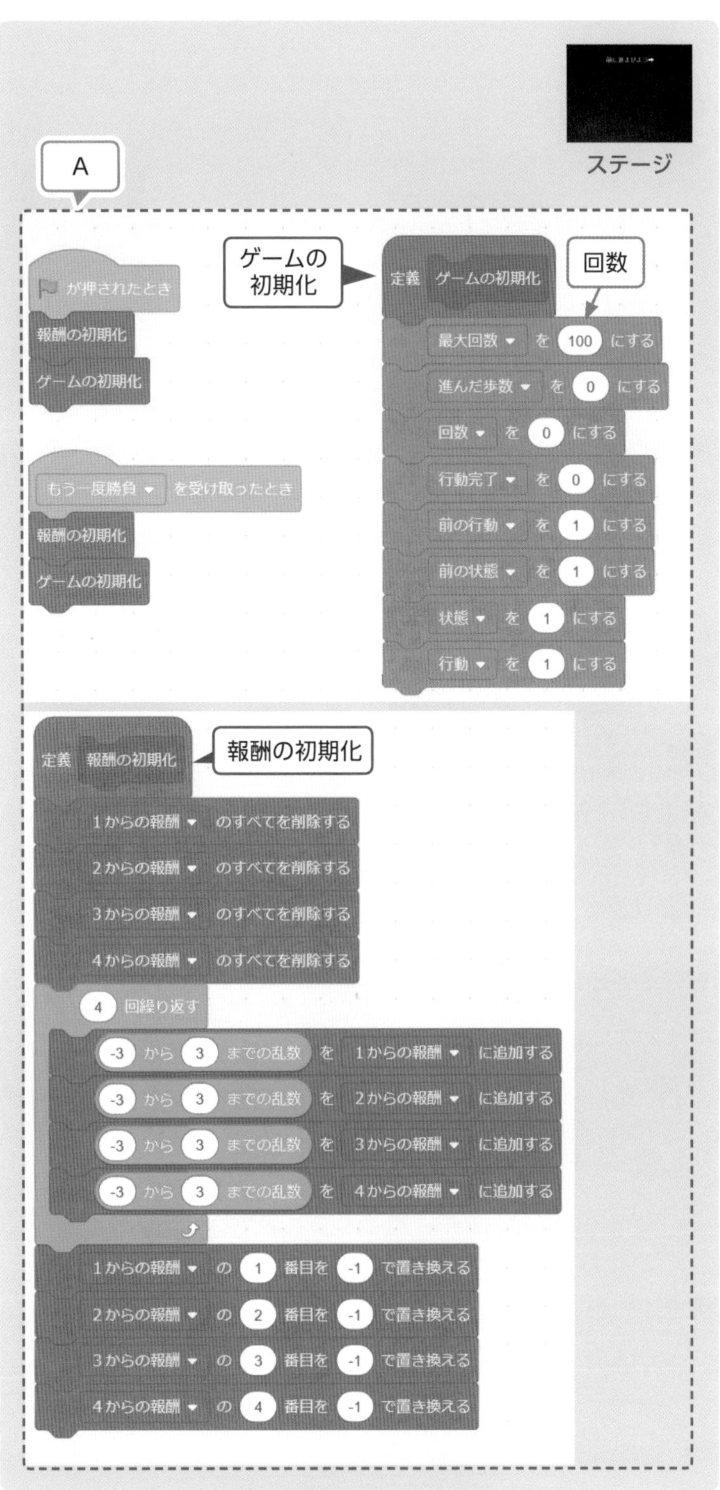

図C-5●ステージのA

付録

B
ステージ
報酬を出して を受け取ったとき
もし 前の行動 = 1 なら
報酬 を 1からの報酬 の 行動 番目 にする
もし 前の行動 = 2 なら
報酬 を 2からの報酬 の 行動 番目 にする
もし 前の行動 = 3 なら
報酬 を 3からの報酬 の 行動 番目 にする
もし 前の行動 = 4 なら
報酬 を 4からの報酬 の 行動 番目 にする

図C-6●ステージのB

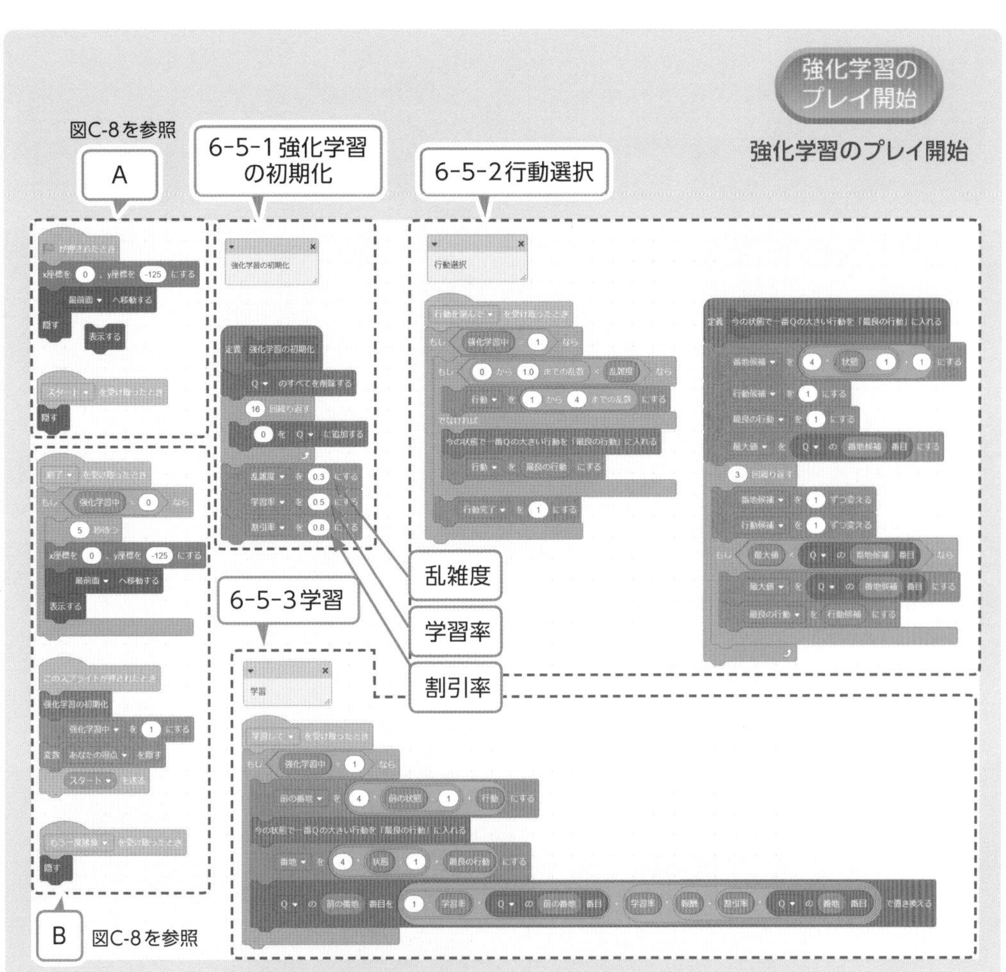

図C-7●「強化学習のプレイ開始」の全コード

付録

図C-8●「強化学習のプレイ開始」のAとB

ポーズ1

```
［旗］が押されたとき
隠す

［終了▼］を受け取ったとき
隠す

［スタート▼］を受け取ったとき
x座標を（-180）、y座標を（-130）にする
コスチュームを［button1▼］にする
表示する

このスプライトが押されたとき
［最前面▼］へ移動する
x座標を（-180）、y座標を（-130）にする
［行動▼］を（1）にする
［行動完了▼］を（1）にする

［行動のアニメーションして▼］を受け取ったとき
もし〈（行動）=（1）〉なら
  コスチュームを［button2▼］にする
  （0.1）秒待つ
  コスチュームを［button1▼］にする
```

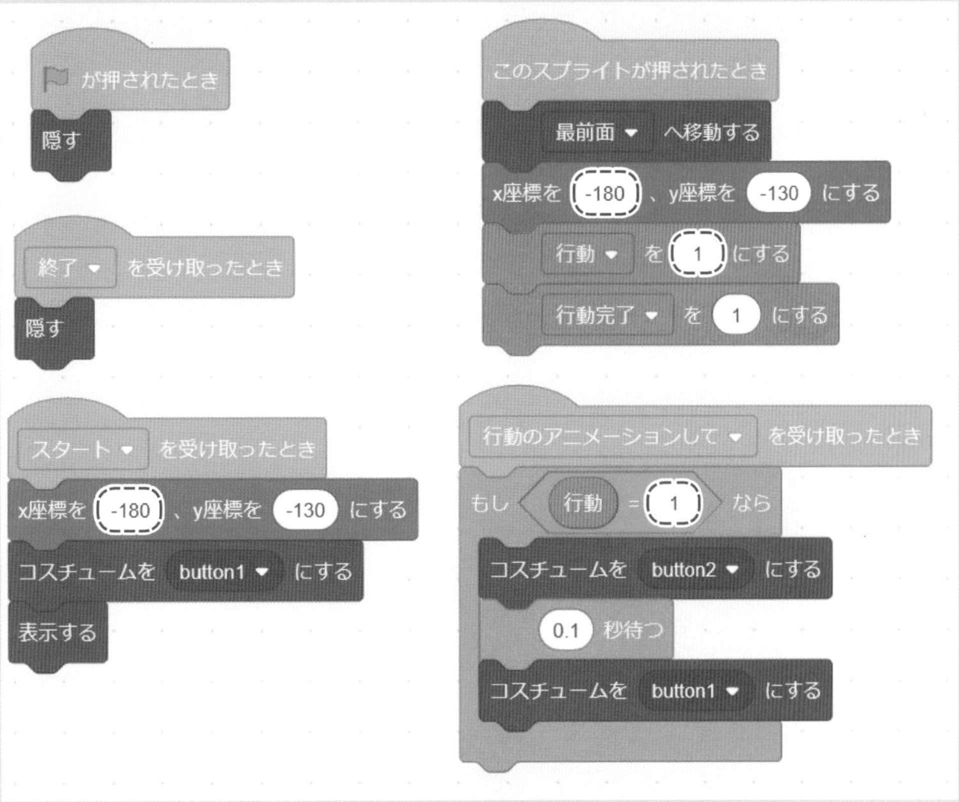

ポーズ2、3、4は［ ］と［ ］の数値が以下のように変わる

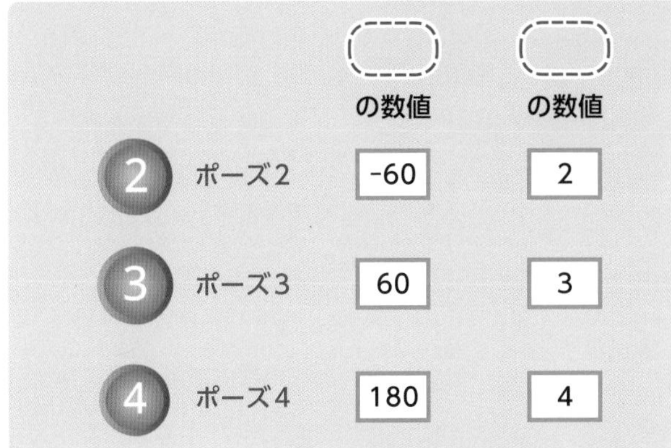

		の数値	の数値
2	ポーズ2	-60	2
3	ポーズ3	60	3
4	ポーズ4	180	4

図C-9●「ポーズ1」、「同2」、「同3」、「同4」

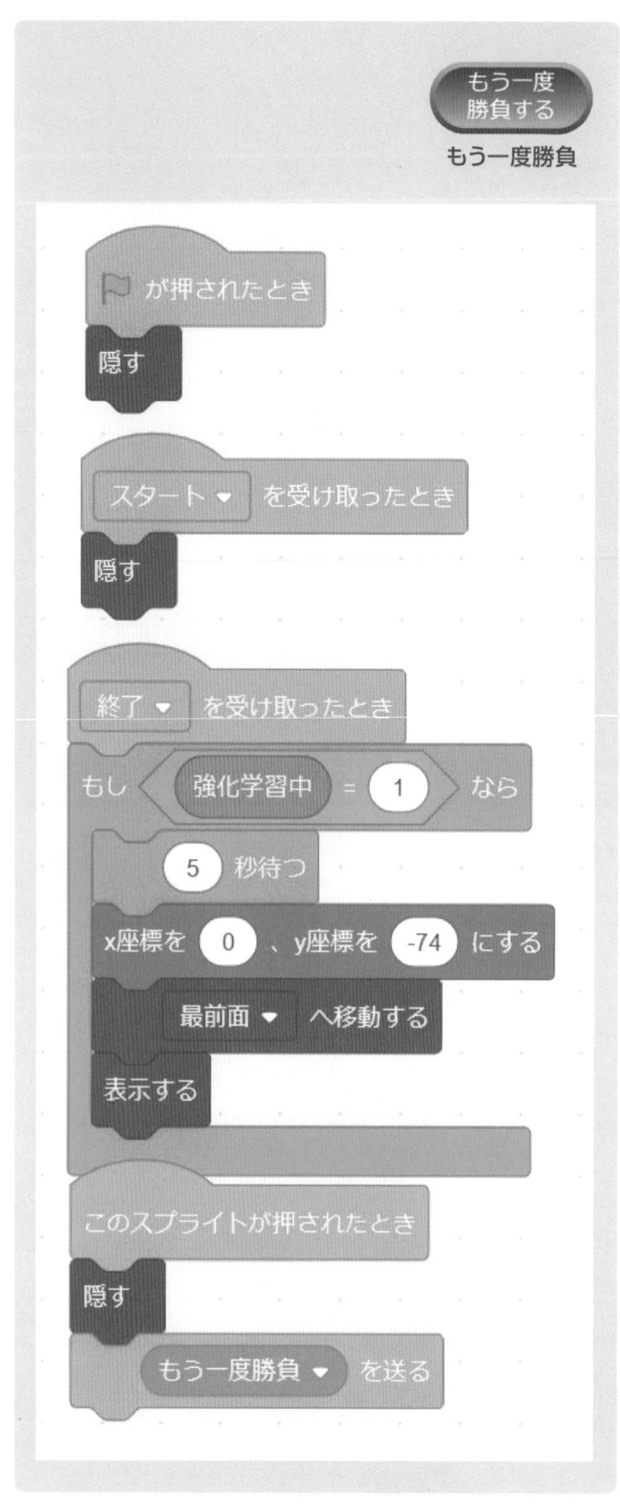
もう一度
勝負する
もう一度勝負
が押されたとき
隠す
スタート
を受け取ったとき
隠す
終了
を受け取ったとき
もし
強化学習中
=
1
なら
5
秒待つ
x座標を
0
、y座標を
-74
にする
最前面
へ移動する
表示する
このスプライトが押されたとき
隠す
もう一度勝負
を送る

図C-10●「もう一度勝負」

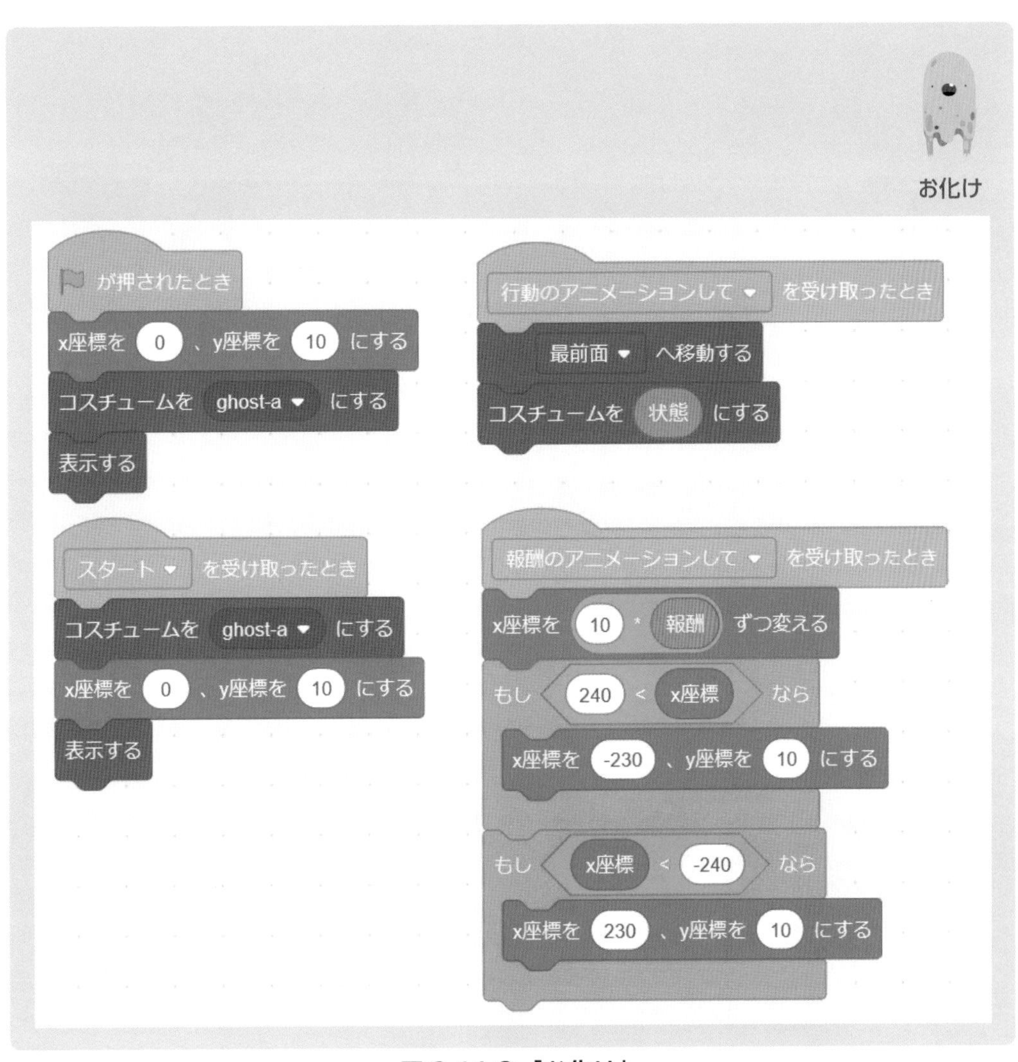

お化け
が押されたとき
x座標を 0 、y座標を 10 にする
コスチュームを ghost-a にする
表示する
スタート を受け取ったとき
コスチュームを ghost-a にする
x座標を 0 、y座標を 10 にする
表示する
行動のアニメーションして を受け取ったとき
最前面 へ移動する
コスチュームを 状態 にする
報酬のアニメーションして を受け取ったとき
x座標を 10 * 報酬 ずつ変える
もし 240 < x座標 なら
x座標を -230 、y座標を 10 にする
もし x座標 < -240 なら
x座標を 230 、y座標を 10 にする

図C-11●「お化け」

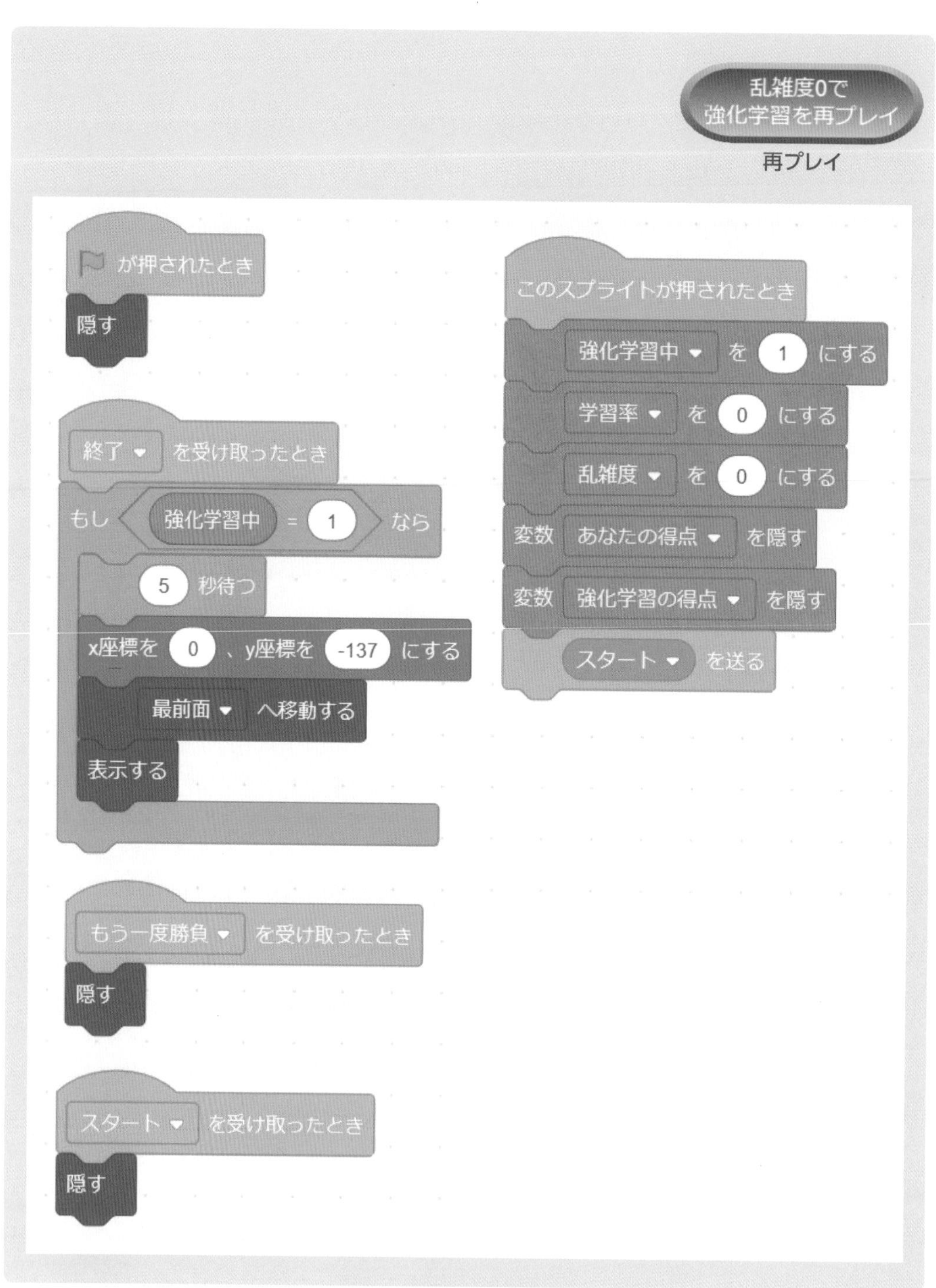

乱雑度0で
強化学習を再プレイ
再プレイ
が押されたとき
隠す
終了 を受け取ったとき
もし 強化学習中 = 1 なら
5 秒待つ
x座標を 0 、y座標を -137 にする
最前面 へ移動する
表示する
もう一度勝負 を受け取ったとき
隠す
スタート を受け取ったとき
隠す
このスプライトが押されたとき
強化学習中 を 1 にする
学習率 を 0 にする
乱雑度 を 0 にする
変数 あなたの得点 を隠す
変数 強化学習の得点 を隠す
スタート を送る

図C-12●「再プレイ」

あとがき

最後まで読んでいただき、大変ありがとうございます。

最後の方は少し難しかったかもしれませんが、この本によって、敷居が高かった強化学習が案外手に届くものだと感じてもらえるようになっていたら幸いです。

ここから先は、本書で紹介したゲームの改変や、新しい強化学習ゲームの作成にチャレンジしてみるとよいと思います。また、より本格的なプログラミング言語を使って、プログラムの規模を大きくすることもオススメです。筆者はPython言語をお勧めします。Pythonはとても分かりやすい言語で、多くの機械学習のライブラリが使用できます。

さて、Q学習をいろいろな問題に試せるようになると、その弱点も見えてくるかもしれません。Q学習は、状態の数や行動の種類の数が多くなればなるほど、学習が落ち着くのにとても時間がかかってしまうのです。

この問題解決に、さまざまな手法が提案されています。1章で紹介した「フィンガロン」はQ学習にモデルベースという方法を取り入れています。またDQNは、ディープラーニングを使うことで、その問題を解決しています。このように強化学習には、すごいアイデアのアルゴリズムがまだたくさんありますから、興味がある人はさらにこの先の強化学習を勉強してみてください。

最後になりますが、出版社の方々からは、内容やゲームの仕様に関する貴重なコメントやアドバイスをいただきました。そのおかげで、濃い内容だったにもかかわらず、ずいぶん分かりやすくできたのではと思います。心より感謝申し上げます。そして、研究者時代にともに勉強した大塚誠さんには、理論部分のレビューをしていただき、非常に助かりました。ここに厚くお礼申し上げます。

著者プロフィール

伊藤 真（いとう まこと）

2000年、東北大学大学院にて動物のナビゲーション行動の数理モデルの研究で情報科学博士取得。2004～2016年、沖縄科学技術大学院大学神経計算ユニットで、脳活動のデータ収集と解析に従事。動物の行動と脳活動を強化学習モデルで説明する研究を行う。2017年より民間企業にて人工知能の産業利用に従事。

【著書】

・『Pythonで動かして学ぶ！あたらしい機械学習の教科書』
（2018年、翔泳社）

・『Pythonで動かして学ぶ！あたらしい機械学習の教科書 第2版』
（2019年、翔泳社）

【雑誌記事】

・『2関節のハンドロボット「ハンドロン」製作記』
（ラズパイマガジン2019年4月号、pp.64-75、日経BP）

【その他】

・みんなのラズパイコンテスト2018（主催：ラズパイマガジン、日経Linux、日経ソフトウエア）
グランプリ受賞 『ピンポン玉を打ち返すハンドロボット「ハンドロン」』

・みんなのラズパイコンテスト2019（主催：ラズパイマガジン、日経Linux、日経ソフトウエア）
技術賞受賞 『這いまわる指型AIロボット、フィンガロン』

索引

記号、英字

あ行

か行

さ行

た行

な行

は行

ま行

ら行

わ行

ScratchでAIを学ぼう
ゲームプログラミングで強化学習を体験

2020年8月11日　第1版第1刷発行

著　　者　伊藤 真
発 行 者　中野 淳
編　　集　安井 晴海
発　　行　日経BP
発　　売　日経BPマーケティング
〒105-8308　東京都港区虎ノ門4-3-12
編集協力　大塚 誠
装　　丁　小口 翔平＋三沢 稜（tobufune）
制　　作　JMCインターナショナル
印刷・製本　図書印刷

ISBN978-4-296-10694-3　Printed in Japan